CW00406487

GLI ADELPHI

34

Milan Kundera è nato in Boemia e vive in Francia. Ha scritto in ceco: *Lo scherzo* (terminato nel 1965), *Amori ridicoli* (1968), *La vita è altrove* (1969), *Il valzer degli addii* (1970), *Jacques e il suo padrone* (1971), *Il libro del riso e dell'oblio* (1978), *L'insostenibile leggerezza dell'essere* (1982), *L'immortalità* (1988); in francese: *L'arte del romanzo* (1986), *I testamenti traditi* (1993), *La lentezza* (1994), *L'identità* (1996), *L'ignoranza* (2000), *Il sipario* (2004), *Un incontro* (2009) e *La festa dell'insignificanza* (2013) – tutti pubblicati da Adelphi tra il 1985 e il 2013.

Milan Kundera

La vita è altrove

ADELPHI EDIZIONI

TITOLO ORIGINALE:
Život je jinde

Traduzione di Serena Vitale

WWW.ADELPHI.IT

ISBN 978-88-459-0895-8

Anno	Edizione
2023 2022 2021 2020	17 18 19 20 21 22 23

PREFAZIONE

«La vita è altrove» è una celebre frase di Rimbaud. André Breton la cita nella conclusione del suo Manifesto del Surrealismo e nel maggio del 1968 gli studenti parigini l'adottarono come slogan e la scrissero sui muri della Sorbonne. Ma il titolo originale del mio romanzo era *L'età lirica*. Lo cambiai all'ultimo momento, di fronte all'espressione dubbiosa dei miei editori che temevano di non riuscire a vendere un libro con un titolo così astruso.

L'età lirica è la giovinezza. Il mio romanzo è un'epica della giovinezza e un'analisi di ciò che io chiamo «atteggiamento lirico». L'atteggiamento lirico è una potenzialità di ogni essere umano e una delle categorie fondamentali dell'esistenza umana. La poesia lirica come genere letterario è antica di secoli, perché antica di secoli è nell'uomo la capacità di assumere l'atteggiamento lirico. La sua personificazione è il poeta.

A cominciare da Dante, il poeta è anche una grande figura che attraversa tutta la storia europea. È un simbolo di identità nazionale (Camões, Goethe,

Mickiewicz, Puškin), è un portavoce delle rivoluzioni (Béranger, Petöfi, Majakovskij, Lorca), è la voce della storia (Hugo, Breton), è un essere mitologico cui si tributa un culto pressoché religioso (Petrarca, Byron, Rimbaud, Rilke), ma è soprattutto il rappresentante di un valore inviolabile che noi siamo pronti a scrivere con l'iniziale maiuscola: la Poesia.

Ma che cosa è accaduto al poeta europeo nell'ultimo mezzo secolo? Oggi la sua voce stenta ad arrivare alle nostre orecchie. Quasi senza che ce ne accorgessimo, il poeta ha lasciato la vasta e rumorosa scena del mondo (la sua scomparsa parrebbe uno dei sintomi della pericolosa epoca di transizione in cui si trova l'Europa e alla quale non abbiamo ancora imparato a dare un nome). Per una sorta di satanica ironia della storia, l'ultimo breve periodo europeo nel quale il poeta recitò ancora la sua grande parte pubblica fu il periodo delle rivoluzioni comuniste dell'Europa centrale nel secondo dopoguerra.

È importante sottolineare che queste strane pseudorivoluzioni, importate dalla Russia e compiute sotto la protezione dell'esercito e della polizia, erano piene di psicologia rivoluzionaria autentica e furono vissute dai loro aderenti con grande pathos, entusiasmo e fede escatologica in un mondo assolutamente nuovo. Per l'ultima volta i poeti si trovarono sul proscenio. Erano convinti di recitare la loro parte di sempre nel glorioso dramma europeo, ed erano ben lungi dal sospettare che all'ultimo momento il direttore del teatro avesse cambiato il programma sostituendolo con una banale farsa.

Io fui testimone in prima fila di quell'èra dove «il poeta regnava a fianco del carnefice» (p. 311). Sentii un poeta che ammiravo, Paul Éluard, rinnegare pubblicamente e formalmente i suoi amici praghesi mandati al capestro dalla giustizia stalinista. Questo episodio (di cui scrissi nel *Libro del riso e dell'oblio*) mi traumatizzò: quando un boia uccide, la cosa in fin dei conti è normale; ma quando un poeta (e per di più un grande poeta) accompagna l'esecuzione col suo canto, l'intero sistema di valori che noi consideriamo sacrosanto viene d'un colpo scardinato. Le certezze scompaiono. Tutto diventa problematico, discutibile, soggetto all'analisi e al dubbio: il Progresso e la Rivoluzione. La Giovinezza. La Maternità. Persino l'Uomo. E anche la Poesia. Io vedevo davanti a me un mondo di valori traballanti e nella mia mente, con gli anni, prese gradatamente forma la figura di Jaromil, con sua madre e i suoi amori.

Non dite che Jaromil è un cattivo poeta! Sarebbe una spiegazione troppo facile della storia della sua vita! Jaromil è un poeta di talento, ricco di immaginazione e di emozioni. Ed è un giovane sensibile. Naturalmente, è anche un mostro. Ma la sua mostruosità si trova in potenza in tutti noi. È in me. È in voi. È in Rimbaud. È in Shelley, in Hugo. In tutti i giovani uomini, di tutte le epoche e di tutti i regimi. Jaromil non è un prodotto del comunismo. Il comunismo è servito solo a illuminare un lato altrimenti nascosto, ha liberato qualcosa che in circostanze diverse avrebbe continuato a dormire tranquillamente.

Anche se la storia di Jaromil e di sua madre si svolge in un'epoca storica ben definita, e descritta in maniera veridica (senza il minimo intento satirico), il mio proposito non era di descrivere un'epoca. «Se abbiamo scelto quegli anni, non è stato per tracciarne il ritratto, ma solo perché ci è parso che essi costituissero una trappola di impareggiabile efficacia per Lermontov e Rimbaud, una trappola di impareggiabile efficacia per il lirismo e la giovinezza» (p. 312). In altre parole: una situazione storica è per un romanziere un *laboratorio antropologico* nel quale egli si concentra sulla sua domanda fondamentale:

Che cos'è l'esistenza umana? Nel caso del presente romanzo, a questa domanda ne fanno seguito molte altre ad essa collegate: Che cos'è l'atteggiamento lirico? Che cos'è la giovinezza? Che parte misteriosa ha la madre nella formazione del mondo lirico di un giovane? E se la giovinezza è il tempo dell'inesperienza, qual è il rapporto tra inesperienza e brama di assoluto? O tra brama di assoluto e fervore rivoluzionario? E come si rivela l'atteggiamento lirico nell'amore? Esistono «forme liriche» dell'amore? Eccetera, eccetera.

A tutte queste domande il romanzo naturalmente non dà risposta. La risposta è già nelle domande stesse, perché, come dice Heidegger, l'essenza dell'uomo ha la forma di una domanda.

Milan Kundera

(Traduzione di Anna Ravano)

LA VITA È ALTROVE

PARTE PRIMA

OVVERO

IL POETA NASCE

1

Quando la madre del poeta si domandava dove il poeta era stato concepito, si presentavano solo tre possibilità: o una sera sulla panchina di un giardino pubblico, o un pomeriggio nell'appartamento di un collega del padre del poeta, oppure una mattina in un posticino romantico nei dintorni di Praga.

Quando il padre del poeta si poneva la stessa domanda, arrivava alla conclusione che il poeta era stato concepito nell'appartamento del collega, perché quel giorno tutto gli era andato storto. La madre del poeta non voleva andare in casa del collega, avevano litigato due volte, due volte avevano fatto la pace; mentre facevano l'amore qualcuno aveva girato la chiave nella serratura dell'appartamento accanto, la madre del poeta si era spaventata, avevano smesso di fare l'amore, poi avevano ripreso a farlo, entrambi in uno stato di nervosismo al quale il padre attribuiva la colpa del concepimento del poeta.

D'altra parte, la madre del poeta non ammetteva minimamente la possibilità che il poeta fosse stato concepito in un appartamento preso a prestito (vi regnava il tipico disordine degli scapoli, e la madre guardava con ripugnanza il letto disfatto, col pigiama spiegazzato di uno sconosciuto gettato sul lenzuolo), e respingeva ugualmente la possibilità che il poeta fosse stato concepito sulla panchina di un giardino pubblico dove si era lasciata convincere a fare l'amore solo controvoglia e senza piacere, disgustata dall'idea che sulle panchine dei giardini pubblici fanno l'amore le prostitute. Era quindi assolutamente certa che il poeta poteva essere stato concepito solo in quell'assolato mattino d'estate, al riparo di un'alta roccia che si ergeva pateticamente tra altre rocce, nella valle dove i praghesi fanno le loro gite domenicali.

Questo scenario si addice al concepimento del poeta per vari motivi: rischiarato dal sole di mezzogiorno, è uno scenario di luce e non di tenebre, diurno e non notturno; è un luogo situato in mezzo a uno spazio naturale aperto, e quindi fatto per il volo e le ali; infine, pur non essendo molto lontano dalle ultime case della città, è un paesaggio romantico, pieno di massi rocciosi che sporgono da un terreno selvaggiamente modellato. Tutto questo pareva alla madre un'immagine eloquente di ciò che aveva vissuto in quel periodo. Il suo grande amore per il padre del poeta non era forse stato una romantica rivolta contro la vita piatta e abitudinaria dei genitori? Il coraggio con cui lei, figlia di un ricco commerciante, aveva scelto un povero ingegnere appena laureato, non aveva forse un'intima somiglianza con quel paesaggio indomito?

La madre del poeta viveva a quel tempo un grande amore, anche se a quello splendido mattino sotto la roccia era seguita qualche settimana dopo la delusione. Infatti, quando, con gioiosa eccitazione, comunicò al suo amante che l'intima indisposizione che turbava tutti i mesi della sua vita si faceva attendere ormai da troppi giorni, l'ingegnere, con indifferenza rivoltante (pure se a noi essa appare falsa e imbarazzata), disse che si trattava di un'insignificante perturbazione del ciclo fisico, il quale non avrebbe tardato a ritrovare il suo ritmo benefico. La madre capì che l'amante rifiutava di dividere le sue speranze e le sue gioie, si offese e non gli parlò più fino al momento in cui il medico le annunciò che era incinta. Il padre del poeta disse di avere un amico ginecologo che li avrebbe discretamente liberati del loro problema, e la madre scoppiò in lacrime.

Commoventi conclusioni delle rivolte! Prima si era ribellata contro i genitori in nome del giovane ingegnere e poi corse da loro chiedendo aiuto contro di lui. E i genitori non la delusero; si incontrarono con l'ingegnere, gli parlarono con estrema franchezza, e l'ingegnere, avendo chiaramente capito che non c'era via di uscita, acconsentì a uno sfarzoso matrimonio e accettò senza obiezioni una dote considerevole che gli permetteva di aprire un'impresa di costruzioni; trasferì quindi i suoi modesti averi, che occupavano solo due valigie, nella villa dove la sposina viveva fin dalla nascita con i genitori.

La pronta capitolazione dell'ingegnere non poteva però nascondere alla madre del poeta che l'avventura in cui si era gettata con un'incoscienza ai suoi occhi sublime non era quel grande amore reciproco al quale era fermamente convinta di avere pieno diritto. Suo padre era proprietario di due floride drogherie praghesi, e la figlia professava la morale dei conti pari; dal momento che aveva investito tutto nell'amore (non era stata pronta a tradire i genitori e la loro casa tranquilla?), voleva che il suo partner versasse nella cassa comune un'uguale somma di sentimenti. Cercando di porre rimedio all'ingiustizia, ora voleva ritirare dalla cassa dei sentimenti quello che vi aveva depositato, e dopo il matrimonio offriva al marito un viso altero e grave.

La sorella della madre del poeta aveva da poco lasciato la villa paterna (si era sposata, e aveva preso in affitto un appartamento nel centro) e così il vecchio commerciante e la moglie restarono nelle stanze al pianterreno, mentre l'ingegnere e la figlia poterono sistemarsi nelle tre stanze al piano superiore, due grandi e una un po' più piccola, arredate esattamente nel modo scelto dal padre della sposa vent'anni prima, quando si era fatto costruire la villa. Trovarsi a disposizione una casa già arredata faceva comodo all'ingegnere, giacché, a parte il contenuto delle due succitate valigie, non possedeva nient'altro; tuttavia suggerì alcuni piccoli cambiamenti per rinnovare l'aspetto dei locali. Ma la madre del poeta non poteva ammettere che l'uomo che aveva voluto mandarla sotto i ferri del ginecologo osasse sconvolgere la vecchia disposizione dell'ambiente che racchiudeva lo spirito dei genitori e molti anni di dolci abitudini, di intimità e di sicurezza.

Anche questa volta il giovane ingegnere capitolò senza resistenza e si permise solo una piccola protesta che vogliamo segnalare: nella stanza che gli sposi avevano scelto come camera da letto c'era un tavolino sul cui largo piede centrale poggiava un pesante piano rotondo di marmo grigio e su questo era la statuetta di un uomo nudo; nella mano sinistra l'uomo teneva una lira, appoggiata contro il fianco leggermente inarcato; la mano destra era sollevata in un gesto patetico, come se le dita avessero appena finito di pizzicare le corde; la gamba destra era spinta in avanti, la testa leggermente inclinata, così che gli occhi erano rivolti al cielo. Aggiungeremo che il viso dell'uomo era straordinariamente bello, i capelli ricciuti, e il candore dell'alabastro in cui era stata scolpita la statuetta dava al personaggio un che di teneramente femmineo o di divinamente virginale; del resto non a caso abbiamo usato il termine *divinamente*:

secondo l'iscrizione incisa sul piccolo piedistallo, l'uomo con la lira era il dio greco Apollo.

Ma era raro che la madre del poeta potesse vedere l'uomo con la lira senza arrabbiarsi. Quasi sempre stava girato offrendo agli sguardi il posteriore, a volte veniva trasformato in sostegno per il cappello dell'ingegnere, oppure dalla sua testa delicata pendeva una scarpa, o ancora, era rivestito di un calzino dell'ingegnere, indumento che, per il suo sgradevole odore, costituiva una profanazione particolarmente odiosa del re delle Muse.

Se la madre del poeta accettava tutto ciò con impazienza, la colpa non era soltanto del suo scarso senso dell'umorismo; aveva intuito, e aveva ragione, che mettendo un calzino sul corpo di Apollo, il marito le faceva sapere sotto il velo dello scherzo ciò che altrimenti taceva educatamente: che rifiutava il suo mondo, e che la propria capitolazione di fronte ad esso era solo provvisoria.

Così quell'oggetto di alabastro diventò un vero e proprio dio antico, e cioè un essere di un mondo soprannaturale che interviene nel mondo umano, che ne mescola i destini, che cospira e svela le cose segrete. La giovane sposa vedeva in lui un alleato, e la sua sognante femminilità ne fece una creatura viva i cui occhi prendevano talvolta i colori di iridi illusorie, e la cui bocca pareva respirare. Finì con l'innamorarsi di quel giovinetto nudo che veniva umiliato per lei, a causa sua. Guardando il suo viso leggiadro, cominciò a sognare che il bambino che le cresceva in grembo somigliasse a quel bel nemico del marito. Voleva che gli somigliasse tanto da poter pensare che fosse nato per fecondazione non del marito, ma di quel giovane; lo pregava di far ricorso alla sua magia per correggere quello sventurato feto, per trasformarlo, ritoccarlo, come fece un tempo il grande Tiziano quando dipinse un suo quadro sulla tela rovinata da un apprendista.

Prendendo istintivamente a modello la Vergine Maria, che fu madre senza la mediazione di un fecondatore umano e diventò così l'ideale di un amore materno in cui il padre non interviene a seminare lo scompiglio e non dà nessun fastidio, fu colta dal provocatorio desiderio di chiamare il suo bambino Apollo: per lei, sarebbe stato come chiamarlo *Colui che non ha padre umano*. D'altra parte, si rendeva conto che un nome così pomposo gli avrebbe complicato la vita, e che tutti avrebbero preso in giro sia il bambino sia lei. Così cercò un nome ceco degno del giovanile dio greco e le venne in mente Jaromil (*Colui che ama la primavera* o *Colui che è amato dalla primavera*); la scelta fu approvata da tutti.

Del resto, quando fu portata in clinica, era appunto primavera e i lillà erano in fiore: lì, dopo qualche ora di sofferenze, il giovane poeta sgusciò fuori dal suo corpo sul lenzuolo del mondo.

2

Poi il poeta fu messo in una culla accanto al suo letto e lei ne ascoltò gli strilli deliziosi; il suo corpo indolenzito era pieno di orgoglio. Non invidiamo al corpo tale orgoglio; fino a quel momento non l'aveva mai provato, anche se era tutt'altro che brutto: è vero che il sedere non era troppo espressivo e le gambe erano un po' corte, ma in compenso i seni erano straordinariamente freschi, e sotto i capelli fini (così leggeri che era sempre un problema tenerli a posto) il viso aveva, se non una bellezza accecante, un suo fascino discreto.

La mamma era sempre stata molto più consapevole della propria discrezione che del proprio fascino, tanto più che aveva sempre vissuto accanto alla sorella maggiore, una ragazza che ballava splendidamente, si vestiva nelle migliori sartorie praghesi e, munita di una racchetta da tennis, poteva facilmente entrare nel mondo degli uomini alla moda, voltando le spalle alla casa natale. La vistosa impetuosità della sorella rafforzava la testarda modestia della madre, che per protesta aveva cominciato ad amare la sentimentale gravità della musica e dei libri.

Prima di conoscere l'ingegnere certo usciva con un altro ragazzo, uno studente di medicina figlio di amici dei genitori, ma la relazione non era riuscita a dare al suo corpo una vera e propria sicurezza. Quando il ragazzo l'aveva portata a letto per la prima volta, lei lo aveva lasciato l'indomani stesso con la malinconica certezza che né ai suoi sentimenti né ai suoi sensi era destinato il grande amore. E giacché proprio in quel periodo aveva preso la licenza liceale, colse l'occasione per annunciare che intendeva trovare nel lavoro il senso della propria vita, e decise di iscriversi (malgrado il parere contrario di suo padre, che era un uomo pratico) alla facoltà di filosofia.

Il suo corpo deluso aveva ormai passato quasi cinque mesi sui larghi banchi di un'aula universitaria quando, un giorno, incontrò per strada un giovane ingegnere insolente che gli rivolse la parola e ne prese possesso dopo tre soli incontri. E siccome questa volta il corpo fu grandemente (e con sua grande sorpresa) soddisfatto, l'anima dimenticò presto l'ambizione di una carriera universitaria e (come deve sempre fare un'anima ragionevole) si affrettò a venire in aiuto del corpo: acconsentì di buon grado alle idee dell'ingegnere, alla sua allegra noncuranza, alla sua simpatica irresponsabilità. Pur sapendo che erano estranee alla sua famiglia, lei voleva identificarsi in quelle caratteristiche, perché a contatto con loro il suo corpo tristemente modesto cessava di dubitare e cominciava, con sua stessa meraviglia, a gioire di sé.

Era dunque finalmente felice? Non del tutto: si dibatteva tra i dubbi e la fiducia; quando si svestiva davanti allo specchio, si guardava con gli occhi di lui e a tratti si trovava eccitante, a tratti insipida. Aveva dato il suo corpo in balìa di occhi altrui – e questo era causa di grandi incertezze.

Pur esitando ancora tra la speranza e il dubbio, si era comunque definitivamente affrancata dalla sua prematura rassegnazione; la racchetta da tennis della sorella non la deprimeva più; il suo corpo finalmente viveva come corpo, e lei capiva che era bello vivere così. Sperava che quella nuova vita non fosse una promessa menzognera, ma una verità durevole; sperava che l'ingegnere la strappasse ai banchi universitari e alla casa natale trasformando un'avventura d'amore nell'avventura di una vita. Per questo accolse con entusiasmo la gravidanza: immaginava se stessa, l'ingegnere e il suo bambino, e le sembrava che quella trinità giungesse fino alle stelle e riempisse di sé l'universo.

Ne abbiamo già parlato nel capitolo precedente: la madre capì presto che l'uomo che cercava un'avventura d'amore temeva di affrontare l'avventura di una vita e non desiderava affatto trasformarsi con lei in un gruppo marmoreo che arrivava fino alle stelle. Ma sappiamo anche che questa volta la sua sicurezza non crollò sotto la pressione della freddezza dell'amante. Era infatti avvenuto un cambiamento importantissimo. Il corpo della madre, che fino a poco tempo prima era stato in completa balìa degli occhi dell'amante, era entrato in una nuova fase della sua storia: aveva smesso di essere un corpo per gli occhi altrui, era diventato un corpo per qualcuno che ancora non aveva occhi. La superficie esterna non era più così importante; il corpo toccava un altro corpo con la parete interna, ancora mai vista da nessuno. Gli occhi del mondo esterno non potevano cogliere, ormai, che l'esteriorità del tutto secondaria di quel corpo, e neanche l'opinione dell'ingegnere aveva più importanza, non potendo in alcun modo influire sul suo grande destino; il corpo aveva finalmente raggiunto un'indipendenza e un'autonomia totali; il ventre che ingrossava e s'imbruttiva era per quel corpo una crescente riserva di orgoglio.

Dopo il parto, il corpo della madre entrò in un'altra fase ancora. Quando sentì per la prima volta la bocca annaspante del figlio succhiare dal suo seno, un dolce fremito le esplose in mezzo al petto e irradiò raggi frementi in tutto il corpo; era qualcosa di simile alle carezze dell'amante, ma c'era dell'altro: una grande felicità tranquilla, una grande tranquillità felice. Non l'aveva mai provata prima; quando l'amante baciava il suo seno, era un attimo che doveva riscattare ore di dubbio e di diffidenza; sapeva invece che la bocca attaccata al suo seno era la prova di una dedizione ininterrotta della quale poteva essere sicura.

E c'era qualcos'altro: Quando l'amante toccava il suo corpo nudo, lei provava sempre un senso di vergogna; il reciproco avvicinarsi era sempre il superamento di un'estraneità, e l'attimo dell'unione era inebriante proprio perché si trattava di un attimo soltanto. Il pudore non si assopiva mai, anzi rendeva l'amore eccitante, ma al tempo stesso sorvegliava il corpo perché non si abbandonasse completamente. Ora, invece, il pudore era sparito; non c'era. I due corpi si aprivano interamente l'uno all'altro e non avevano nulla da nascondersi.

Mai si era abbandonata così a un altro corpo, e mai un altro corpo si era abbandonato così a lei. L'amante poteva godere del suo ventre, ma non vi aveva mai abitato, poteva toccarle il seno, ma non vi aveva mai bevuto. Ah, l'allattamento! Osservava amorosamente i movimenti da pesce di quella piccola bocca sdentata e si figurava che suo figlio bevesse, insieme col latte, i suoi pensieri, le sue fantasie, i suoi sogni.

Era uno stato *paradisiaco*: il corpo poteva essere corpo fino in fondo e non aveva bisogno di coprirsi con una foglia di fico; erano immersi nell'infinito di un tempo sereno; vivevano insieme come avevano vissuto Adamo e Eva prima di assaggiare il pomo dell'albero della conoscenza; vivevano nei loro corpi fuori dal bene e dal male; non solo: in paradiso la bellezza non si distingue dalla bruttezza, cosicché tutto ciò di cui si compone un corpo non era per loro né bello né brutto, ma solo delizioso; deliziose erano le gengive, anche se sdentate; delizioso il petto, delizioso l'ombelico, delizioso il piccolo sederino, deliziosi gli intestini, il cui funzionamento era attentamente sorvegliato, deliziosi i peli che spuntavano da quel buffo cranio. Essa seguiva con cura tutti i ruttini, le pipì e le cacchine del figlio, e non si trattava soltanto di una sollecitudine da infermiera preoccupata della salute del bambino; no, vegliava su tutte le attività di quel corpicino con *passione*.

Era una sensazione completamente nuova, giacché la madre aveva provato fin dall'infanzia una ripugnanza estrema nei confronti della corporeità, non solo altrui ma anche propria; trovava degradante doversi sedere sul water (aveva sempre cercato, almeno, di non farsi vedere mentre entrava nel gabinetto) e c'erano addirittura periodi in cui si vergognava di mangiare davanti agli altri, trovando ripugnanti la masticazione e la deglutizione. Ed ecco che ora la corporeità del figlioletto, elevata al di sopra di qualsiasi bruttezza, purificava e giustificava ai suoi occhi il suo stesso corpo. Il latte di cui talvolta restava una gocciolina sulla pelle rugosa dei capezzoli le sembrava poetico come una perla di rugiada; spesso si prendeva un seno e lo stringeva lievemente per veder apparire la magica goccia; la raccoglieva con l'indice e l'assaggiava; diceva a se stessa che voleva conoscere il gusto del liquido di cui si nutriva suo figlio, ma ciò che voleva conoscere era piuttosto il gusto del proprio corpo; e poiché il suo latte le pareva dolce, quel sapore la riconciliava con tutti gli altri suoi succhi e umori, cominciava a trovarsi lei stessa gustosa, il suo corpo le sembrava piacevole, naturale e buono come tutte le cose della natura, come l'albero, come l'arbusto, come l'acqua.

Purtroppo, era così felice del proprio corpo che lo trascurava; un giorno si rese conto che era troppo tardi e che le sarebbe rimasta per sempre sul ventre una pelle grinzosa con striature bianche sul tessuto sottocutaneo, una pelle che non sembrava più un saldo elemento del corpo, quanto piuttosto un suo involucro malamente cucito. Eppure, strano a dirsi, non si disperò a quella scoperta. Anche col ventre grinzoso, il corpo della madre era felice perché era un corpo riservato a occhi che del mondo percepivano ancora soltanto contorni confusi e ignoravano (erano infatti occhi *paradisiaci*!) l'esistenza di un mondo crudele in cui i corpi si dividevano in belli e brutti.

Ma questa distinzione, se non era vista dagli occhi del bambino, era però vista fin troppo bene dagli occhi del marito, che dopo la nascita di Jaromil aveva tentato di riavvicinarsi a lei. Dopo un lunghissimo intervallo avevano ripreso a fare l'amore, ma non era più come prima; per l'amore fisico sceglievano momenti discreti e furtivi, si amavano al buio e con moderazione. Alla madre la cosa andava benissimo: sapeva che il suo corpo era imbruttito e temeva di perdere presto, in amplessi troppo vivi e appassionati, quella deliziosa pace interiore che le veniva dal figlio.

No, no, non avrebbe mai più dimenticato che il marito le dava un piacere pieno di incertezze e il figlio, invece, una pace piena di felicità; per questo continuava a cercare presso di lui (già sgambettava, già camminava, già diceva le prime parole) il suo conforto. Una volta il bambino si ammalò gravemente, e lei trascorse due settimane senza quasi chiudere occhio accanto al corpicino bruciante che si contorceva dal dolore; anche quel periodo lo passò in una sorta di estasi; quando la malattia finì, le parve di aver attraversato il regno dei morti con il corpo del figlio tra le braccia e di esserne uscita con lui; le parve anche che dopo quella prova comune niente avrebbe mai più potuto separarli.

Il corpo del marito, coperto da un vestito o da un pigiama, quel corpo discreto e chiuso in se stesso, si allontanava da lei, andava perdendo intimità giorno dopo giorno, mentre il corpo del figlio dipendeva costantemente da lei; non lo allattava più, è vero, ma gli insegnava ad andare al gabinetto, lo vestiva e lo svestiva, sceglieva la sua pettinatura e i suoi vestiti, entrava giornalmente in contatto con le sue viscere per il tramite dei cibi che amorevolmente gli preparava. Quando, verso i quattro anni, cominciò a soffrire di disappetenza, diventò molto severa; lo obbligava a mangiare e, per la prima volta, provò la sensazione di non essere solo l'amica, ma anche la *sovrana* di quel corpo; quel corpo si ribellava, si rifiutava di inghiottire il cibo, ma era costretto a farlo; con una strana soddisfazione osservava quella vana resistenza e quella capitolazione, quel collo sottile su cui si poteva scorgere l'itinerario del boccone inghiottito controvoglia.

Ah, il corpo del figlio, sua casa e suo paradiso, suo regno...

3

E l'anima del figlio? Non era anch'essa il suo regno? Oh sì, sì! Quando Jaromil disse la prima parola, e quella parola fu *mamma*, impazzì di gioia; si diceva che l'intelligenza del figlio, composta ancora di un unico concetto, era occupata tutta da lei, così che anche in futuro quando l'intelligenza sarebbe cresciuta, si sarebbe ramificata e arricchita, lei ne sarebbe rimasta sempre la radice. Poi, piacevolmente incoraggiata, seguì con cura tutti i tentativi fatti dal figlio per acquistare l'uso della parola, e poiché sapeva che la memoria è fragile e la vita lunga, comprò un'agenda con la copertina rosso scuro e cominciò a registrare tutto ciò che usciva dalla bocca del figlio.

Se ci aiutiamo col suo diario, possiamo dunque constatare che la parola *mamma* fu presto seguita da altre parole, e che la parola *papà* apparve solo al settimo posto dopo *nonna*, *nonno*, *bau*, *popò*, *aam*, *pipì*. Dopo queste parole semplici (sempre accompagnate nel diario della madre da un breve commento e da una data) troviamo i primi tentativi di frase; veniamo a sapere che un bel po' prima del suo secondo compleanno egli pronunciò: *mamma è buona*. Qualche settimana dopo disse: *mamma totò*. Per questa dichiarazione, fatta dopo che la madre aveva rifiutato di dargli lo sciroppo di fragola prima di colazione, era stato sculacciato, al che era scoppiato a piangere urlando: *voglio un'altra mamma!* In compenso, una settimana dopo diede alla madre una grande gioia proclamando: *la mia mamma è la più bella*. Un'altra volta disse: *mamma, ti do un bacio a lecca lecca*; la frase va intesa nel senso che tirò fuori la lingua e si mise a leccare tutto il viso della madre.

Saltando qualche pagina troviamo un'osservazione che ci colpisce per la sua forma ritmica. La nonna aveva promesso a Jaromil di dargli una mela, ma poi s'era scordata la promessa e si era mangiata la mela; Jaromil si sentì preso in giro, si arrabbiò moltissimo e ripeté più volte: *è cattiva la nonnina, mi ha rubato la melina.* In un certo senso, la battuta andrebbe accostata all'altra sentenza già citata di Jaromil: *mamma totò*, ma questa volta il bambino non venne sculacciato, perché tutti si misero a ridere, compresa la nonna, e in seguito la frase venne spesso ripetuta con divertimento in famiglia (il che evidentemente non sfuggì al perspicace Jaromil). Certo egli allora non capì la ragione del suo successo, ma da parte nostra sappiamo benissimo che fu la rima a salvarlo dalle botte e che proprio in quel modo gli fu rivelato per la prima volta il magico potere della poesia.

Altre sentenze in rima figurano nelle pagine seguenti del diario della madre, i cui commenti mostrano con chiarezza che esse rappresentavano una fonte di gioia e di soddisfazione per tutta la famiglia. È così, a quanto pare, che fu composto il sintetico ritratto della cameriera Anna: *la cameriera Anna è come la panna.* Oppure, appena dopo, leggiamo: *andiamo in campagna, che bella cuccagna!* La mamma sospettava che questa attività poetica fosse dovuta, oltre che al talento assolutamente originale di cui era dotato Jaromil, all'influsso delle poesie per bambini, che lei gli leggeva in tale abbondanza da poterlo indurre a credere che il ceco si compone esclusivamente di trochei, ma su questo punto dobbiamo rettificare l'opinione materna: più importante del talento e dei modelli letterari era il ruolo del nonno, spirito sobrio e pratico, nonché ardente nemico della poesia, che inventava a bella posta i distici più stupidi e li insegnava di nascosto al nipotino.

Jaromil non tardò ad accorgersi che le sue parole venivano registrate con grande attenzione e cominciò a comportarsi in conseguenza; se inizialmente aveva usato la parola per farsi capire, adesso parlava per suscitare l'approvazione, l'ammirazione o le risate. Si rallegrava in anticipo dell'effetto che le sue parole avrebbero prodotto sugli altri, e poiché gli succedeva spesso di non ottenere la reazione desiderata, cercava di dire le cose più assurde per attirare l'attenzione. Non sempre gli riusciva; quando disse ai genitori: *siete tutti dei coglioni* (aveva sentito la parola da un ragazzo nel giardino vicino, e si ricordava che gli altri ragazzi avevano riso), il padre gli diede uno scapaccione.

Da allora si mise a osservare attentamente ciò che i grandi apprezzavano nelle sue parole, ciò che approvavano, ciò che disapprovavano, e ciò che li lasciava costernati; fu così che un giorno che era con la madre in giardino pronunciò una frase impregnata della malinconia dei lamenti della nonna: *mamma, la vita è come l'erba cattiva.*

Sarebbe difficile dire che cosa intendesse con tale riflessione; quel che è certo è che non pensava alla vivace insignificanza e insignificante vivacità che è tipica delle erbacce ma voleva probabilmente esprimere l'idea tutto sommato abbastanza vaga che la vita è triste e vana. Comunque, se anche non disse proprio quel che voleva dire, l'effetto delle sue parole fu grandioso; la madre tacque, gli carezzò i capelli e lo guardò con gli occhi umidi di lacrime. Jaromil fu così inebriato da quello sguardo, in cui si leggeva un commosso elogio, che desiderò di poterlo rivedere. Durante una passeggiata, inciampò in un sasso e disse alla madre: *mamma, sono inciampato in questo sasso e adesso mi fa talmente pena che gli voglio dare una carezza*, ed effettivamente si chinò per accarezzare il sasso.

La madre era persuasa che il figlio avesse non solo un talento particolare (già a cinque anni sapeva leggere), ma anche un'eccezionale sensibilità che lo rendeva diverso dagli altri bambini. Il più delle volte metteva i due nonni a parte di questa sua convinzione, e Jaromil, che giocava buono buono coi soldatini o al cavalluccio, seguiva quei discorsi con immenso interesse. Quindi affondava lo sguardo negli occhi degli ospiti e si immaginava rapito che quegli occhi lo vedessero come un bambino eccezionale, unico, che forse non era neanche un bambino.

All'approssimarsi del suo sesto compleanno, quando non gli restavano che pochi mesi prima di cominciare la scuola, la famiglia insistette perché avesse una camera indipendente e dormisse da solo. La madre vedeva passare il tempo con rimpianto, ma accettò. D'accordo col marito, decise di dare al figlio, come regalo di compleanno, la terza e più piccola stanza del piano superiore e di comprargli un divano e altri mobili adatti alla stanza di un bambino: uno scaffaletto, uno specchio che stimolasse all'ordine e alla pulizia, e un piccolo scrittoio.

Il padre suggerì di abbellire la camera con disegni fatti da Jaromil e si mise subito a incorniciare certi scarabocchi infantili che rappresentavano mele e giardini. Fu allora che la madre gli si avvicinò e gli disse: «Vorrei chiederti qualcosa». Lui la guardò, e la voce di lei, energica e timida al tempo stesso, seguitò: «Vorrei dei fogli e dei colori». Poi andò a sedersi a un tavolo in camera sua, stese davanti a sé il primo foglio e per un bel po' di tempo fu occupata a disegnare una serie di lettere a matita; infine intinse un pennello nel rosso e cominciò a dipingere una L maiuscola. La L fu seguita da una A, poi da una V, e il risultato fu la scritta: *La vita è come l'erba cattiva*. La madre esaminò la sua opera e si sentì soddisfatta: le lettere erano dritte e più o meno della stessa altezza; ciò nonostante prese un altro foglio di carta e vi disegnò di nuovo la scritta, poi si mise a colorarla, ma questa volta in azzurro scuro, perché il colore le sembrava accordarsi meglio all'ineffabile tristezza del pensiero del figlio.

Poi si ricordò che Jaromil aveva detto: *È cattiva la nonnina, mi ha rubato la melina*, e con un sorriso felice sulle labbra cominciò a scrivere (questa volta in un bel rosso vivo): *Alla cara nonnina piace la melina*. Quindi, con un sorriso nascosto, si ricordò anche di: *Siete tutti dei coglioni*, ma questa sentenza non la disegnò; in compenso disegnò e colorò (in verde): *Andiamo in campagna, che bella cuccagna!*, poi (in viola): *Anna è come la panna* (è vero che Jaromil aveva detto «la cameriera Anna», ma la madre trovava che la parola cameriera fosse volgare); poi le tornò in mente di quando Jaromil si era chinato per carezzare un sasso e dopo un istante di riflessione si mise a scrivere (in azzurro cielo): *Non farei male neanche a una pietra*, e infine, con un leggero senso di imbarazzo ma con tanto più piacere, tracciò (in arancione): *Mamma, ti voglio dare un bacio a lecca lecca*, e poi ancora (in lettere dorate): *La mia mamma è la più bella.*

Alla vigilia del suo compleanno, i genitori mandarono l'eccitatissimo Jaromil a dormire giù dalla nonna e si misero a spostare i mobili e a decorare le pareti. L'indomani mattina, quando fecero entrare il bambino nella stanza completamente trasformata, la mamma era nervosa e Jaromil non fece nulla per dissipare il suo turbamento; se ne stava lì, impalato, e non apriva bocca; il maggior interesse (ma anche quello lo manifestò piano e timidamente) era rivolto allo scrittoio, un mobiletto curioso che somigliava a un banco di scuola: il piano (inclinato e mobile, sotto il quale si apriva uno spazio per libri e quaderni) formava un pezzo unico col sedile.

«Allora, che ne dici, non sei contento?» domandò la madre, che non riusciva più a trattenersi.

«Sì, sono contento» rispose il bambino.

«E che cos'è che ti piace di più?» chiese il nonno, che insieme con la nonna contemplava la scena così a lungo attesa.

«Il banco» disse il bambino; ci si sedette e cominciò a sollevare e richiudere il coperchio.

«E che ne dici dei quadretti?» domandò il padre, indicando i disegni incorniciati.

Il bambino alzò la testa e sorrise: «Li conosco già».

«E come li trovi, così, appesi al muro?».

Il bambino, sempre seduto al suo piccolo scrittoio, mosse la testa per indicare che i disegni appesi al muro gli piacevano.

La madre si sentiva stringere il cuore e avrebbe voluto sparire dalla stanza. Ma era lì, e non poteva passare sotto silenzio le iscrizioni incorniciate e appese al muro, perché quel silenzio sarebbe suonato come una condanna; sicché disse: «E guarda anche le scritte!».

Il bambino aveva la testa china e guardava dentro il suo piccolo scrittoio.

«Sai,» riprese lei tutta confusa «io volevo che tu potessi ricordarti di come sei cresciuto, dalla culla fino ai banchi di scuola, perché sei stato un bambino intelligente e hai dato gioia a tutti noi...». Diceva quelle parole come si stesse scusando e, confusa com'era, ripeté più volte la stessa cosa; infine, non sapendo più che cosa dire, tacque.

Ma si sbagliava credendo che Jaromil non le fosse grato del suo dono. Non trovava nulla da dire, è vero, ma non era scontento; era sempre fiero delle proprie parole e non voleva che andassero perdute; adesso che le vedeva accuratamente ricopiate, colorate e trasformate in quadri provava una sensazione di successo, anzi un successo così grande e inatteso che non sapeva come reagirvi e ne aveva paura; capiva di essere *un bambino che pronuncia parole degne di nota*, e sapeva che quel bambino doveva dire anche in quel momento qualcosa che fosse degno di nota, solo che non riusciva a pensare a niente che fosse degno di nota, e per questo abbassava la testa. Ma quando scorgeva con la coda dell'occhio le sue parole sul muro, fissate, pietrificate, più durevoli e più grandi di lui stesso, ne era inebriato; aveva l'impressione di essere circondato da se stesso, di essere enorme, di riempire tutta la stanza, di riempire tutta la casa.

4

Già prima di andare a scuola, Jaromil sapeva leggere e scrivere, e così la mamma decise che sarebbe potuto andare direttamente in seconda; ottenne dal ministero un'autorizzazione speciale e Jaromil, superato un esame davanti a un'apposita commissione, poté prendere posto tra alunni che avevano un anno più di lui. Dal momento che tutti, a scuola, lo ammiravano, l'aula gli appariva come un semplice riflesso dell'ambiente familiare. Quando, il Giorno della Mamma, gli alunni presentarono i loro lavori alla festa scolastica, Jaromil salì per ultimo sulla pedana e recitò una breve e commovente poesia sulle mamme che gli provocò grandi applausi da parte del pubblico dei genitori.

Un bel giorno, però, si rese conto che dietro quel pubblico plaudente ce n'era un altro che lo spiava con malignità e che gli era ostile. Era dal dentista, nella sala d'attesa gremita, e lì, fra i pazienti che aspettavano, incontrò un compagno di classe. Sedevano uno accanto all'altro, con le spalle alla finestra, e Jaromil notò che un signore anziano ascoltava le loro parole con un sorriso di benevolenza. Stimolato da quel segno d'interesse, chiese al compagno (e alzò un poco la voce perché la domanda non sfuggisse a nessuno) che cosa avrebbe fatto se fosse stato ministro della Pubblica Istruzione. E poiché il compagno non sapeva che dire, si diede lui stesso a esporre le proprie considerazioni, cosa che non gli riusciva difficile, poiché bastava ripetere i discorsi che gli teneva regolarmente il nonno per divertirlo. Ecco, se Jaromil fosse stato ministro della Pubblica Istruzione ci sarebbero stati solo due mesi di scuola e dieci di vacanza, il maestro avrebbe dovuto obbedire ai ragazzi e portare loro la merenda da una pasticceria, e sarebbero successe molte altre cose straordinarie che Jaromil espose con abbondanza di particolari e a voce alta e scandita.

Poi la porta del dentista si aprì, lasciando passare un'infermiera che accompagnava un paziente. Una signora che teneva sulle ginocchia un libro semichiuso fra le cui pagine aveva infilato un dito per segnare il punto in cui aveva interrotto la lettura, si rivolse all'infermiera in tono quasi implorante: «La prego, faccia qualcosa con quel bambino. È orribile come dà spettacolo!».

Dopo Natale il maestro chiamò gli alunni alla lavagna perché raccontassero agli altri che cosa avevano trovato sotto l'albero. Jaromil cominciò a elencare: un gioco di costruzioni, un paio di sci, dei pattini, dei libri, ma non tardò ad accorgersi che gli altri ragazzi non lo guardavano con lo stesso fervore con cui li guardava lui e che alcuni anzi avevano un'espressione indifferente o addirittura ostile; s'interruppe, e non aggiunse parola sugli altri regali.

No, no, non abbiate timori, non vogliamo certo ripetere per la millesima volta la storia del figlio di ricchi che si attira l'odio dei compagni poveri; nella classe di Jaromil c'erano ragazzi di famiglie più facoltose della sua, eppure andavano d'accordissimo con gli altri e nessuno gli rimproverava la loro ricchezza. Che cosa aveva dunque Jaromil che non piaceva ai suoi compagni, che dava loro fastidio, che cosa lo rendeva diverso?

Esitiamo quasi a dirlo: Non era la ricchezza, era l'amore della sua mamma. Un amore che lasciava tracce ovunque; gli restava appiccicato alla camicia, alla pettinatura, alle parole di cui si serviva, alla cartella in cui sistemava i quaderni, ai libri che leggeva a casa per svagarsi. Ogni cosa era appositamente scelta e preparata per lui. Le camicie che gli confezionava la nonna parsimoniosa sembravano, Dio sa perché, bluse da ragazzina più che camicie da ragazzo. Affinché i lunghi capelli non gli ricadessero sugli occhi, era costretto a trattenerli sulla fronte con una forcina di sua madre. Quando pioveva, la mamma l'aspettava davanti a scuola con un grande ombrello, mentre i compagni si toglievano le scarpe e sguazzavano nelle pozzanghere.

L'amore materno imprime sulla fronte dei ragazzi un marchio che allontana da loro le simpatie dei compagni. Certo, col passare del tempo Jaromil imparò a nascondere abilmente quel marchio, ma dopo il suo trionfale ingresso a scuola conobbe un periodo difficile (uno o due anni) in cui i compagni si burlavano di lui con vero trasporto e più di una volta si divertirono a riempirlo di botte. Tuttavia, anche in quel periodo, che fu il peggiore, egli ebbe alcuni amici ai quali rimase riconoscente per tutta la vita; vale la pena di parlarne brevemente.

L'amico numero uno era suo padre: A volte prendeva un pallone (da studente aveva giocato al calcio), e metteva Jaromil fra due alberi del giardino; calciava il pallone verso di lui e Jaromil s'immaginava di essere il portiere della nazionale cecoslovacca.

L'amico numero due era il nonno: Portava con sé Jaromil nei suoi due negozi; uno, una grande drogheria che il genero dirigeva ormai da solo, l'altro una profumeria, dove la commessa era una bella signora che sorrideva amabilmente al ragazzo e gli lasciava annusare tutti i profumi, tanto che Jaromil imparò rapidamente a riconoscere al fiuto le varie marche; chiudeva gli occhi ed esigeva che il nonno gli tenesse i flaconi sotto il naso per metterlo alla prova. «Sei un genio dell'odorato» lo elogiava il nonno, e Jaromil sognava di diventare inventore di nuovi profumi.

L'amico numero tre era Alík. Alík era un cagnolino un po' matto che da qualche tempo viveva nella villa; benché fosse disobbediente e maleducato, Jaromil gli era debitore di sogni assai piacevoli nei quali lo raffigurava come un amico devoto che lo aspettava nel corridoio della scuola davanti all'aula e lo accompagnava a casa alla fine delle lezioni, dimostrando tanta fedeltà che i suoi compagni lo invidiavano e volevano fare la strada con lui.

Sognare cani diventò la passione della sua solitudine e lo portò addirittura a un curioso manicheismo: i cani rappresentavano ai suoi occhi il *bene* del mondo animale, la somma di tutte le virtù naturali; immaginava grandi guerre di cani contro gatti (guerre con generali e ufficiali, e con tutte le astuzie strategiche imparate giocando coi soldatini di piombo) e lui stava sempre dalla parte dei cani, così come l'uomo deve stare sempre dalla parte della giustizia.

E poiché passava molto tempo nella stanza del padre con carta e matita, i cani diventarono il soggetto favorito dei suoi disegni: un numero incalcolabile di scene epiche nelle quali i cani erano di volta in volta generali, soldati, calciatori e cavalieri. Dal momento che con la loro morfologia di quadrupedi non potevano cavarsela in ruoli umani, Jaromil li rappresentava con corpi di uomini. Era un'invenzione grandiosa! Quando cercava di disegnare un essere umano si scontrava con una grossa difficoltà: non riusciva a disegnarne la faccia; invece la forma allungata della testa canina, con la macchia del naso sulla punta estrema, gli riusciva a meraviglia, cosicché dalle sue fantasticherie e dalla sua scarsa abilità nacque uno strano universo di uomini cinocefali, un universo di personaggi che si potevano disegnare facilmente e rapidamente, riuniti in partite di calcio, guerre e avventure di briganti. Jaromil disegnava le sue storie a puntate, e in questo modo riempì una quantità di fogli.

Il solo ragazzo della sua età che figurasse tra i suoi amici non occupava che il quarto posto; era un compagno di classe, figlio del bidello della scuola, un ometto dal colorito bilioso che si lagnava spesso dei ragazzi col direttore; questi, poi, si vendicavano sul figlio, che era il paria della classe. Quando i compagni, uno dopo l'altro, cominciarono ad allontanarsi da Jaromil, il figlio del bidello rimase il suo unico fedele ammiratore; fu così che un giorno venne invitato alla villa fuori città. Gli offrirono la colazione, gli offrirono il pranzo, giocò alle costruzioni con Jaromil e poi fece i compiti con lui. La domenica dopo il padre di Jaromil li portò tutti e due alla partita di calcio; la partita fu meravigliosa, e altrettanto meraviglioso fu il padre di Jaromil che conosceva per nome tutti i giocatori e commentava l'incontro da vero intenditore, al punto che il figlio del bidello non gli toglieva gli occhi di dosso e Jaromil aveva di che essere fiero.

La loro, a prima vista, era un'amicizia comica: Jaromil sempre vestito con cura, il figlio del bidello con le toppe ai gomiti; Jaromil con i compiti fatti a puntino, il figlio del bidello poco portato allo studio. Eppure Jaromil si trovava a suo agio accanto a quel compagno fedele, perché il figlio del bidello era straordinariamente forte; quando un giorno d'inverno alcuni compagni li attaccarono trovarono pane per i loro denti; Jaromil era fiero di aver trionfato con l'amico su un avversario numericamente superiore, ma la gloria di una difesa ben riuscita non può certo essere paragonata alla gloria dell'attacco.

Un giorno che vagabondavano insieme per i terreni incolti della periferia, incontrarono un ragazzetto così ben lavato e così graziosamente vestito che lo si sarebbe detto in procinto di recarsi a una festicciola per bambini. «Che cocco di mamma» disse il figlio del bidello, e gli sbarrò la strada. Gli rivolsero domande ironiche e si rallegrarono nel vederlo spaventato. Alla fine il ragazzetto si fece coraggio e tentò di spingerli da parte. «Come ti permetti? Ti costerà caro!» gridò Jaromil, ferito fin nel profondo dell'anima da quel contatto temerario; il figlio del bidello interpretò quelle parole come un segnale e colpì il ragazzetto in pieno viso.

A volte l'intelligenza e la forza fisica sanno completarsi in modo veramente mirabile. Non è forse vero che Byron amava di fervido amore il boxeur Jackson, che allenava devotamente il malaticcio lord a ogni genere di sport? «Non picchiarlo, tienilo soltanto!» disse Jaromil all'amico, e andò a cogliere un ciuffo d'ortica; poi costrinsero il ragazzetto a spogliarsi e lo fustigarono dalla testa ai piedi con le ortiche. «Chissà come sarà contenta la tua mammina quando vedrà il suo cocco così bello rosso!» gli diceva intanto Jaromil, e provava un grandioso sentimento di calorosa amicizia per il suo compagno, un grandioso sentimento di odio per tutti i cocchi di mamma del mondo.

5

Ma come mai Jaromil restava figlio unico? Forse la madre non voleva un altro bambino?

Tutt'altro: desiderava ardentemente ritrovare l'epoca felice dei primi anni di maternità, ma il marito invocava ogni volta le più svariate ragioni per rimandare la nascita di un altro figlio. Essa non provava per questo meno desiderio di un secondo bambino, ma non osava insistere, giacché temeva un nuovo rifiuto da parte del marito e sapeva che questo l'avrebbe umiliata.

Ma più si proibiva di parlare del suo desiderio di maternità, più ci pensava; ci pensava come a qualcosa di illecito, di clandestino, dunque di proibito; l'idea che suo marito potesse farle fare un figlio ormai non l'attirava più soltanto a causa del figlio, ma assumeva nei suoi pensieri un sapore di eccitante indecenza: *vieni, fammi una bambina* diceva col pensiero al marito, e queste parole le sembravano estremamente lascive.

Una volta che marito e moglie erano rientrati tardi e un po' euforici da una serata in casa di amici, il padre di Jaromil, dopo essersi steso accanto alla moglie e aver spento la luce (notiamo che dal giorno del matrimonio lui la prendeva solo al buio, facendosi portare al desiderio non dalla vista ma dal tatto), buttò via le coperte e si unì a lei. La rarità dei loro rapporti amorosi e l'effetto del vino fecero sì che lei gli si concedesse con una voluttà che non aveva più provato da molto tempo. L'idea che stavano *facendo un bambino* riempì di nuovo il suo spirito, e quando sentì che il marito si avvicinava al parossismo del piacere, non si trattenne più e nell'estasi cominciò a gridargli di rinunciare all'abituale prudenza, di non ritirarsi da lei, di farle un figlio, di farle una bella femminuccia, e lo abbracciava con una stretta così convulsa che egli fu obbligato a liberarsi da lei con la forza per esser certo che il desiderio non venisse esaudito.

Poi, mentre giacevano stanchi l'uno accanto all'altra, la mamma gli si avvicinò e ricominciò a sussurrargli che voleva un altro figlio da lui; no, non voleva insistere, voleva piuttosto spiegargli, come per scusarsi, perché pochi istanti prima aveva manifestato il suo desiderio di avere un figlio con tanta violenza e in modo così inatteso (e forse, era pronta ad ammetterlo, sconveniente); balbettava che stavolta avrebbero sicuramente messo al mondo una bambina, nella quale lui si sarebbe potuto riconoscere così come lei si riconosceva in Jaromil.

L'ingegnere le disse allora (era la prima volta, dal matrimonio, che glielo ricordava) che lui non aveva mai voluto figli da lei; se per il primo figlio era stato costretto a cederle, adesso toccava a lei cedere; e se lei desiderava che lui si riconoscesse in un secondo figlio, poteva assicurarle che l'immagine meno infedele di se stesso l'avrebbe trovata in un bambino destinato a non vedere mai la luce.

Rimasero stesi l'uno accanto all'altra, e la mamma non disse più niente; dopo un attimo scoppiò in singhiozzi e singhiozzò tutta la notte e il marito non la toccò nemmeno, le disse solo poche parole per calmarla che non riuscirono neppure a penetrare sotto l'onda del suo pianto; lei aveva l'impressione di capire finalmente tutto: l'uomo accanto al quale viveva non l'aveva mai amata.

Precipitò in una tristezza più profonda di tutte quelle che aveva conosciuto fino a quel momento. Per fortuna, la consolazione che suo marito le negava gliela offrì qualcun altro: la Storia. Tre settimane dopo la notte che abbiamo evocato, il marito ricevette la cartolina precetto, preparò il bagaglio e partì per la frontiera. La guerra minacciava di scoppiare da un momento all'altro, la gente comprava maschere antigas e costruiva rifugi antiaerei nelle cantine. E la madre si afferrò alla sventura della patria come a una mano salvatrice; la viveva pateticamente e passava lunghe ore con il figlio al quale dipingeva gli avvenimenti a colori vividi.

Poi le grandi potenze si misero d'accordo a Monaco e il padre di Jaromil fece ritorno da un fortino che era stato occupato dalle truppe tedesche. Da allora tutti i membri della famiglia si riunivano a pianterreno, nella stanza del nonno, e sera dopo sera passavano in rassegna i singoli passi della Storia, che essi fino a poco tempo prima credevano assopita (oppure stava in agguato, fingendo di dormire) e adesso, ecco, era balzata fuori dalla tana per oscurare tutto il resto con l'ombra della sua imponente statura. Ah, come si sentiva bene, la madre, in quell'ombra! I cechi fuggivano in massa dalla regione dei Sudeti, la Boemia restava al centro dell'Europa come un'arancia sbucciata, priva di qualsiasi difesa; sei mesi dopo, all'alba, nelle strade di Praga apparvero i carri armati tedeschi, e durante quel periodo la madre di Jaromil continuava a restare accanto al soldato a cui era proibito difendere la propria patria e aveva completamente dimenticato che quel soldato era l'uomo che non l'aveva mai amata.

Ma anche nei periodi in cui la Storia imperversa così impetuosamente, la vita quotidiana presto o tardi riemerge dall'ombra e il letto coniugale si rivela nella sua monumentale trivialità e nella sua strabiliante continuità. Una sera che il padre di Jaromil aveva posato di nuovo la mano sul seno della madre, questa si rese conto che l'uomo che la stava toccando era lo stesso che l'aveva umiliata. Respinse la mano e con una sottile allusione gli ricordò le parole brutali che lui aveva pronunciato qualche tempo prima.

Non voleva essere cattiva; con quel rifiuto voleva solo dire che le grandi avventure delle nazioni non possono far dimenticare le modeste avventure dei cuori; voleva offrire al marito l'occasione di correggere oggi le sue parole di ieri, di esaltare oggi quanto allora aveva umiliato. Credeva che la tragedia della nazione l'avesse reso più sensibile ed era pronta ad accogliere con gratitudine anche una piccola carezza come segno di pentimento e come inizio di un nuovo capitolo del loro amore. Ma, ahimè, il marito la cui mano era stata allontanata dal seno della donna si girò sull'altro fianco e ben presto si addormentò.

Dopo la grande manifestazione degli studenti a Praga, i tedeschi chiusero le università ceche, e la mamma attese invano che il marito facesse scivolare ancora la mano sotto le coperte per posarla sul suo seno. Il nonno scoprì che la bella commessa della profumeria lo derubava da dieci anni, montò su tutte le furie e morì di un colpo apoplettico. Gli studenti cechi furono caricati su carri bestiame e portati in campi di concentramento, e la mamma consultò un medico che deplorò il cattivo stato dei suoi nervi e le raccomandò un periodo di riposo. Le indicò lui stesso una pensione nei pressi di una piccola stazione termale circondata da un fiume e da alcuni laghetti che d'estate attiravano una folla di turisti amanti dei bagni, della pesca e delle gite in barca. Si era all'inizio della primavera, e la madre di Jaromil era estasiata all'idea di tranquille passeggiate lungo le rive del fiume e dei laghetti. Ma poi ebbe paura dell'allegra musica da ballo che, dimenticata, resta sospesa nell'aria fra i tavoli dei ristoranti all'aperto come un malinconico ricordo dell'estate; ebbe paura della propria nostalgia, e decise che non sarebbe potuta andare da sola in quel luogo.

Ah, ma certo, seppe subito con chi ci sarebbe andata! Per i dispiaceri che le procurava il marito e per il suo desiderio di un secondo figlio, da qualche tempo l'aveva quasi dimenticato. Come era stata sciocca, quanto male aveva fatto a se stessa dimenticandolo! Pentita, si chinò su di lui: «Jaromil, tu sei il mio primo e il mio secondo bambino» disse premendo il viso contro quello del figlio, e continuò quella frase insensata: «Tu sei il mio primo, il mio secondo, il mio terzo, il mio quarto, il mio quinto, il mio sesto e il mio decimo bambino...» e gli copriva il viso di baci.

6

Sul marciapiede della stazione li accolse una signora alta dai capelli grigi e dal corpo eretto; un robusto contadino si chinò sulle due valigie e le portò davanti all'uscita, dove era già in attesa una carrozza nera con un cavallo; l'uomo sedette a cassetta e Jaromil, sua madre e la signora alta presero posto su due panchette messe una di fronte all'altra e si lasciarono portare lungo le strade della cittadina fino a una piazza, chiusa su un lato da portici rinascimentali e sull'altro da una cancellata oltre la quale si vedeva un giardino con un vecchio castello dai muri ricoperti di vite selvatica; poi scesero verso il fiume; Jaromil scorse una fila di cabine di legno giallo, un trampolino, dei tavolini bianchi con le sedie e, in fondo, un filare di pioppi che costeggiavano il fiume, ma già la carrozzella proseguiva verso alcune ville sparse in prossimità dell'acqua.

Davanti a una di queste ville il cavallo si fermò, l'uomo scese da cassetta, prese le due valigie, e Jaromil e la madre lo seguirono attraverso un giardino, un vestibolo, su per una scala, finché si trovarono in una stanza con due letti accostati come fossero un letto matrimoniale e due finestre, una delle quali si apriva a mo' di porta su un balcone da cui si vedeva il giardino e in fondo il fiume. La mamma si accostò alla balaustra del balcone e si mise a respirare profondamente: «Ah, che pace divina!» disse e di nuovo inspirò ed espirò a fondo guardando verso il fiume dove una barchetta rossa si dondolava ormeggiata a un pontile di legno.

Quello stesso giorno, durante la cena servita nella saletta a pianterreno, fece amicizia con una vecchia coppia che occupava un'altra camera della pensione, così che ogni sera nella saletta risuonava a lungo il brusio di conversazioni tranquille; tutti volevano bene a Jaromil e la madre ascoltava con piacere le sue chiacchiere, le sue trovate, le sue birichinate discrete; sì, *discrete*: Jaromil non dimenticherà mai la signora nella sala d'attesa del dentista e cercherà sempre uno scudo dietro il quale ripararsi dal suo sguardo malevolo; certo, era sempre desideroso di essere ammirato, ma aveva imparato a guadagnarsi l'ammirazione con frasi brevi pronunciate con ingenuità e modestia.

La villa nel giardino tranquillo, il fiume scuro con la barca alla fonda che faceva sognare di lunghe traversate, la carrozza nera che di tanto in tanto si fermava davanti alla villa per far salire la signora alta, simile alle principesse dei libri nei quali si parla di castelli e di palazzi, i bagni deserti nei quali si entrava direttamente scendendo dalla carrozza, così come si passa da un secolo a un altro secolo, da un sogno a un altro sogno, da un libro a un altro libro, la piazza rinascimentale con gli stretti portici le cui colonne nascondevano cavalieri impegnati in un duello, tutto questo creava un mondo nel quale Jaromil penetrava incantato.

Anche l'uomo col cane faceva parte di questo splendido mondo; quando lo videro per la prima volta era immobile in riva al fiume e guardava la corrente; portava un soprabito di pelle e al suo fianco era accucciato un cane lupo nero; nella loro immobilità, sembravano tutt'e due personaggi di un altro mondo. Lo incontrarono un'altra volta nello stesso posto; l'uomo (sempre col suo soprabito di pelle) gettava davanti a sé dei sassi e il cane glieli riportava. Al loro terzo incontro (lo scenario era sempre lo stesso: i pioppi e il fiume), l'uomo accennò un breve saluto alla mamma e poi, come accertò il curioso Jaromil, rimase a lungo voltato a guardarla. L'indomani, ritornando dalla passeggiata, videro il cane lupo nero seduto davanti all'ingresso della villa. Quando entrarono nel vestibolo, sentirono parlare all'interno e non ebbero dubbi: la voce maschile era quella del proprietario del cane; la loro curiosità era così eccitata che restarono qualche attimo immobili nel vestibolo a chiacchierare e a guardarsi intorno, finché da una stanza uscì la signora alta, proprietaria della pensione.

La madre indicò il cane: «Di chi è? Lo incontriamo ogni giorno quando andiamo a passeggiare». «È del professore di disegno del nostro liceo». La mamma osservò che sarebbe stata molto felice di parlare con un professore di disegno, perché a Jaromil piaceva molto disegnare e sarebbe stato interessante conoscere il parere di un esperto. La proprietaria della pensione presentò l'uomo alla madre, e Jaromil dovette correre in camera a prendere il suo album di disegni.

Poi si sedettero tutti e quattro nella saletta, la proprietaria della pensione, Jaromil, il padrone del cane, che esaminava i disegni, e la mamma, che accompagnava l'esame con una serie di commenti: Jaromil, spiegava, diceva sempre che non gli interessava disegnare paesaggi o nature morte, ma azioni, ed effettivamente a lei sembrava che quei disegni possedessero una vitalità e un movimento sorprendenti, anche se non riusciva a capire perché i protagonisti fossero sempre uomini con la testa di cane; forse, se Jaromil avesse disegnato vere figure umane, la sua modesta produzione avrebbe avuto qualche valore, ma così, purtroppo, lei non era in grado di dire se tutto il lavoro del piccolo avesse o no un senso.

Il padrone del cane esaminò i disegni con compiacimento; poi dichiarò che era proprio quel connubio di teste animali e di corpi umani ad affascinarlo. Perché quel connubio fantastico non era un'idea casuale, ma, come veniva dimostrato da una quantità di scene disegnate dal bambino, un'immagine ossessiva, qualcosa che affondava le radici nelle insondabili profondità della sua infanzia. Per giudicare il talento del figlio la madre di Jaromil non doveva basarsi soltanto sulla sua abilità di riprodurre il mondo esteriore; quel tipo di abilità era alla portata di tutti; come pittore (adesso lasciava intendere che l'insegnamento, per lui, non era che un male necessario, per sopravvivere), ciò che lo interessava nei disegni del bambino era proprio quell'originale mondo interiore che il bambino proiettava sulla carta.

La mamma ascoltava con piacere gli elogi dell'uomo, la signora alta carezzava i capelli di Jaromil affermando che il bambino aveva davanti a sé un grande avvenire e Jaromil guardava sotto il tavolo e registrava nella memoria tutto quello che sentiva. Il pittore disse che l'anno prossimo avrebbe avuto il trasferimento in un liceo di Praga e che sarebbe stato felice se la madre fosse venuta a mostrargli altri disegni del figlio.

Il mondo interiore! Erano parole altisonanti, e Jaromil le ascoltò con immensa soddisfazione. Non aveva mai dimenticato che già a cinque anni veniva considerato un bambino eccezionale, diverso dagli altri; anche il comportamento dei suoi compagni di scuola, che lo prendevano in giro per la cartella o per la camicia, gli aveva sempre confermato (seppure amaramente) la sua eccezionalità. Ma fino ad ora quell'eccezionalità per lui non era stata altro che una nozione vuota e incerta; era stata una speranza incomprensibile o un incomprensibile rifiuto; adesso invece aveva ricevuto un nome: un originale mondo interiore; e la definizione aveva subito trovato un contenuto ben preciso: disegni di uomini con la testa di cane. Certo, Jaromil sapeva di essere arrivato a quella ammirevole scoperta degli uomini cinocefali per puro caso, perché non sapeva disegnare volti umani; questo gli suggerì l'idea confusa che l'originalità del suo mondo interiore non fosse il risultato di uno sforzo laborioso, ma che consistesse in tutto ciò che passava casualmente e involontariamente nella sua testa; che gli fosse data come un dono.

Da quel momento seguì con molta più attenzione le proprie idee e cominciò ad ammirarle. Gli venne per esempio in mente che alla sua morte il mondo in cui viveva avrebbe cessato di esistere. Era stato dapprima un pensiero fugace, ma questa volta, sapendo ormai che si trattava della sua originalità interiore, non se lo lasciò sfuggire (come prima s'era lasciato sfuggire tante altre idee), se ne impadronì subito, l'osservò, l'esaminò sotto ogni aspetto. Camminava lungo la riva del fiume; ogni tanto chiudeva gli occhi e si chiedeva se il fiume esisteva anche quando lui aveva gli occhi chiusi. Naturalmente ogni volta che riapriva gli occhi il fiume continuava a scorrere come prima, ma la cosa sorprendente era che in quel modo il fiume non riusciva a provare a Jaromil di essere realmente lì anche quando lui non lo vedeva. La cosa gli parve oltremodo interessante, consacrò almeno una mezza giornata a osservazioni del genere e infine ne parlò alla madre.

Più il soggiorno si avvicinava alla fine, più aumentava in entrambi il piacere che trovavano nelle loro conversazioni. Ora uscivano insieme al crepuscolo, sedevano vicino all'acqua su una panchina di legno mezzo marcio, si tenevano per mano e restavano a guardare le onde su cui oscillava una grossa luna. «Ah, com'è bello» sospirava la mamma, e il bambino vedeva il cerchio d'acqua rischiarato dalla luna e pensava sognando al lungo corso del fiume; e allora la mamma pensò alle giornate vuote alle quali sarebbe tornata fra pochi giorni e disse: «Bambino mio, dentro di me c'è una tristezza che non potrai mai capire». Poi vide gli occhi del figlio e le sembrò che in quegli occhi ci fosse un grande amore e il desiderio di capirla. Provò paura; non poteva certo confidare i suoi problemi di donna a un bambino. Ma al tempo stesso quegli occhi comprensivi la attiravano come un vizio. Madre e figlio giacevano vicini nei letti gemelli, e la madre ricordava di aver dormito così, accanto a Jaromil, fino a quando lui aveva compiuto sei anni, e di essere stata felice; pensò: è il solo uomo con cui sono felice a letto; all'inizio il pensiero la fece sorridere, ma quando vide di nuovo lo sguardo tenero del figlio si disse che quel bambino era capace non solo di distrarla da ciò che l'affliggeva (di darle cioè *il conforto dell'oblio*), ma anche di ascoltarla attentamente (di darle cioè *il conforto della comprensione*). «La mia vita, voglio che tu lo sappia, è tutt'altro che piena d'amore» gli disse; e un'altra volta arrivò a confidargli: «Come mamma, sono felice, ma una mamma non è soltanto una mamma, è anche una donna».

Sì, queste confidenze incompiute la attiravano come un peccato, e lei se ne rendeva conto. Un giorno che Jaromil le rispose, inaspettatamente: «Mamma, non sono mica così piccolo, io ti capisco», ne fu quasi spaventata. Il ragazzino, beninteso, non indovinava nulla di preciso, e voleva soltanto suggerire alla madre che era capace di dividere con lei qualsiasi tristezza, eppure le sue parole significavano molte cose e la madre vi affondò lo sguardo come in un abisso spalancatosi all'improvviso: l'abisso dell'intimità proibita e della comprensione illecita.

7

E in che modo continuava a fiorire l'originale mondo interiore di Jaromil?

La situazione non era brillante; gli studi nei quali riusciva con tanta facilità alle elementari erano diventati ora più difficili alle medie, e in questo grigiore la gloria del mondo interiore andava scomparendo. La professoressa parlava loro di libri pieni di pessimismo che quaggiù nel mondo scorgevano solo miseria e rovina, sicché la massima sulla vita che somiglia all'erba cattiva diventava offensivamente banale. Jaromil non era più tanto sicuro se tutto ciò che un giorno aveva pensato e sentito appartenesse solo a lui, oppure se tutte le idee esistono nel mondo già bell'e pronte da sempre e gli uomini si limitano a prenderle in prestito come alla biblioteca pubblica. Ma allora, chi era lui? Quale poteva essere in realtà il vero contenuto del suo io? Si piegava su quell'io per scrutarlo, ma non riusciva a trovare altro che l'immagine di se stesso piegato su di sé per scrutare il proprio io...

Fu così che cominciò a pensare con nostalgia all'uomo che due anni prima aveva parlato per la prima volta della sua originalità interiore; e poiché in disegno aveva appena la sufficienza (quando dipingeva all'acquerello l'acqua trasbordava sempre dai contorni tracciati a matita), la madre decise che poteva esaudire la richiesta del figlio, cercare l'indirizzo del pittore e del tutto legittimamente pregarlo di dare delle lezioni private a Jaromil per rimediare alle carenze che gli guastavano la pagella.

Un bel giorno, dunque, Jaromil entrò nell'appartamento del pittore. L'appartamento era stato ricavato nel solaio di una casa popolare ed era composto di due locali: nel primo si trovava una grande biblioteca; nell'altro, invece delle finestre, c'era un grande vetro smerigliato incassato nel tetto spiovente, e c'erano cavalletti con tele non finite, un lungo tavolo dov'erano sparsi fogli e boccette di colore e, appese al muro, strane facce nere che a detta del pittore erano copie di maschere africane; un cane (quello che Jaromil già conosceva) era sdraiato in un angolo del divano e fissava immobile il visitatore.

Il pittore fece sedere Jaromil al lungo tavolo e si mise a sfogliare il suo album da disegno: «È sempre la stessa roba,» disse poi «così non arrivi a nulla».

Jaromil avrebbe voluto replicare che erano esattamente gli stessi personaggi con la testa di cane che erano tanto piaciuti al pittore, e che li aveva disegnati proprio per lui e a causa delle sue parole, ma era così deluso e amareggiato che non riuscì a dire nulla. Il pittore gli stese davanti un foglio bianco, aprì una boccetta di inchiostro di china e gli mise in mano un pennello. «Adesso, disegna quel che ti passa per la testa, non stare troppo a pensarci e disegna...». Ma Jaromil era talmente impaurito che non sapeva assolutamente che cosa disegnare, e poiché il pittore insisteva dovette ricorrere di nuovo, con la morte nell'anima, a una testa di cane sopra un corpo informe. Il pittore era scontento e Jaromil, imbarazzato, gli disse che avrebbe voluto imparare a dipingere all'acquerello, perché a scuola, quando dipingeva, il colore gli macchiava sempre i disegni.

«Tua madre me ne ha già parlato,» disse il pittore «ma per il momento dimenticalo, e dimentica anche i cani». E posato un grosso libro davanti a Jaromil gli mostrò alcune pagine dove una goffa linea nera serpeggiava capricciosamente su un fondo colorato, suscitando nella fantasia di Jaromil immagini di millepiedi, di stelle di mare, di scarafaggi, di astri e di lune. Il pittore voleva che lui disegnasse qualcosa di simile, affidandosi alla sua immaginazione. «Ma *che cosa* devo disegnare?» chiese il ragazzo, e il pittore gli disse: «Traccia una linea; disegna una linea che ti piaccia. E ricorda che il compito del pittore non è di riprodurre i contorni delle cose, ma di creare sulla carta il mondo delle proprie linee». E Jaromil tracciò linee che non gli piacevano per niente, ne riempì alcuni fogli, e infine consegnò al pittore, secondo le istruzioni di sua madre, un biglietto di banca e tornò a casa.

La visita si era svolta in modo abbastanza diverso da come lui se l'era immaginata, e non era stata affatto l'occasione per riscoprire il suo perduto mondo interiore; al contrario, lo aveva privato della sola cosa che gli appartenesse veramente, i calciatori e i soldati con la testa di cane. Eppure, quando la madre gli chiese se la lezione di disegno gli era piaciuta, ne parlò con entusiasmo; non mentiva: se la visita non gli aveva procurato la conferma del suo mondo interiore, gli aveva però fatto scoprire un singolare mondo esteriore che non era accessibile a chiunque e che gli assicurava fin dall'inizio alcuni piccoli privilegi: aveva visto strani dipinti che lo avevano sconcertato, ma che presentavano il vantaggio (aveva capito subito che si trattava di un vantaggio!) di non avere nulla in comune con le nature morte e i paesaggi appesi alle pareti della villetta dei suoi genitori; inoltre aveva avuto modo di ascoltare riflessioni degne di nota, di cui s'era appropriato senza indugio: aveva capito, per esempio, che la parola borghese è un'ingiuria; borghese è chi vuole che i quadri siano come la vita e imitino la natura; ma dei borghesi ci si può far beffe perché (questa idea gli piaceva molto!) sono morti da un pezzo e non lo sanno.

Insomma, andava volentieri dal pittore, e sperava appassionatamente di rinnovare il successo che gli avevano procurato un tempo i suoi disegni di uomini cinocefali; ma invano: gli scarabocchi, che dovevano essere variazioni sui quadri di Miró, erano voluti e del tutto privi del fascino che emana dai giochi infantili; i disegni di maschere negre restavano maldestre imitazioni del modello e non stimolavano in alcun modo, come sperava il pittore, l'immaginazione personale del ragazzo. E Jaromil, non sopportando di essere già stato parecchie volte dal pittore senza raccogliere il minimo segno d'ammirazione, prese una decisione: gli portò il suo album segreto dove disegnava corpi di donne nude.

I modelli di cui s'era per lo più servito erano fotografie di statue che aveva trovato su riviste illustrate nella biblioteca che era stata del nonno; erano dunque (soprattutto nelle prime pagine dell'album) donne mature e robuste in atteggiamenti alteri, come sono le allegorie del secolo scorso. Solo le pagine successive offrivano qualcosa di più interessante: c'era una donna senza testa; non solo, il foglio aveva un taglio all'altezza del collo, e questo dava l'impressione che la testa fosse stata mozzata e che il foglio serbasse ancora l'impronta di una scure immaginaria. L'incisione era dovuta al temperino di Jaromil; il fatto è che lui aveva una compagna di scuola che gli piaceva e che lui contemplava spesso nel vano desiderio di vederla nuda. Per realizzare questo desiderio si procurò una foto della ragazza e ne tagliò la testa, che poi inseriva nell'incisione fatta sul foglio. Per la stessa ragione, a partire da quel disegno, tutti i corpi di donne erano decapitati, con lo stesso segno lasciato dalla scure immaginaria; alcuni erano rappresentati in situazioni molto insolite, per esempio a gambe piegate nell'atteggiamento della minzione; ma anche sul rogo, in mezzo alle fiamme, come Giovanna d'Arco; questa scena di supplizio, che potremmo spiegare (e forse anche scusare) con le lezioni di storia, inaugurava una ricca serie: altri disegni mostravano una donna senza testa impalata su un palo aguzzo, una donna senza testa e con una gamba tagliata, una donna senza testa amputata di un braccio e altre ancora in situazioni sulle quali è meglio sorvolare.

Evidentemente Jaromil non poteva essere certo che quei disegni sarebbero piaciuti al pittore; non assomigliavano affatto a ciò che vedeva nei suoi grossi libri o nelle tele sui cavalletti dello studio; eppure, gli sembrava che nei disegni del suo album segreto ci fosse qualcosa che li avvicinava a quello che faceva il suo maestro: era la loro natura di cose proibite; era la loro diversità dai quadri appesi alle pareti di casa sua; era la disapprovazione che avrebbero riscosso sia i suoi disegni di donne nude, sia le incomprensibili tele del pittore, se fossero stati sottoposti al giudizio di una commissione composta dai membri della famiglia di Jaromil e dai loro ospiti abituali.

Il pittore sfogliò l'album, non disse nulla e porse a Jaromil un grosso libro. Poi sedette un po' discosto e schizzò qualcosa su dei fogli mentre Jaromil vedeva sulle pagine del grosso libro un uomo nudo con un gluteo così lungo che doveva essere sostenuto con un puntello di legno; vedeva un uovo dal quale spuntava un fiore; vedeva una faccia coperta di formiche; vedeva un uomo con una mano che si mutava in roccia.

«Guarda» disse il pittore tornandogli vicino «in che modo straordinario disegna Salvador Dalì», e gli posò davanti la statuetta di gesso di una donna nuda. «Abbiamo trascurato il mestiere del disegno, ed è stato un errore. Bisogna prima conoscere il mondo così com'è per poterlo poi trasformare radicalmente», e l'album di Jaromil cominciò a riempirsi di corpi femminili di cui il pittore correggeva e ridisegnava le proporzioni.

8

Quando una donna non vive abbastanza del proprio corpo, il corpo finisce per apparirle un nemico. La mamma non era molto soddisfatta degli strani scarabocchi che suo figlio riportava a casa dalle lezioni di disegno, ma quando vide gli schizzi di donne nude corretti dal pittore, provò un violento disgusto. Qualche giorno dopo, affacciata alla finestra, vide in giardino Jaromil che, reggendo una scala, era intento a guardare sotto le gonne della cameriera Magda che vi era salita su per raccogliere le ciliegie. Le parve di venir aggredita da ogni parte da reggimenti di sederi femminili nudi e decise di non aspettare oltre. Quel pomeriggio Jaromil aveva la sua solita lezione di disegno; la mamma si vestì in fretta e lo precedette.

«Io non sono affatto una puritana,» disse dopo essersi accomodata in una poltrona dello studio «ma lei sa che Jaromil sta entrando in un'età pericolosa».

Aveva preparato con tanta cura tutto quello che avrebbe detto al pittore, e ora ne restava così poco. Aveva preparato quelle frasi nella sua cornice familiare, nella stanza dove la finestra aperta lasciava entrare il tenero verde del giardino, che applaudiva sempre tacitamente a tutti i suoi pensieri. Ma qui non c'era verde, c'erano tele bizzarre appoggiate ai cavalletti, e sul divano era sdraiato un cane che, con la testa fra le zampe, la guardava fisso come una sfinge incredula.

Il pittore respinse con poche frasi le obiezioni della mamma, quindi proseguì: preferiva confessare francamente che non gli interessavano affatto i buoni voti che Jaromil poteva ottenere a scuola in lezioni di disegno buone solo a uccidere il talento dei bambini. Ciò che lo interessava, nei disegni di suo figlio, era quell'immaginazione originale, quasi folle.

«Osservi questa curiosa coincidenza. I disegni che lei mi ha mostrato qualche anno fa rappresentavano uomini con la testa di cane. I disegni che suo figlio mi ha mostrato recentemente rappresentavano donne nude, ma tutte senza testa. Non trova significativo questo rifiuto ostinato di riconoscere all'uomo un volto umano, di riconoscere all'uomo una figura umana?».

La mamma osò obiettare che suo figlio non era certo tanto pessimista da arrivare a negare la natura umana dell'uomo.

«S'intende, i suoi disegni non sono certo il risultato di un ragionamento pessimistico» disse il pittore. «L'arte attinge a fonti ben diverse da quelle della ragione. A Jaromil l'idea di disegnare uomini con la testa di cane o donne senza testa è venuta spontaneamente, senza che lui ne sapesse il perché o il come. È l'inconscio che gli ha suggerito queste figure, strane e tuttavia non prive di senso. Non le sembra che ci sia un legame segreto tra questa visione di suo figlio e la guerra che sconquassa ogni ora della nostra vita? La guerra non ha forse privato l'uomo del viso, della testa? Non viviamo forse in un mondo nel quale uomini senza testa sanno ormai solo desiderare un pezzo di donna senza testa? Una visione realistica del mondo non è forse la più effimera delle illusioni? I disegni infantili di suo figlio non sono forse molto più veri?».

Era andata lì per rimproverare il pittore e adesso era imbarazzata come una ragazzina che ha paura di essere sgridata; non sapeva che cosa dire e taceva.

Il pittore si alzò dalla poltrona e andò verso un angolo dello studio dove alcune tele senza cornice erano appoggiate contro il muro. Ne prese una, la voltò verso l'interno della stanza, indietreggiò di quattro passi, si accoccolò e si mise a guardarla. «Venga qui» le disse, e quando lei si fu (docilmente) avvicinata, le posò una mano su un fianco e la attirò verso di sé, così che adesso erano entrambi accoccolati a terra, uno accanto all'altra, e la mamma contemplava un curioso impasto di bruni e di rossi che creava una sorta di paesaggio deserto e carbonizzato, pieno di fiamme soffocate che potevano anche essere interpretate come macchie di sangue; in mezzo al paesaggio, scavata con la spatola, c'era una figura umana, una strana figura che sembrava fatta di fili bianchi (la sagoma era data dal colore della tela messa a nudo) e più che camminare si librava a mezz'aria, diafana più che presente.

La mamma non sapeva ancora una volta che cosa dire, ma il pittore parlava da solo, parlava della fantasmagoria della guerra che, diceva, superava di gran lunga la fantasia della pittura moderna, parlava dell'immagine atroce offerta da un albero nei cui rami sono intrecciati brandelli di corpi umani, un albero con le dita e con un occhio che guarda dall'alto di un ramo. Poi disse che più nulla al mondo lo interessava, ormai, che non fossero la guerra e l'amore; l'amore che affiorava dal mondo insanguinato della guerra come la figura umana che la madre poteva distinguere sulla tela. (Per la prima volta dall'inizio di questa conversazione la mamma ebbe la sensazione di capire il pittore, perché anche lei vedeva sulla tela una sorta di campo di battaglia, e nelle linee bianche le pareva di vedere una figura umana). E il pittore le ricordò la stradina lungo il fiume dove si erano visti la prima volta e dove, in seguito, si erano incontrati tante volte, e le disse che lei allora era sorta davanti a lui dalla nebbia, dal fuoco e dal sangue come il timido e bianco corpo dell'amore.

Poi attirò verso di sé la mamma accoccolata e la baciò. La baciò prima ancora che lei potesse pensare che stava per baciarla. Questa era, del resto, la caratteristica di tutto l'incontro: gli avvenimenti la prendevano alla sprovvista, superavano sempre la sua immaginazione e i suoi pensieri; il bacio era già un fatto compiuto prima che lei avesse avuto il tempo di riflettere, e ogni ulteriore riflessione ormai non poteva più cambiare ciò che era avvenuto; ebbe appena il tempo di dirsi, molto in fretta, che era successo qualcosa che non sarebbe dovuto succedere; ma neanche di questo lei era poi così sicura, per cui rimandò a più tardi la soluzione della controversa questione e si concentrò tutta su ciò che era, prendendolo per quello che era.

Sentì la lingua del pittore nella sua bocca e in una frazione di secondo capì che la propria lingua era impaurita e molle e che doveva fare al pittore lo stesso effetto di uno straccetto umido; ne provò vergogna e pensò per un attimo e quasi con rabbia che non c'era da meravigliarsi se la sua lingua si era trasformata in uno straccetto, considerando da quanto tempo non baciava più; si affrettò a rispondere alla lingua del pittore con la punta della sua e lui la sollevò da terra, la portò al divano (il cane, che non li aveva lasciati un attimo con lo sguardo, saltò giù e andò ad allungarsi vicino alla porta), ve l'adagiò, si mise ad accarezzarle il seno, e lei provò soddisfazione e orgoglio; il viso del pittore le appariva avido e giovane, e pensò che da tanto tempo lei non si sentiva più né avida né giovane, ed ebbe paura di non esserne più capace, ma proprio per questo si impose di comportarsi da donna avida e giovane finché d'un tratto (anche questa volta la cosa avvenne prima che lei avesse il tempo di pensarci) capì che quello era il terzo uomo che sentiva nel proprio corpo da quando era nata.

E si rese conto di non sapere affatto se lo voleva o no, si rese conto che lei era sempre una ragazzina stupida e inesperta e che se le fosse passato anche solo per un angolino del cervello che il pittore l'avrebbe baciata e amata, ciò che era successo non sarebbe mai potuto succedere. Questo pensiero costituiva per lei una scusa rassicurante, giacché voleva dire che lei era stata portata all'adulterio non dalla sua sensualità, ma dalla sua innocenza; al pensiero della sua innocenza si mischiò subito dopo un senso di rabbia contro colui che l'aveva sempre tenuta in uno stato di innocente semimaturità, e questa rabbia ricadde come una tenda sui suoi pensieri, sicché ben presto non sentì altro che il proprio respiro affrettato e rinunciò a esaminare ciò che stava facendo.

Quando il ritmo dei loro respiri si fu calmato, i pensieri si risvegliarono e lei, per fuggirli, posò la testa sul petto del pittore; si lasciò accarezzare i capelli, respirava l'odore inebriante dei colori a olio e si chiedeva chi avrebbe rotto per primo il silenzio.

Ma non fu nessuno dei due, fu il campanello. Il pittore si alzò, si abbottonò rapidamente i pantaloni e disse: «È Jaromil».

Lei ne fu terrorizzata.

«Stai pure tranquilla» le disse lui; le accarezzò i capelli e uscì dallo studio.

Aprì la porta al ragazzo e lo fece sedere nella prima stanza. «Ho una visita nello studio, oggi resteremo qui. Fammi vedere cosa hai portato». Jaromil porse il suo album al pittore, il pittore esaminò i disegni che Jaromil aveva fatto a casa, poi gli mise davanti dei colori, gli diede carta e pennello e gli assegnò un tema da illustrare.

Quindi ritornò nello studio dove trovò la mamma rivestita e pronta ad andarsene. «Perché l'ha fatto restare? Perché non l'ha mandato via?».

«Hai tanta fretta di lasciarmi?».

«È una follia» disse la mamma, e il pittore la strinse di nuovo tra le braccia; questa volta lei non oppose resistenza né rispose alle sue carezze; stava tra le sue braccia come un corpo privato dell'anima; e il pittore sussurrò nelle orecchie di quel corpo inerte: «Sì, è una follia. L'amore è folle, altrimenti non è amore». La fece sedere sul divano e la baciò e le accarezzò il seno.

Poi tornò nell'altra stanza per vedere che cosa aveva disegnato Jaromil. Questa volta il tema assegnato non mirava a esercitare l'abilità manuale del ragazzo; gli aveva chiesto di disegnare la scena di un sogno fatto di recente e rimastogli impresso nella memoria. E il pittore, ora, dissertava sulla sua composizione; la cosa più bella, nei sogni, è l'incontro incredibile di uomini e cose che non potrebbero mai incontrarsi nella vita comune; in sogno, una barca può entrare dalla finestra in una stanza da letto, nel letto può esserci una donna morta da vent'anni, eppure ecco che sale sulla barca la quale subito si trasforma in una bara e la bara comincia a scendere sul filo della corrente tra le rive fiorite di un fiume. Citò la celebre frase di Lautréamont sulla bellezza che c'è nell'*incontro di un ombrello e di una macchina per cucire su un tavolo operatorio*, e aggiunse: «E tuttavia, questo incontro non è certo più bello dell'incontro di una donna e di un ragazzo nello studio di un pittore».

Jaromil aveva notato che il suo professore era un po' diverso dal solito, non gli era sfuggita l'esaltazione che c'era nella sua voce mentre dissertava di sogni e di poesia. Non solo la cosa gli faceva piacere, ma era lusingato di esser stato proprio lui, Jaromil, il pretesto per quel discorso infuocato, e soprattutto aveva compreso perfettamente l'ultima frase del suo professore a proposito dell'incontro di un ragazzo e di una donna nello studio di un pittore. Poco prima, quando il pittore gli aveva detto che sarebbero rimasti nella prima stanza, Jaromil aveva capito che nello studio doveva esserci una donna, e sicuramente non una qualsiasi, dal momento che non gli era permesso di vederla. Ma era ancora troppo lontano dal mondo degli adulti per cercare di risolvere quell'enigma; piuttosto lo interessava il fatto che il pittore, con la sua ultima frase, lo avesse messo sullo stesso piano della donna che per lui era di sicuro molto importante e il cui arrivo era stato chiaramente reso più bello e importante proprio da lui, Jaromil, e da tutto questo dedusse che il pittore gli voleva bene, capì di contare molto per lui, forse per qualche profonda e misteriosa somiglianza interiore che Jaromil, essendo ancora un bambino, non poteva scorgere con chiarezza, ma di cui il pittore, uomo adulto e saggio, era ben conscio. La cosa lo riempì di un sommesso entusiasmo, e quando il pittore gli assegnò un altro compito si chinò febbrilmente sul foglio.

Il pittore tornò nello studio e vi trovò la mamma in lacrime.

«La prego, mi lasci andar via!».

«D'accordo, potete andarvene insieme, Jaromil ha quasi finito il suo compito».

«Lei è un demonio» disse la mamma sempre piangendo, e il pittore la abbracciò e la baciò. Poi tornò nella stanza vicina, lodò senza riserve il lavoro del ragazzo (ah, quel giorno Jaromil fu molto felice!) e lo rimandò a casa. Quindi tornò nello studio, distese la mamma piangente sul vecchio divano sporco di colori, baciò le sue labbra molli e il suo volto umido e la amò di nuovo.

9

L'amore della mamma e del pittore non riuscì mai a liberarsi dei presagi che avevano segnato il loro primo incontro: non era un amore che lei avesse a lungo cercato, sognato, guardandolo fisso negli occhi; era un amore inatteso, che l'aveva colpita alle spalle.

Quell'amore le ricordava di nuovo la sua *impreparazione* amorosa: non aveva esperienza, non sapeva mai che cosa fare né che cosa dire; davanti al viso originale ed esigente del pittore si vergognava in anticipo di ogni parola e di ogni gesto; né il suo corpo era meglio preparato; per la prima volta rimpiangeva amaramente di essersene occupata così male dopo il parto, ed era terrorizzata dall'immagine del proprio ventre riflessa nello specchio, quella pelle vizza, tristemente rilasciata.

Ah! Aveva sempre sognato un amore entro cui invecchiare armoniosamente, col corpo e l'anima che si tenevano per mano (sì, *questo* era l'amore di cui lei aveva a lungo fantasticato, guardandolo negli occhi con aria sognante); ma qui, in questo incontro difficile in cui era entrata di colpo, l'anima le sembrava penosamente giovane e il corpo penosamente vecchio, così che avanzava nella sua avventura come se si fosse trovata a percorrere con passo tremante un'asse sottile, senza sapere se sarebbe stata la giovinezza dell'anima o la vecchiaia del corpo a provocare la caduta.

Il pittore la circondava di una stravagante sollecitudine e si sforzava di introdurla nel mondo dei suoi quadri e dei suoi pensieri. Lei ne era felice; per lei era una prova che il loro primo incontro non era stato soltanto una congiura di due corpi che avevano approfittato della situazione. Ma quando l'amore occupa insieme l'anima e il corpo vuole per sé molto più tempo: la mamma dovette inventare l'esistenza di nuove amiche per giustificare (soprattutto con la nonna e con Jaromil) le sue ripetute assenze da casa.

Quando il pittore dipingeva, gli si metteva accanto su una sedia, ma questo a lui non bastava; le aveva spiegato che la pittura, così come lui la concepiva, era solo uno dei tanti modi per estrarre il meraviglioso dalla vita; e il meraviglioso lo può scoprire anche un bambino nei suoi giochi, anche un uomo qualunque trascrivendo un suo sogno. La mamma ricevette un foglio di carta e dei colori, e dovette fare delle macchie sul foglio e poi soffiarci sopra; raggi disuguali si mettevano a correre in tutte le direzioni sulla carta coprendola di una rete colorata; il pittore esponeva quelle sue operette dietro i vetri della libreria e le mostrava con orgoglio ai suoi ospiti.

Già durante una delle sue prime visite le diede, al momento del commiato, alcuni libri. La mamma dovette leggerli a casa sua, e leggerli di nascosto, perché temeva che Jaromil le chiedesse da dove venivano o che un altro membro della famiglia le facesse la stessa domanda, e difficilmente lei avrebbe trovato una bugia soddisfacente, giacché bastava un'occhiata per capire che quei libri erano diversi da quelli che si potevano trovare nella biblioteca delle sue amiche o dei parenti. Fu dunque costretta a nascondere i libri nell'armadio della biancheria, sotto i reggiseni e le camicie da notte, e a leggerli nei momenti in cui era sola. Erano certo la sensazione di fare una cosa proibita e la paura di essere colta in fallo a impedirle di concentrarsi su ciò che leggeva, perché non riusciva a tenere a mente gran che delle sue letture e anzi non sembrava comprendere quasi nulla, pur leggendo molte pagine due o tre volte.

Dopo, andava dal pittore con la stessa angoscia di una scolara che ha paura di essere interrogata, perché il pittore le chiedeva subito se il libro le era piaciuto e la mamma sapeva che lui voleva sentire qualcosa di più di una semplice risposta affermativa, sapeva che per lui un libro era il punto di partenza per una conversazione e che in un libro c'erano frasi a proposito delle quali lui voleva trovarsi d'accordo con lei, come se si fosse trattato di una verità professata insieme. La mamma sapeva tutto ciò, ma questo non l'aiutava a capire che cosa ci fosse di tanto importante nel libro. Come una scolara maliziosa, ricorreva a giustificazioni: si lagnava di essere costretta a leggere i libri di nascosto per non essere scoperta e di non riuscire perciò a concentrarsi come avrebbe voluto.

Il pittore accettò questa scusa, ma trovò una soluzione ingegnosa: alla lezione seguente, parlò a Jaromil delle correnti dell'arte moderna e gli diede da leggere alcuni libri che il ragazzo accettò volentieri. La prima volta che la madre vide quei libri sulla scrivania di Jaromil, e capì che era merce di contrabbando destinata a lei, ebbe paura. Fino a quel momento aveva preso su di sé tutto il fardello della sua avventura, ed ecco che di colpo suo figlio (questa immagine di purezza!) diventava l'ignaro messaggero di un amore adulterino. Ma ormai non c'era più nulla da fare, i libri erano lì sullo scrittoio, e alla mamma non restò altro che dar loro un'occhiata con il pretesto di una comprensibile sollecitudine materna.

Un giorno osò dire al pittore che le poesie che le aveva prestato le sembravano inutilmente oscure e difficili. Appena gli ebbe detto queste parole se ne pentì, perché il pittore considerava la più piccola divergenza di opinione come un tradimento. Cercò subito di riparare alla gaffe. Quando il pittore, accigliato, si girò verso la tela, lei si tolse non vista la camicetta e il reggiseno. Aveva un bel seno e lo sapeva; adesso lo portò fieramente (ma non senza un residuo di timidezza) attraverso lo studio e infine andò a mettersi di fronte al pittore, nascosta per metà dalla tela posata sul cavalletto. Il pittore, con aria tetra, passava il pennello sulla tela e a più riprese le lanciò uno sguardo cattivo. Poi lei strappò il pennello dalla mano del pittore, se lo mise tra i denti, gli disse una parola che fino ad allora non aveva mai detto a nessuno, una parola volgare e oscena, e la ripeté più volte a bassa voce finché vide che l'ira del pittore si trasformava in desiderio.

No, non era abituata a comportarsi in quel modo; era nervosa e tesa; ma fin dall'inizio della loro intimità aveva capito che il pittore esigeva da lei forme libere e sorprendenti di effusioni amorose e voleva che con lui si sentisse completamente libera e a suo agio, sciolta da tutto, da ogni convenzione, da ogni pudore, da ogni inibizione; amava dirle: «Voglio solo che tu mi regali la tua libertà, la tua libertà intima e totale!», e ad ogni istante voleva accertarsi di quella libertà. La mamma era arrivata più o meno a capire che quel modo disinibito di comportarsi era bello, ma a maggior ragione temeva che non ne sarebbe mai stata capace. E quanto più si sforzava di *sapere la propria libertà*, tanto più essa le diventava un compito arduo, un dovere, qualcosa che era costretta a preparare a casa (riflettere per sapere con quale parola, con quale desiderio, con quale gesto avrebbe sorpreso il pittore e gli avrebbe dimostrato la propria spontaneità), di modo che già si piegava sotto l'imperativo della libertà come sotto un peso gravoso.

«Il peggio non è che il mondo non sia libero, ma che la gente abbia disimparato la libertà» le diceva il pittore, e lei pensava che l'osservazione si riferisse proprio a lei, che apparteneva completamente a quel vecchio mondo che, come dichiarava il pittore, andava rifiutato in blocco. «Se non possiamo cambiare il mondo, cambiamo almeno la nostra vita e viviamola liberamente» le diceva. «Se ogni vita è qualcosa di unico, traiamone tutte le conseguenze; rifiutiamo tutto ciò che non è nuovo. Bisogna essere assolutamente moderni» le diceva citando Rimbaud e lei lo stava ad ascoltare religiosamente, piena di fiducia nelle sue parole e piena di sfiducia in se stessa.

Ogni tanto pensava che l'amore del pittore per lei nasceva sicuramente da un malinteso, e più di una volta gli chiese perché la amava. Lui le rispondeva che l'amava come un pugile ama una farfalla, come un cantante ama il silenzio, come il brigante ama la maestrina del villaggio; le diceva che la amava come il macellaio ama gli occhi spauriti della mucca e il fulmine l'idillio dei tetti; le disse che l'amava come una donna amata rapita a uno stupido focolare.

Lei lo ascoltava in estasi e andava da lui appena riusciva a trovare un momento libero. Si sentiva come una turista che ha davanti agli occhi i paesaggi più belli, ma è troppo stanca per apprezzarne la bellezza. Non traeva alcuna gioia dal suo amore, ma sapeva che era un amore grande e bello e che non doveva perderlo.

E Jaromil? Era fiero che il pittore gli prestasse i libri della sua biblioteca (più di una volta il pittore gli aveva detto che non prestava libri a nessuno e che lui era il solo a godere di questo privilegio), e siccome aveva molto tempo a disposizione passava lunghe ore a fantasticare su quelle pagine. L'arte moderna, a quei tempi, non era ancora diventata patrimonio delle folle piccoloborghesi e aveva ancora il fascino irresistibile della setta, un fascino così comprensibile per un'età in cui si fantastica di romantici clan e confraternite. Jaromil sentiva profondamente quel fascino e leggeva quei libri in modo completamente diverso dalla madre, che li studiava dalla a alla zeta come libri di testo su cui sarebbe stata interrogata. Jaromil, che non era minacciato da interrogazioni di sorta, in realtà non lesse mai da cima a fondo nemmeno uno dei libri del pittore; li scorreva pigramente, li sfogliava, qui attardandosi su una pagina, lì fermandosi su un verso senza prendersela se il resto della poesia non gli diceva niente. Ma quell'unico verso o quell'unico paragrafo di prosa bastavano a renderlo felice, non solo per la loro bellezza ma soprattutto perché gli servivano da lasciapassare per il regno degli eletti cui è dato capire ciò che agli altri resta nascosto.

La mamma sapeva che il figlio non si accontentava del semplice ruolo di messaggero e che leggeva con vero interesse quei libri solo in apparenza destinati a lui; cominciò così a discutere di quello che entrambi leggevano e gli faceva le domande che non osava fare al pittore. Quasi con terrore, constatò che il figlio difendeva i libri avuti in prestito con ostinazione ancora più implacabile di quella del pittore. Si accorse che in un libro di poesie di Éluard era stato sottolineato a matita il verso *dormire, la luna in un occhio e il sole nell'altro*. «Che cosa ci trovi di bello? Perché dovrei dormire con la luna in un occhio?». *Gambe di pietra dalle calze di sabbia*. «Come possono essere di sabbia le calze?». Jaromil ebbe l'impressione che la madre si facesse gioco non solo della poesia, ma anche di lui, come se fosse convinta che alla sua età non potesse capire nulla, e così le rispose bruscamente.

Mio Dio, non era riuscita a tener testa neanche a un ragazzo di tredici anni! Quel giorno uscì per andare dal pittore nello stato d'animo di una spia che indossi l'uniforme di un esercito straniero; temeva di essere smascherata. Il suo comportamento aveva perduto ogni residuo di spontaneità, tutto ciò che diceva e faceva ricordava la recitazione di un attore dilettante che, paralizzato dalla paura, dice le sue battute col terrore di essere fischiato.

Fu proprio in quei giorni che il pittore scoprì il fascino della macchina fotografica; mostrò alla mamma le sue prime fotografie, nature morte composte da strani assortimenti di oggetti, scorci bizzarri di cose dimenticate e abbandonate; poi la fece mettere sotto la luce della vetrata e cominciò a fotografarla. All'inizio lei provò una sorta di sollievo perché non aveva bisogno di parlare, bastava che restasse in piedi o seduta, che sorridesse e ascoltasse le istruzioni del pittore e le lodi che di tanto in tanto lui faceva al suo viso.

Poi a un tratto gli occhi del pittore si illuminarono; prese un pennello, lo immerse nel nero, girò delicatamente la testa della mamma e tracciò due linee oblique sul suo viso. «Ti ho cancellata! Ho distrutto l'opera di Dio!» disse ridendo, e si mise a fotografarla con quelle due grosse righe che si incrociavano sul suo naso. Poi la portò nel bagno, le lavò la faccia e la asciugò con l'asciugamano.

«Un attimo fa ti ho cancellata per poterti ora ricreare» disse, quindi prese di nuovo il pennello e ricominciò a disegnare su di lei. Questa volta erano cerchi e linee che ricordavano antiche scritture ideografiche; «un viso-messaggio, un viso-lettera» diceva il pittore; la riportò sotto il tetto raggiante e ricominciò a fotografarla.

Dopo la fece stendere per terra e le posò accanto alla testa il calco in gesso di una statua antica sul quale tracciò gli stessi segni che aveva tracciato sul suo viso, fotografò le due teste, quella viva e quella inerte, e di nuovo le lavò il viso, vi tracciò altri segni, poi la fotografò di nuovo, la fece stendere sul divano e cominciò a spogliarla, la mamma aveva paura che le dipingesse anche i seni e le gambe, arrischiò perfino un'osservazione scherzosa per fargli capire che non doveva dipingerle il corpo (le ci volle un bel coraggio per arrischiare un'osservazione scherzosa, perché aveva sempre paura che i suoi tentativi di scherzo sbagliassero obiettivo rendendola ridicola), ma il pittore ormai era stanco di dipingere e invece di dipingere fece l'amore con lei, sempre tenendo nelle mani la sua testa coperta di segni, come fosse particolarmente eccitato dall'idea di fare l'amore con una donna che era una sua creazione, una sua fantasia, un suo quadro, come se fosse stato Dio che faceva l'amore con la donna che aveva appena creato solo per sé.

E in effetti in quei momenti la mamma non era altro che una sua invenzione, un suo quadro. Lei lo sapeva e ricorreva a tutte le sue forze per controllarsi, per non lasciar capire che non era assolutamente la partner del pittore, la sua controparte miracolosa, la creatura degna del suo amore, ma solo un riflesso senza vita, uno specchio docilmente offerto, una superficie passiva sulla quale il pittore proiettava l'immagine del suo desiderio. Riuscì a controllarsi; il pittore raggiunse il piacere e scivolò via felice dal suo corpo. Ma poi, una volta tornata a casa, si sentì come chi ha compiuto un grande sforzo, e la notte pianse prima di dormire.

Quando, qualche giorno più tardi, ritornò nello studio, le sedute di disegno e di fotografia ricominciarono. Questa volta il pittore le denudò i seni e si diede a coprire di disegni le loro belle curve. Ma quando fece per spogliarla completamente, lei si oppose per la prima volta al suo amante.

È difficile farsi un'idea dell'abilità, dell'astuzia addirittura, con cui aveva saputo fino a quel momento, durante i giochi amorosi col pittore, nascondere il proprio ventre! Molte volte non si era tolta il reggicalze, sottintendendo che quella seminudità era più eccitante, molte volte era riuscita a ottenere di fare l'amore nella penombra piuttosto che in piena luce, molte volte aveva delicatamente allontanato le mani del pittore che volevano accarezzarle il ventre, posandosele sul seno; una volta esauriti tutti i trucchi, aveva invocato la propria timidezza, che il pittore conosceva bene e adorava (proprio per questo le diceva così spesso che per lui lei era l'incarnazione del bianco e che la prima volta che aveva pensato a lei aveva espresso i suoi pensieri in un quadro con linee bianche scavate con la spatola).

Ma adesso doveva restare in piedi al centro dello studio come una statua viva, in balìa degli occhi e del pennello del pittore. Si oppose e quando, come durante la sua prima visita, gli disse che la sua pretesa era folle, lui le rispose come allora che *sì, l'amore è folle*, e le strappò gli abiti di dosso.

E così adesso stava lì, al centro dello studio, e pensava soltanto al proprio ventre; aveva paura di abbassare lo sguardo, ma se lo vedeva davanti agli occhi così come lo conosceva per averlo guardato mille volte disperata nello specchio; le sembrava di essere solo ventre, solo orrenda pelle rugosa e si vedeva come una donna stesa sul tavolo operatorio, una donna che non può pensare a nulla, che deve solo abbandonarsi e credere che tutto questo passerà, che l'operazione e il dolore finiranno e che intanto deve solo resistere.

E il pittore prese un pennello, lo immerse nel colore nero e glielo passò su una spalla, sull'ombelico, sulle gambe, poi indietreggiò di qualche passo e prese la macchina fotografica; la portò in bagno, dove lei dovette stendersi nella vasca vuota, e le posò sul corpo, di traverso, il serpente metallico che terminava col pomo perforato della doccia, e le disse che da quel serpente metallico non usciva acqua ma un gas mortale e che il serpente si allungava sul suo corpo come il corpo della guerra sul corpo dell'amore; poi la fece rialzare, la portò in un altro posto e ricominciò a fotografarla, e lei lo seguiva docilmente, ormai non si sforzava più di nascondere il ventre, ma l'aveva sempre davanti agli occhi, e vedeva gli occhi del pittore e il proprio ventre, il proprio ventre e gli occhi del pittore...

E quando lui la fece stendere sul tappeto, tutta coperta di disegni, e la amò accanto alla testa antica, bella e fredda, lei non ce la fece più e scoppiò in singhiozzi fra le sue braccia, ma il pittore probabilmente non comprese il senso di quei singhiozzi, convinto com'era che il suo selvaggio potere di seduzione, trasformato in un bel movimento regolare e martellante, non potesse suscitare altra risposta che un pianto di voluttà e di benessere.

La mamma si rese conto che il pittore non aveva capito il motivo del suo pianto, si dominò e smise di piangere. Ma quando arrivò a casa, sulle scale le girò la testa; cadde e si fece male a un ginocchio. La nonna, spaventata, la portò nella sua stanza, le toccò la fronte e le mise il termometro sotto l'ascella.

La mamma aveva la febbre. La mamma aveva l'esaurimento nervoso.

10

Qualche giorno dopo paracadutisti cechi mandati dall'Inghilterra uccisero il dominatore tedesco della Boemia; fu proclamata la legge marziale e agli angoli delle strade comparvero manifesti con lunghi elenchi di persone fucilate. La mamma era a letto, e il medico veniva ogni giorno a farle un'iniezione nel didietro. Ora era venuto il marito a sedersi al suo capezzale; le prese una mano tra le sue e la guardò lungamente negli occhi; lei sapeva che attribuiva il suo esaurimento nervoso agli orrori della Storia, e si vergognava al pensiero che lo stava ingannando mentre lui era gentile con lei e voleva esserle amico in quel periodo difficile.

Anche la cameriera Magda, che viveva nella villa ormai da molti anni e di cui alla nonna, nello spirito della buona tradizione democratica, piaceva dire che la considerava più come un membro della famiglia che come una dipendente, un giornò rincasò in lacrime: il suo fidanzato era stato arrestato dalla Gestapo. Difatti alcuni giorni dopo il nome del fidanzato apparve scritto in lettere nere su un avviso rosso scuro, in mezzo ad altri nomi di morti, e Magda ottenne alcuni giorni di permesso per poter andare a trovare i genitori del suo ragazzo.

Quando tornò, raccontò che la famiglia del fidanzato non era riuscita ad avere neanche l'urna con le ceneri e che probabilmente non avrebbe mai saputo dove erano sepolti i resti del figlio. E di nuovo scoppiò in lacrime, e da allora piangeva quasi ogni giorno. Di solito piangeva nella sua cameretta, così che i suoi singhiozzi arrivavano attutiti dalla parete divisoria, ma a volte si metteva a piangere all'improvviso anche a pranzo: perché da quando era successa la disgrazia la famiglia la ammetteva alla tavola comune (prima, mangiava da sola in cucina), e il carattere eccezionale di questo favore le ricordava giorno dopo giorno, all'ora del pranzo, che era in lutto e che tutti avevano pietà di lei, e i suoi occhi si facevano rossi e una lacrima spuntava sotto la palpebra e cadeva sugli *knedlíky* con la salsa; Magda si sforzava di nascondere le lacrime e gli occhi arrossati, abbassava la testa, desiderava non essere vista, ma proprio per questo gli altri la notavano e c'era sempre qualcuno che le rivolgeva una parola di conforto alla quale lei rispondeva con un sonoro singhiozzo.

Jaromil osservava tutto ciò come uno spettacolo esaltante; gioiva all'idea di veder spuntare una lacrima nell'occhio della ragazza, all'idea che il pudore della ragazza avrebbe tentato di vincere la tristezza e che alla fine la tristezza avrebbe avuto ragione del pudore e avrebbe lasciato scorrere la lacrima. Beveva (di nascosto, giacché aveva la sensazione di fare una cosa vietata) quel viso, si sentiva invadere da una tiepida eccitazione e dal desiderio di ricoprire di tenerezze quel viso, di accarezzarlo e di confortarlo. E la sera, quando restava solo avviluppato nelle coperte, si immaginava la testa di Magda con i suoi grandi occhi castani, si immaginava di accarezzare quella testa e di dirle *non piangere, non piangere, non piangere*, giacché non trovava altre parole da dirle.

Più o meno nello stesso periodo la madre terminò la sua cura neurologica (per una settimana aveva fatto la terapia del sonno in casa), si alzò e ricominciò a occuparsi della casa e della spesa, pur lamentandosi in continuazione di mal di testa e palpitazioni. Un giorno sedette al tavolino e cominciò a scrivere una lettera. Non appena ebbe scritta la prima frase, capì che il pittore l'avrebbe trovata sentimentale e stupida ed ebbe paura del suo giudizio; ma poi si rassicurò: si disse che per quelle sue parole non chiedeva e non voleva risposta, che erano le ultime che gli rivolgeva, e incoraggiata da questa idea continuò a scrivere; con una sensazione di sollievo (e con una strana ostinazione) creava frasi come se fosse veramente lei a crearle, lei com'era stata prima di conoscerlo. Scrisse che lo amava e che non avrebbe mai dimenticato il periodo miracoloso che aveva trascorso con lui ma che era venuto il momento di dirgli la verità: era diversa, completamente diversa da come il pittore la pensava, in realtà era una donna comune, all'antica, che temeva di non riuscire, un giorno, a guardare negli occhi innocenti di suo figlio.

Si era dunque finalmente decisa a dirgli la verità? Ah no, neanche per sogno. Non gli scrisse che quello che chiamava la felicità amorosa per lei era stato solo uno sforzo terribile, non gli scrisse quanto si vergognasse del proprio ventre deturpato, né che aveva avuto l'esaurimento nervoso e che si era fatta male a un ginocchio e aveva dovuto dormire per una settimana. Non glielo scrisse perché una simile franchezza non era mai stata nella sua natura, e perché lei voleva finalmente tornare ad essere se stessa, e poteva essere se stessa solo mentendo; se gli avesse confidato tutto con franchezza, sarebbe stato come trovarsi ancora una volta distesa davanti a lui nuda col suo ventre rugoso. No, non voleva più mostrarsi a lui, né esteriormente né interiormente, voleva ritrovare la sicurezza del proprio pudore, e per questo doveva mentire e parlare soltanto di suo figlio e dei sacri doveri di una madre. Alla fine della lettera era lei stessa convinta che la causa del suo crollo nervoso non fossero stati né il suo ventre né la fatica spossante per seguire le idee del pittore, bensì i suoi grandi sentimenti materni che si erano rivoltati contro quell'amore grande ma colpevole.

E in quel momento non solo si sentì infinitamente triste, ma si sentì nobile, tragica, forte; la tristezza, che qualche giorno prima la faceva solo soffrire, ora che l'aveva dipinta con grandi parole le procurava un confortante piacere; era una bella tristezza, e lei si vedeva rischiarata dalla sua luce malinconica e si trovava tristemente bella.

Strane coincidenze! Jaromil, che nello stesso periodo spiava per intere giornate l'occhio piangente di Magda, conosceva molto bene il fascino della tristezza e vi si immergeva completamente. Sfogliava ancora il libro che gli aveva prestato il pittore, leggeva e rileggeva senza fine le poesie di Éluard e si lasciava rapire da alcuni versi: *Aveva nella pace del suo corpo una pallina di neve del color dell'occhio*; oppure: *in lontananza il mare che il tuo occhio bagna*; e: *Buongiorno tristezza sei inscritta negli occhi che amo*. Éluard divenne il poeta del placido corpo di Magda e dei suoi occhi bagnati dal mare delle lacrime; tutta la propria vita gli pareva racchiusa nella magia di un solo verso: *Tristezza bel volto*. Sì, era Magda: tristezza bel volto.

Una sera tutti andarono a teatro e Jaromil restò solo con lei nella villa; conosceva ormai a memoria le abitudini di casa e sapeva che, essendo sabato, Magda avrebbe fatto il bagno. Poiché i genitori e la nonna avevano organizzato la serata teatrale con una settimana d'anticipo, aveva avuto il tempo di preparare tutto; già qualche giorno prima aveva sollevato il copritoppa della porta del bagno e con l'aiuto di un po' di mollica di pane sporca l'aveva incollato al legno, facendolo così restare in posizione verticale; poi aveva sfilato la chiave, perché con la sua presenza non riducesse la prospettiva offerta dal buco della serratura, e l'aveva nascosta; nessuno si accorse di quella sparizione, dato che i membri della famiglia non avevano l'abitudine di chiudersi a chiave nel bagno e solo Magda lo faceva.

La casa era silenziosa e deserta e il cuore di Jaromil batteva forte. Era su in camera sua, si era messo davanti un libro, come se qualcuno potesse sorprenderlo e chiedergli cosa stava facendo, ma non leggeva, era tutto teso all'ascolto. Finalmente si sentì il rumore dell'acqua che passava lungo i tubi e poi lo scroscio del getto che colpiva il fondo della vasca. Spense la luce delle scale e scese silenziosamente; era stato fortunato: la toppa era rimasta scoperta, e quando vi mise l'occhio vide Magda piegata sulla vasca, già svestita, col seno nudo e le sole mutandine addosso. Il cuore si mise a battergli ancora più forte, perché vedeva quello che non aveva mai visto fino ad allora e sapeva che presto avrebbe visto ancora di più e nessuno avrebbe potuto impedirglielo. Magda si rialzò, si avvicinò allo specchio (la vedeva di profilo), si guardò per qualche istante, poi si girò (ora la vedeva di faccia) e si diresse alla vasca; si fermò, tolse le mutandine, le gettò via (la vedeva sempre di faccia) ed entrò nella vasca.

Anche quando fu nella vasca, Jaromil continuò a vederla dal suo posto d'osservazione, ma poiché l'acqua le arrivava alle spalle, era tornata ad essere *solo un volto*; il solito volto conosciuto, triste, bagnato da un mare di lacrime, ma un volto, al tempo stesso, completamente *diverso*; un volto a cui doveva aggiungere mentalmente (adesso, in futuro e per sempre) un seno nudo, un ventre, delle cosce, un sedere; era *un volto illuminato dalla nudità del corpo*; continuava a suscitare in lui tenerezza, ma anche quella tenerezza era diversa dal solito, perché in essa riecheggiavano i battiti affrettati del suo cuore.

Poi, a un tratto, si accorse che Magda lo fissava negli occhi. Ebbe paura di esser stato scoperto. Magda guardava verso il buco della serratura con un lieve sorriso (un po' imbarazzato e un po' affettuoso). Si staccò subito dalla porta. Lo vedeva o no? Aveva fatto molte prove, ed era sicuro che un occhio che spiava al di qua della porta non poteva essere visto dall'interno del bagno. Ma come spiegare lo sguardo e il sorriso di Magda? O forse aveva guardato solo per caso in quella direzione e aveva sorriso semplicemente *all'idea* che Jaromil potesse essere lì a guardarla? Comunque fosse, l'incontro con lo sguardo di Magda l'aveva tanto turbato che non osò più avvicinarsi alla porta.

Ma quando, dopo qualche istante, ritrovò la calma, gli venne un'idea che superava tutto ciò che aveva visto e provato fino a quel momento: la stanza non era chiusa a chiave e Magda non gli aveva detto che andava a fare il bagno. Poteva dunque fingere di non saperlo ed entrare come se nulla fosse. E di nuovo il cuore riprese a battergli all'impazzata; già si vedeva mentre si arrestava con espressione sorpresa sulla soglia, e diceva *volevo solo prendere il mio pettine*, passava accanto a Magda, tutta nuda, che sul momento non sapeva che cosa dirgli; la vergogna si dipingeva sul suo bel viso, come quando scoppiava in lacrime tutt'a un tratto durante il pranzo, e lui passava accanto alla vasca e andava al lavandino sul quale era posato il pettine, prendeva il pettine, poi si arrestava davanti alla vasca e si chinava su Magda, sul suo corpo nudo che traspariva dal filtro verdastro dell'acqua, e di nuovo guardava quel volto pieno di vergogna, e accarezzava quel volto pieno di vergogna... Ah, quando con l'immaginazione arrivò a questo punto, fu avvolto da una nube di eccitazione in cui non vedeva più nulla e non riusciva a immaginare più nulla.

Perché la sua entrata sembrasse del tutto naturale, risalì zitto zitto al piano di sopra e poi ridiscese pestando rumorosamente su ogni scalino; si accorgeva di tremare e aveva paura di non trovare la forza per pronunciare con voce tranquilla e naturale *volevo solo prendere il mio pettine*; tuttavia scese e quando fu quasi arrivato alla porta del bagno e il suo cuore si mise a battere così forte che riusciva appena a respirare, sentì: «Jaromil, sto facendo il bagno! Non entrare!». Rispose: «Ma no, sto andando in cucina!», e veramente attraversò il corridoio nella direzione opposta, entrò in cucina, aprì e chiuse la porta come se avesse preso qualcosa, e poi risalì in camera sua.

Solo allora gli passò per la mente che le inattese parole di Magda non erano un pretesto sufficiente per una capitolazione così repentina, che avrebbe potuto dire lo stesso *Magda, devo solo prendere il pettine* ed entrare, perché Magda non sarebbe certo andata a lamentarsi di lui, Magda gli voleva bene e lui l'aveva sempre trattata con gentilezza. E di nuovo si immaginò di entrare nel bagno e Magda era distesa nuda nella vasca, e diceva *non ti avvicinare, vattene subito*, ma non poteva fare nulla, non poteva difendersi perché era impotente come era impotente di fronte alla morte del fidanzato, perché giaceva imprigionata nella vasca e lui si chinava sulla sua testa, sui suoi grandi occhi...

Ma l'occasione era irrimediabilmente perduta e Jaromil ormai sentiva solo il debolissimo gorgoglio dell'acqua che defluiva dalla vasca verso fogne lontane; l'irrevocabilità di quella splendida occasione gli straziava il cuore perché sapeva che non avrebbe avuto tanto presto la fortuna di restare solo con Magda di sera e poi, anche se l'avesse avuta, la chiave sarebbe stata ormai da tempo al suo posto e Magda si sarebbe chiusa dentro. Stava disteso sul letto ed era disperato. Ma più dolorosa dell'occasione perduta era la disperazione che provava al pensiero della propria timidezza, della propria debolezza, di quegli stupidi battiti al cuore che l'avevano privato di ogni presenza di spirito e avevano rovinato tutto. Fu invaso da un violento disgusto di se stesso.

Ma a che serviva quel disgusto? Perché il disgusto è una cosa completamente diversa dalla tristezza, anzi forse ne è l'esatto contrario; quando veniva trattato male, Jaromil si chiudeva nella sua stanza e piangeva; ma si trattava di lacrime felici, quasi voluttuose, quasi lacrime *d'amore* con cui Jaromil compativa e consolava Jaromil, affondando gli occhi nella sua anima; questo improvviso disgusto che rivelava a Jaromil la sua ridicolaggine lo allontanava e lo respingeva dalla sua anima! Era univoco e laconico come un insulto; come uno schiaffo; si poteva sfuggirgli solo con la fuga.

Ma dove fuggire quando si ha la subitanea rivelazione della nostra piccolezza? Solo con una fuga verso l'alto si può sfuggire all'umiliazione. Sedette dunque al suo scrittoio, aprì un libro (quel libretto prezioso che il pittore gli aveva confidato di non aver mai prestato a nessun altro) e tentò con un immenso sforzo di concentrarsi sulle poesie che preferiva. E di nuovo ecco *in lontananza il mare che il tuo occhio bagna* e di nuovo si vide davanti Magda, c'era anche la palla di neve nella pace del suo corpo, e il gorgoglio dell'acqua penetrava in quella poesia come il rumore del fiume entrava nella stanza dalla finestra chiusa. Jaromil si sentì invadere da un desiderio languoroso e chiuse il libro. Poi prese carta e matita e cominciò a scrivere anche lui. Come aveva visto in Éluard, Nezval, Biebl,[1] Desnos, scriveva brevi righe una sotto l'altra, senza ritmo né rime. Era una variazione su quanto aveva letto, ma in quella variazione c'era quello che aveva appena vissuto, c'era la *tristezza* che si *scioglieva per mutarsi in acqua*, c'era *l'acqua verde*, la cui superficie *sale e sale e arriva fino ai miei occhi*, c'era il corpo, *il corpo triste*, il corpo che *io seguo, seguo attraverso l'acqua infinita.*

Rilesse molte volte di seguito la sua poesia ad alta voce, una voce melodiosa e patetica, e ne fu entusiasta. Nel fondo di quella poesia c'era Magda nella vasca e c'era lui col viso premuto contro la porta; non si trovava dunque *fuori dei limiti* della sua esperienza, ne era però molto *al di sopra*; il disgusto che aveva provato verso se stesso era rimasto *in basso*; lì in basso le sue mani si erano coperte di sudore per la paura e il suo respiro si era fatto più veloce; qui *in alto, nella poesia*, lui era molto al di sopra del suo squallore; l'episodio del buco della serratura e della sua vigliaccheria era ormai diventato il trampolino da cui prendeva lo slancio per il volo; non era più sottomesso a ciò che aveva appena vissuto, ma era piuttosto ciò che aveva vissuto a essere sottomesso a ciò che aveva scritto.

Il giorno dopo chiese alla nonna di prestargli la macchina da scrivere; ricopiò la poesia su una carta speciale: era ancora più bella di quando l'aveva letta ad alta voce, perché adesso non era più una semplice successione di parole, ma era diventata una *cosa*; la sua autonomia era ancora più incontestabile; le parole ordinarie sono fatte per sparire appena vengono pronunciate, giacché servono solo al momento della

1. Nezval e Biebl, grandi poeti cechi surrealisti.

comunicazione; sono assoggettate alle cose, sono solo la loro designazione; ecco invece che ora quelle parole erano diventate loro stesse cose e non erano assoggettate a niente; erano destinate non al momento della comunicazione e a una rapida sparizione, bensì alla durata.

Certo, ciò che Jaromil aveva vissuto il giorno prima era racchiuso nella poesia, ma al tempo stesso questa esperienza vi andava lentamente morendo, come il seme muore nel frutto. *Sono sotto l'acqua e i colpi del mio cuore fanno cerchi in superficie*; questo verso parlava del ragazzo tremante davanti alla porta del bagno, ma al tempo stesso in quel verso i tratti del ragazzo si andavano lentamente cancellando; quel verso lo superava e lo trascendeva. *Ah, mio liquido amore*, diceva un altro verso, e Jaromil sapeva che quell'amore liquido era Magda, ma al tempo stesso sapeva che nessun altro avrebbe potuto trovarla in quelle parole, che in esse lei era perduta, invisibile, sepolta; la poesia che aveva scritto era assolutamente autonoma, indipendente e incomprensibile, altrettanto indipendente e incomprensibile quanto la realtà che non è complice di nessuno e si accontenta solo di *essere*; l'autonomia della poesia offriva a Jaromil uno splendido rifugio, la sognata possibilità di una *seconda vita*; la cosa gli piacque tanto che già il giorno dopo cercò di scrivere altri versi e a poco a poco si diede tutto a questa attività.

11

Anche se si è ormai alzata dal letto e gira per la casa come una convalescente, non è affatto allegra. Ha rifiutato l'amore del pittore ma non ha ritrovato in cambio l'amore del marito. Il padre di Jaromil è a casa così di rado! Ormai tutti si sono abituati al fatto che rientri a notte tarda, si sono abituati anche al fatto che spesso annunci assenze di qualche giorno, perché deve viaggiare molto per il suo lavoro, ma questa volta non ha detto assolutamente nulla, la sera non è tornato a casa e la madre non ha sue notizie.

Jaromil vede così raramente il padre che ormai non ne nota neanche l'assenza e, chiuso in camera sua, pensa ai suoi versi: Perché una poesia sia tale, bisogna che venga letta da un'altra persona; solo allora dimostra di non essere solo un diario cifrato e di poter vivere una vita propria, indipendente da chi l'ha scritta. A tutta prima ebbe l'idea di mostrare i propri versi al pittore, ma attribuiva loro troppa importanza per rischiare di sottoporli a un giudice così severo. Sognava di vedere qualcuno che si entusiasmasse ai suoi versi quanto lui stesso e ben presto capì chi era quel primo, predestinato lettore delle sue poesie; lo vedeva girare per casa con gli occhi tristi e la voce afflitta e gli pareva che andasse incontro ai suoi versi; in preda a una grande emozione diede alla mamma alcune poesie accuratamente battute a macchina e poi corse a rifugiarsi in camera sua, ad aspettare che le leggesse e lo chiamasse.

Lei lesse e pianse. Forse non sapeva perché piangeva, ma non è difficile indovinarlo; dai suoi occhi sgorgavano quattro tipi di lacrime:

per prima cosa fu colpita dalla somiglianza tra i versi di Jaromil e le poesie che era solito prestarle il pittore, e dai suoi occhi sgorgarono lacrime di rimpianto per l'amore perduto;

poi avvertì la generica tristezza che emanava dai versi del figlio, ricordò che il marito mancava da casa ormai da due giorni senza neanche averla avvisata, e versò lacrime di umiliazione;

subito dopo, tuttavia, furono lacrime di consolazione quelle che sgorgarono dai suoi occhi, giacché la sensibilità del figlio, che con tanta fiducia ed emozione era corso a mostrarle le sue poesie, stendeva un balsamo su tutte le sue ferite;

infine, quando ebbe letto alcune volte le poesie, le salirono agli occhi lacrime di ammirazione, perché quei versi le sembravano incomprensibili e pensò dunque che in essi c'era più di quanto lei potesse capire e che quindi lei era la madre di un ragazzo prodigio.

Poi lo chiamò, ma quando il figlio le fu davanti, si sentì come quando il pittore la interrogava sui libri che le aveva prestato; non sapeva cosa dirgli a proposito delle poesie, vedeva davanti a sé la sua testa china, in avida attesa, e non seppe fare altro che stringerlo a sé e baciarlo. Jaromil aveva paura, e per questo fu felice di poter nascondere la testa sulla spalla materna, e la madre, quando sentì tra le braccia la fragilità del suo corpo infantile, respinse l'opprimente fantasma del pittore, si fece coraggio e cominciò a parlare. Ma non riuscì a liberare la voce da un tremito e gli occhi da un umido velo, e questo fu per Jaromil più importante delle sue parole; quel tremito e quelle lacrime gli davano la sacrosanta certezza che i suoi versi avevano un potere; un potere reale e fisico.

Ormai imbruniva, il padre non tornava e la mamma pensò che il viso di Jaromil aveva una tenera bellezza con la quale non potevano competere né il marito né il pittore; quel pensiero fuor di luogo era così tenace che non riusciva a liberarsene; cominciò a raccontargli che quando era incinta guardava con occhi imploranti la statuetta di Apollo. «Ed ecco, vedi, sei veramente bello come quell'Apollo, gli somigli. C'è del vero nella credenza che in un bambino resti sempre qualcosa di ciò a cui pensa la madre quando è incinta. Anche la lira hai preso da lui».

Poi gli raccontò che la letteratura era sempre stata il suo più grande amore, che si era iscritta all'università per poter studiare letteratura e solo il matrimonio (della gravidanza non parlò) le aveva impedito di dedicarsi completamente a quella sua profonda aspirazione; scoprire oggi che Jaromil era un poeta (sì, fu lei la prima a incollargli addosso quel titolo altisonante) era per lei una sorpresa ma insieme qualcosa che si aspettava da molto tempo.

Quel giorno parlarono ancora a lungo, e madre e figlio, quei due amanti delusi, trovarono infine consolazione l'una nell'altro.

PARTE SECONDA

OVVERO

XAVER

1

Dall'interno dell'edificio gli giungeva il chiasso della ricreazione che tra un attimo sarebbe finita. Il vecchio professore di matematica sarebbe entrato in classe per torturare gli studenti con cifre tracciate sulla lavagna; il ronzio di una mosca vagante avrebbe occupato lo spazio infinito tra la domanda del professore e la risposta dello studente... Ma lui allora sarebbe stato lontano!

La guerra era finita da un anno; era primavera e splendeva il sole; arrivò alla Vltava e bighellonò per il lungofiume. La galassia delle cinque ore scolastiche era lontana e solo una piccola cartella marrone che conteneva alcuni quaderni e un libro di testo lo legava ancora ad essa.

Arrivò al ponte Carlo. Il viale di statue lo invitava sull'altra riva. Quando marinava la scuola (e lo faceva così spesso e volentieri!), veniva quasi sempre attirato dal ponte Carlo e finiva con l'attraversarlo. Sapeva che lo avrebbe fatto anche oggi e che anche oggi si sarebbe fermato nel punto dove sotto il ponte non c'è più acqua ma la riva asciutta, sulla quale sorge una vecchia casa gialla; la finestra del terzo piano arriva giusto all'altezza del parapetto da cui dista solo pochi passi; gli piaceva stare lì a contemplarla (era sempre chiusa) cercando di immaginare chi potesse abitare dietro quei vetri.

Quel giorno, per la prima volta (probabilmente perché era una giornata eccezionalmente assolata), la finestra era aperta. Da un lato era appesa una gabbia con un uccellino. Si fermò, osservò quella gabbietta rococò di fil di ferro bianco elegantemente ritorto poi scorse una figura nella penombra della stanza: benché la vedesse di spalle, capì che era una donna, e desiderò che si voltasse per poterne scorgere il volto.

E la figura effettivamente si mosse, ma nella direzione opposta; scomparve nell'oscurità. Ma la finestra era aperta e lui era convinto che si trattasse di un invito, di un silenzioso e confidenziale segnale destinato solo a lui.

Non seppe resistere. Salì sul parapetto. Tra la finestra e il ponte c'era uno strapiombo altissimo e sul fondo il duro selciato. La cartella che aveva in mano lo impacciava. Attraverso la finestra aperta la gettò nella stanza semibuia, e spiccò un salto.

2

Allargando le braccia, Xaver poteva toccare i bordi interni dell'alta finestra rettangolare su cui era saltato e che occupava completamente in altezza. Esaminò la stanza a partire dal fondo (come coloro la cui attenzione va sempre per prima cosa a ciò che è più lontano) e per questo vide innanzi tutto una porta sul fondo, poi, a sinistra, un armadio panciuto addossato al muro, a destra un letto di legno dalle sponde intarsiate, e nel centro un tavolo rotondo coperto da una tovaglia all'uncinetto su cui era posato un vaso di fiori; solo a questo punto notò ai suoi piedi la cartella sul bordo frangiato di un tappeto di poco prezzo.

Proprio nell'attimo in cui la scorse ed era sul punto di saltar giù a raccoglierla, nel fondo buio della stanza si aprì la porta e apparve la donna. Lei lo vide immediatamente; la stanza era immersa nella penombra e il rettangolo della finestra era illuminato come se dentro fosse notte e dall'altra parte giorno; visto da dove si trovava la donna, l'uomo ritto nella cornice della finestra si stagliava come una sagoma nera sullo sfondo dorato della luce; era un uomo tra il giorno e la notte.

Se la donna, abbagliata dalla luce, non poteva distinguere i tratti del volto dell'uomo, Xaver era leggermente favorito; il suo sguardo si era ormai abituato alla penombra e poteva cogliere se non altro approssimativamente la mollezza dei lineamenti della donna e la malinconia del suo viso, il cui pallore avrebbe irradiato lontano la propria luce anche nella più profonda oscurità; restava ferma sulla porta e guardava Xaver; non fu tanto spontanea da esprimere ad alta voce il suo spavento, né tanto pronta di spirito da rivolgergli la parola.

Solo dopo lunghi istanti, durante i quali si guardarono a vicenda nei volti dai tratti indistinti, Xaver parlò: «C'è qui la mia cartella».

«La sua cartella?» chiese lei, e come se il suono delle parole di Xaver l'avesse sottratta all'iniziale stupore, si chiuse la porta alle spalle.

Xaver si accovacciò sul davanzale della finestra e indicò la cartella che giaceva ai suoi piedi. «Ho delle cose molto importanti lì dentro. Il quaderno di matematica, il libro di scienze, e anche il quaderno di ceco; proprio lì c'è la mia ultima composizione sul tema: *È arrivata la primavera.* Mi è costata un bel po' di lavoro, e non mi andrebbe proprio di dovermi spremere di nuovo le meningi per rifarla».

La donna avanzò di qualche passo verso il centro della stanza e Xaver poté vederla in una luce migliore. La sua prima impressione era giusta: mollezza e malinconia. Vide due grandi occhi liquidi nel viso ancora indistinto e gli venne in mente un'altra parola: terrore; non il terrore provocato dalla sua improvvisa apparizione, ma un terrore antico, che era rimasto sul viso della donna sotto forma di due grandi occhi sbarrati, di pallore, di gesti con cui pareva chiedere continuamente scusa.

Sì, quella donna si stava veramente scusando! «Scusi,» disse «ma non capisco come abbia fatto la sua cartella a finire in casa nostra. Ho messo in ordine la stanza un attimo fa e non ho trovato niente di estraneo».

«Eppure,» disse Xaver sempre accovacciato sul davanzale, indicando per terra con un dito «con mia grande gioia la cartella si trova qui».

«Anch'io sono molto felice che l'abbia trovata» disse la donna, e sorrise.

Adesso erano uno di fronte all'altra, e tra loro non c'erano che il tavolo con la tovaglia all'uncinetto e il vaso di vetro pieno di fiori di carta cerata.

«Sì, sarebbe stata proprio una seccatura non trovarla» disse Xaver. «La professoressa di ceco mi odia, e se perdessi il quaderno dei temi rischierei di essere bocciato».

Sul volto della donna si dipinse la compassione; i suoi occhi divennero di colpo così grandi che Xaver non vedeva nient'altro, come se il resto del viso e il corpo non fossero che il loro accompagnamento, il loro involucro; non sapeva nemmeno come fossero i singoli tratti del viso della donna, né le proporzioni del suo corpo: tutto questo restava ai margini della sua retina; l'impressione che aveva di questa donna era in realtà solo l'impressione prodotta su di lui da quegli occhi immensi che inondavano di luce marrone il resto del corpo.

E verso quegli occhi Xaver avanzò, girando intorno al tavolo. «Sono un vecchio ripetente» disse posando una mano sulla spalla della donna (ah, quella spalla era morbida come un seno!). «Mi creda,» aggiunse «non c'è niente di più triste che ritrovarsi dopo un anno nella stessa classe, sedersi di nuovo allo stesso banco...».

Poi vide che quegli occhi marrone si levavano su di lui e un'ondata di felicità lo invase; Xaver sapeva che ora avrebbe potuto far scivolare la mano più giù e toccarle il seno e il ventre e tutto ciò che voleva, giacché il terrore che regnava sovrano in quella donna gliela deponeva docile tra le braccia. Ma non lo fece; stringeva nel palmo della mano la sua spalla, quella bella estremità tondeggiante del corpo, e gli pareva già abbastanza meraviglioso, abbastanza appagante; non voleva nulla di più.

Restarono immobili per qualche attimo e poi la donna sembrò allarmarsi: «Deve sparire subito. Sta rientrando mio marito!».

Non c'era nulla di più facile che prendere la cartella, saltare sulla finestra e dalla finestra sul ponte; ma Xaver non lo fece. Si andava impadronendo di lui la deliziosa impressione che quella donna fosse in pericolo e che fosse suo dovere restarle accanto. «Non posso lasciarla qui sola!».

«Mio marito! Vada via!» lo implorò angosciosamente la donna.

«No, resto con lei! Non sono un vigliacco!» disse Xaver, mentre dalla scala giungevano ormai distintamente dei passi.

La donna tentò di spingere Xaver verso la finestra, ma lui sapeva di non poterla abbandonare nel momento del pericolo. Già si sentiva una porta aprirsi in fondo all'appartamento, e all'ultimo istante Xaver si gettò per terra e si infilò sotto il letto.

3

Lo spazio tra il pavimento e il soffitto costituito dalle cinque assi sulle quali poggiava un lacero materasso, non era più grande dello spazio di una bara; ma a differenza della bara era uno spazio profumato (c'era odore di paglia), con un'ottima acustica (il pavimento trasmetteva chiaramente il rumore dei passi) e pieno di visioni (proprio sopra di sé vedeva il viso della donna che non doveva abbandonare, il viso proiettato sulla stoffa scura del materasso, il viso trafitto da tre fili di paglia che spuntavano dalla tela).

I passi che sentiva erano pesanti, e girando un po' la testa vide sul pavimento delle scarpe che avanzavano nella stanza. E poi sentì una voce di donna e non poté impedirsi di provare una vaga eppure lacerante sensazione di rimpianto: quella voce era malinconica, impaurita e ammaliante come quando un attimo fa si rivolgeva a Xaver. Ma Xaver era ragionevole e dominò quel brusco estro di gelosia; capì che quella donna era in pericolo e si difendeva con ciò che aveva: con il suo viso e la sua tristezza.

Poi udì una voce maschile e pensò che quella voce somigliava alle scarpe nere che vedeva avanzare sul pavimento. Sentì la donna che diceva *no, no, no* e la coppia dei passi avvicinarsi barcollanti al suo nascondiglio, e poi il basso soffitto sotto il quale era disteso si abbassò ulteriormente, e arrivò quasi a toccargli la faccia.

E di nuovo si sentì la donna che diceva *no, no, no, ora no, ora no, ti prego*, e Xaver vedeva il suo viso sopra la grossa tela del materasso, a pochi centimetri dai suoi occhi, e gli pareva che quel viso gli confidasse la sua umiliazione.

Voleva alzarsi dalla sua bara, salvare quella donna, ma sapeva che non poteva farlo. E tuttavia il viso della donna era così vicino al suo, si chinava su di lui, lo implorava trafitto da tre fili di paglia come da tre frecce. E il soffitto cominciò a muoversi ritmicamente sulla testa di Xaver e i fili di paglia che trafiggevano il volto della donna come tre frecce sfioravano ritmicamente il naso di Xaver e gli facevano il solletico, così che all'improvviso Xaver starnutì.

Il movimento si arrestò di colpo. Il letto si immobilizzò, non si sentiva più nemmeno il respiro, e anche Xaver era come paralizzato. Solo dopo qualche istante si sentì: «Che cosa è stato?». «Non ho sentito niente, tesoro» rispose la voce della donna. Qualche altro istante di silenzio e poi di nuovo si sentì la voce dell'uomo: «E di chi è quella cartella?». Risuonarono passi sonori e si videro le scarpe attraversare la stanza.

Ma guarda, quel tipo era a letto con le scarpe, pensò Xaver, e si indignò; capì che era arrivato il momento di agire. Fece leva su un gomito e si sporse da sotto il letto quel tanto che gli permetteva di vedere che cosa stava succedendo nella stanza.

«Chi hai qui? Dove l'hai nascosto?» urlava la voce maschile, e Xaver vide, sopra le scarpe nere, i pantaloni alla cavallerizza azzurro scuro e la camicia azzurro scuro dell'uniforme della polizia. L'uomo esaminò la stanza con sguardo inquisitore e poi si lanciò verso l'armadio, la cui profondità suggeriva il nascondiglio di un amante.

In quel momento Xaver sbucò fuori dal letto, silenzioso come un gatto, agile come una pantera.

L'uomo in uniforme aprì l'armadio pieno di vestiti e cominciò a cercarvi dentro a tastoni. Ma Xaver gli era già alle spalle, e quando l'uomo infilò di nuovo le mani nelle tenebre dei vestiti per cercarvi l'amante nascosto, Xaver lo afferrò per il colletto e lo spinse con violenza dentro l'armadio. Chiuse l'anta, girò la chiave, la tolse, se la mise in tasca e si voltò verso la donna.

4

Stava di fronte ai grandi occhi marroni e sentiva dietro di sé un gran battere di colpi all'interno dell'armadio, strepiti e urla così attutiti dalla sordina dei vestiti che le parole sotto il frastuono dei colpi restavano incomprensibili.

Si sedette vicino ai grandi occhi, passò un braccio intorno alle spalle e solo allora, sentendo la pelle nuda sotto il palmo della mano, si accorse che la donna portava solo una leggera sottoveste sotto la quale si gonfiavano i seni nudi e morbidi.

Il martellamento di colpi contro le pareti dell'armadio non cessava e Xaver stringeva ora le spalle della donna con entrambe le mani, cercando di cogliere la nettezza dei suoi tratti che scomparivano nell'immensità oceanica degli occhi. Le diceva di non aver paura, le mostrava la chiave per provarle che l'armadio era ben chiuso, le ricordava che la prigione di suo marito era di quercia e che il prigioniero non poteva né aprirla né forzarla. E poi si mise a baciarla (le mani erano sempre posate sulle sue morbide spalle nude così infinitamente voluttuose che aveva paura di lasciar scivolare le mani più in basso e di toccarle il seno, come se non fosse abbastanza forte per sopportarne la vertigine) e pensò che posando le labbra sul suo viso sarebbe sprofondato in acque immense.

Sentì la voce della donna: «Che cosa facciamo, adesso?».

Le accarezzò le spalle e le rispose di non preoccuparsi, che adesso stavano bene, che lui era felice come mai lo era stato, e che i colpi provenienti dall'armadio non lo interessavano più del rumore di una tempesta inciso su un disco o dei latrati di un cane legato alla cuccia all'altro capo della città.

Per dimostrarle che era completamente padrone della situazione, si alzò ed esaminò la stanza con lo sguardo. Poi si mise a ridere perché vide un manganello nero posato sul tavolo. Lo prese, si avvicinò all'armadio e in risposta ai colpi martellanti dall'interno batté più volte sull'anta col manganello.

«Che cosa facciamo, adesso?» chiese di nuovo la donna, e Xaver le rispose: «Ce ne andiamo».

«E lui?» chiese la donna, e Xaver rispose: «Un uomo può sopravvivere due o tre settimane senza mangiare. Quando torneremo qui, tra un anno, nell'armadio ci sarà uno scheletro con l'uniforme e gli stivali», e accostatosi di nuovo all'armadio rimbombante gli assestò un colpo di manganello, rise e guardò la donna sperando che ridesse anche lei.

Ma la donna non rideva e gli chiese: «Dove andremo?».

Xaver le raccontò dove sarebbero andati. Lei obiettò che lì era a casa sua, mentre nel posto dove Xaver la voleva portare non avrebbe avuto né il suo armadio per la biancheria, né la sua gabbia con l'uccellino. Xaver rispose che la vera casa non è una gabbia con l'uccellino né un armadio per la biancheria, ma la presenza della persona che si ama. E poi le disse che lui stesso non aveva una casa, o meglio, che la sua casa era nei suoi passi, nel suo andare, nei suoi viaggi. Che la sua casa era là dove si aprivano orizzonti sconosciuti. Che lui poteva vivere solo passando da un sogno all'altro, da un paesaggio all'altro, e che se fosse rimasto a lungo nello stesso ambiente sarebbe certamente morto, come sarebbe morto il marito di lei se fosse rimasto nell'armadio più di tre settimane.

A quelle parole, tutti e due si resero conto di colpo che l'armadio s'era azzittito. Quel silenzio era così vistoso che li destò entrambi. Era come l'attimo che segue la tempesta; il canarino in gabbia cantava a squarciagola, la finestra era gialla del sole al tramonto. Tutto era bello come l'invito a un viaggio. Era bello come il perdono divino. Era bello come la morte di un poliziotto.

Adesso la donna accarezzò il viso di Xaver, ed era la prima volta che lo toccava; ed era anche la prima volta che Xaver la vedeva non più fluida, nei suoi contorni precisi. Lei gli disse: «Sì, andiamo. Andremo dove vorrai. Aspetta un attimo, prendo solo qualcosa per il viaggio».

Lo accarezzò ancora una volta, gli sorrise e si diresse verso la porta. Lui la guardava con occhi pieni di un'improvvisa pace; vide il suo passo morbido e fluido come il passo dell'acqua che si muta in corpo.

Poi si stese sul letto e si sentiva al settimo cielo. L'armadio era silenzioso, come se l'uomo si fosse addormentato o impiccato. Quel silenzio era pieno dello spazio che entrava nella stanza dalla finestra insieme con lo sciabordio della Vltava e col grido lontano della città, un grido così lontano che assomigliava alle voci di un bosco.

Xaver sentiva di essere nuovamente pieno di viaggi. E non c'è niente di più bello dell'attimo che precede la partenza, l'attimo in cui l'orizzonte del domani viene a farci visita per raccontare le sue promesse. Xaver era steso sulle lenzuola gualcite e tutto sembrava fondersi in una meravigliosa unità: il soffice letto simile alla donna, la donna simile all'acqua, l'acqua che immaginava sotto le finestre simile a un liquido giaciglio.

Poi vide ancora la porta aprirsi e la donna entrare nella stanza. Portava un vestito azzurro. Azzurro come l'acqua, azzurro come gli orizzonti in cui domani si sarebbe immerso, azzurro come il sonno nel quale sprofondava lentamente ma irresistibilmente.

Sì. Xaver si era addormentato.

5

Xaver non dorme per attingere dal sonno le forze per la veglia. No, questa monotona oscillazione sonno-veglia che si ripete trecentosessantacinque volte all'anno gli è sconosciuta.

Il sonno per lui non è il contrario della vita; il sonno è per lui la vita, e la vita è un sogno. Passa da un sogno all'altro come se passasse da una vita all'altra.

È buio, buio profondo, ma dall'alto, all'improvviso, scendono dischi luminosi. Sono le luci diffuse dai lampioni; in quei cerchi ritagliati nelle tenebre si vedono fiocchi di neve che cadono fitti.

Si infilò di corsa nella porta di una costruzione bassa, traversò rapidamente l'ingresso e uscì sul marciapiede accanto al quale un treno con i finestrini illuminati era pronto a partire; lungo il convoglio avanzava un vecchio con una lanterna in mano e chiudeva le porte dei vagoni. Xaver saltò lesto sul treno mentre il vecchio alzava la lanterna; dall'altro capo del marciapiede si udì il lento suono di un corno e il treno si mise in moto.

6

Si fermò sulla piattaforma del vagone e inspirò profondamente per riprendere fiato. Ancora una volta era arrivato all'ultimo momento, e arrivare all'ultimo momento era per lui motivo di fierezza: tutti gli altri arrivavano all'ora giusta, secondo un piano prestabilito, e così vivevano tutta la loro vita senza sorprese, come ricopiando i testi assegnati loro dall'insegnante. Se li immaginava nei loro scompartimenti, seduti ai loro posti prenotati in anticipo, a fare discorsi già noti, a parlare della villetta in montagna dove avrebbero passato una settimana, della scansione dei giorni che avevano imparato a conoscere già a scuola per poter poi vivere alla cieca, a memoria e senza un solo errore.

Xaver, invece, era venuto impreparato, all'ultimo momento, grazie a un impulso improvviso e a una decisione inattesa. E adesso, sulla piattaforma del vagone, si chiedeva che cosa l'avesse spinto a partecipare a quella gita scolastica con studenti noiosi e professori calvi con la barba piena di pidocchi.

Attraversò il vagone: alcuni ragazzi erano nel corridoio, alitavano sui finestrini gelati e incollavano gli occhi al cerchio trasparente; altri erano pigramente distesi sulle panche di uno scompartimento, con gli sci incrociati in alto e appoggiati alla reticella del bagaglio; altri giocavano a carte; in un altro scompartimento cantavano un'interminabile canzone studentesca composta di una melodia primitiva e di quattro parole ripetute incessantemente cento, mille volte: *il canarino è morto, il canarino è morto, il canarino è morto...*

Si fermò davanti a quello scompartimento e diede un'occhiata all'interno: c'erano tre ragazzi di una classe superiore e accanto a loro una sua compagna, una ragazza bionda, che vedendolo arrossì ma non disse nulla, come se temesse di venir colta in fallo e per questo continuò ad aprire la bocca e a cantare, con i grandi occhi fissi su Xaver: *il canarino è morto, il canarino è morto, il canarino...*

Xaver si allontanò dalla ragazza bionda e passò davanti a un altro scompartimento dal quale giungevano altre canzoni studentesche e un clamore di scherzi, e poi vide un uomo con l'uniforme da controllore che avanzava in senso contrario al suo, si fermava a ogni scompartimento e chiedeva i biglietti; l'uniforme non lo trasse in inganno, sotto la visiera del berretto da controllore riconobbe il vecchio professore di latino e capì che non doveva assolutamente farsi vedere da lui, sia perché non aveva il biglietto, sia perché da moltissimo tempo (non ricordava neanche quanto!) non frequentava le lezioni di latino.

Approfittò del momento in cui il professore di latino infilò la testa in uno scompartimento per scivolare rapidamente dietro di lui fino alla piattaforma dove si aprivano due porticine: quella del lavabo e quella della toilette. Spalancò la porta del lavabo e vide, stretti in un abbraccio, la professoressa di ceco, una severa cinquantenne, e un suo compagno di classe che sedeva al primo banco e che Xaver, le poche volte che frequentava la scuola, ignorava sprezzantemente. Vedendolo, i due amanti disturbati si staccarono in fretta, si chinarono sul lavandino e cominciarono a strofinarsi febbrilmente le mani sotto il sottile filo d'acqua che usciva dal rubinetto.

Xaver non voleva disturbarli e uscì di nuovo sulla piattaforma; lì si trovò faccia a faccia con la compagna bionda che lo fissava con i suoi grandi occhi azzurri; le sue labbra non si muovevano e non cantavano più la canzone del canarino che Xaver aveva creduto interminabile. Ah! che ingenuità, si disse, credere che esista una canzone che non finisce mai; come se tutto a questo mondo, fin dall'inizio, non fosse tradimento!

Così riflettendo guardava negli occhi la ragazza bionda, e sapeva che non doveva prestarsi al gioco truccato che fa passare il provvisorio per eterno e il piccolo per grande, che non doveva prestarsi a quel gioco truccato che si chiama amore. Si voltò, dunque, e rientrò nello stretto vano del lavabo, dove la robusta professoressa di ceco era nuovamente di fronte al compagno di Xaver e lo stringeva per i fianchi.

«Oh no, vi prego, non vi lavate le mani un'altra volta» disse Xaver. «Adesso me le lavo io», e passò vicino a loro discretamente, aprì il rubinetto e si piegò sul lavandino, cercando in questo modo un relativo isolamento per sé e per i due amanti, che stavano, imbarazzati, alle sue spalle. Poi sentì il risoluto bisbiglio della professoressa di ceco: «Andiamo qui accanto», sentì sbattere la porta e i passi di due paia di gambe che entravano nella toilette adiacente. Rimasto solo, si appoggiò soddisfatto al muro e si abbandonò a dolci riflessioni sulla pochezza dell'amore, dolci riflessioni dietro le quali brillavano due grandi occhi azzurri imploranti.

7

Poi il treno si fermò, si sentì il suono di un corno, un gran chiasso di voci giovanili, porte sbattute, trapestio di passi; Xaver uscì dal suo nascondiglio e si unì agli altri studenti che si riversavano sul marciapiede. E poi si videro delle montagne, una grossa luna e la neve scintillante; si misero in cammino attraverso una notte chiara come il giorno. Era una lunga processione su cui, invece delle croci, si alzavano gli sci come accessori sacri, come simboli delle due dita che prestano giuramento.

Era una lunga processione e Xaver avanzava in essa tenendo le mani in tasca perché era l'unico a non avere gli sci, simbolo del giuramento; camminava e ascoltava i discorsi dei liceali, già piuttosto affaticati; poi si voltò e vide che la piccola e fragile ragazza bionda era rimasta indietro, che inciampava e sprofondava nella neve sotto il peso degli sci; dopo qualche attimo si voltò di nuovo e vide il vecchio professore di matematica prendere gli sci della ragazza, metterseli sulle spalle insieme coi suoi e con la mano libera prendere la ragazza sottobraccio e aiutarla a camminare. Ed era un triste spettacolo, quella povera vecchiaia impietosita di quella povera giovinezza; Xaver lo guardava e provava piacere.

Poi, dapprima lontano, e via via sempre più vicino, giunse loro il suono di una musica da ballo; videro davanti a sé un ristorante e intorno al ristorante gli chalet di legno nei quali avrebbero alloggiato tutti gli studenti. Ma Xaver non aveva prenotato una camera e non doveva neanche posare gli sci, né cambiarsi. Entrò quindi direttamente nella sala dove c'erano una pista da ballo, un'orchestrina jazz e alcune persone sedute ai tavoli. Notò subito una donna in maglione rosso scuro e pantaloni attillati; accanto a lei sedevano alcuni uomini con grossi boccali di birra, ma Xaver vide che quella donna era elegante e superba e si annoiava in loro compagnia. Le si avvicinò e la invitò a ballare.

Ballavano al centro della pista, soli, e Xaver vide che il collo della donna era splendidamente sfiorito, la pelle intorno agli occhi splendidamente rugosa e che intorno alle labbra aveva due solchi splendidamente profondi, ed era felice di avere fra le braccia tanti anni di vita, felice di avere fra le braccia, lui liceale, una vita intera, ormai quasi conclusa. Era fiero di ballare con lei, e pensò che tra poco sarebbe entrata la ragazza bionda e avrebbe visto quanto lui le fosse superiore, quasi che l'età della sua ballerina fosse un'alta montagna e la ragazzina si drizzasse ai piedi di quella montagna come un supplichevole filo d'erba.

Infatti: nel locale cominciarono ad affluire gli studenti e le studentesse, queste ultime si erano tolte i pantaloni da sci ed erano tutte in gonna; i ragazzi sedettero ai tavoli liberi, sicché Xaver adesso ballava con la donna in rosso scuro davanti a un pubblico numeroso; a un tavolo scorse la biondina e ne fu soddisfatto: era vestita molto più accuratamente di tutti gli altri; aveva un bell'abito che non si addiceva affatto a quel locale sporco, un abito bianco e leggero sotto il quale era ancora più fragile e vulnerabile. Xaver sapeva che l'aveva indossato per lui e in quel momento decise fermamente che non doveva perderla, che doveva vivere quella serata per lei e a causa sua.

8

Disse alla donna dal maglione rosso scuro che non aveva più voglia di ballare: lo irritavano quei musi che li spiavano da dietro i boccali di birra. La donna fece una risatina di consenso; e sebbene la musica non fosse finita e sulla pista ci fossero loro due soli, smisero di ballare (tutto il locale vide che smettevano di ballare), lasciarono la pista, e tenendosi per mano passarono accanto ai tavoli e uscirono sulla spianata coperta di neve.

Sentirono il soffio dell'aria gelata e Xaver pensò che tra un attimo sarebbe venuta lì al gelo anche la ragazza fragile e debole vestita di bianco. Riprese sottobraccio la donna in rosso scuro e la portò più in là sulla distesa biancheggiante, e gli parve di essere il leggendario incantatore di topi e che la donna che camminava al suo fianco fosse il piffero su cui lui suonava.

Dopo un attimo la porta del ristorante si aprì e ne uscì la ragazza bionda. Era ancora più fragile di pochi minuti prima, il suo vestito bianco si confondeva con la neve, sembrava lei stessa neve che cammina sulla neve. Xaver strinse a sé la donna con il maglione rosso scuro, caldamente vestita e splendidamente vecchia, e si mise a baciarla, a infilarle le mani sotto il maglione, e con la coda dell'occhio osservava la ragazza simile alla neve che li guardava e soffriva.

Poi rovesciò la donna vecchia sulla neve e le si gettò sopra, sapendo che ormai la cosa durava da troppo tempo e che faceva freddo e che il vestito della ragazzina era leggero e che il gelo le mordeva i polpacci e i ginocchi e le saliva fino alle cosce e la carezzava sempre più in alto fino a toccarle il grembo e il ventre. Si rialzarono, e la donna vecchia lo portò nello chalet dove aveva una camera.

La finestra della camera, che era a pianterreno, si trovava a circa un metro dal terreno innevato, e dai vetri Xaver vide che la biondina era a pochi passi da lui e lo guardava attraverso la finestra; neanche lui voleva abbandonare la ragazzina, la cui immagine lo riempiva tutto, sicché accese la luce (la donna vecchia commentò con una risata lasciva quel suo bisogno di luce), prese la donna per una mano, la portò alla finestra e accanto alla finestra l'abbracciò e le tolse il maglione peloso (un caldo maglione per un corpo senile) e pensò alla ragazzina che ormai doveva essere completamente intirizzita, così intirizzita da non sentire più il proprio corpo, da non essere più che anima, un'anima triste e dolente che si dibatteva in un corpo completamente congelato che ormai non sentiva più nulla, che aveva ormai perso il senso del tatto e non era più che un morto involucro per l'anima svolazzante che Xaver amava così infinitamente, ah, così infinitamente!

Chi avrebbe sopportato un amore così infinito? Xaver sentì che le sue mani perdevano forza, che non ce la facevano a sollevare il pesante maglione peloso nemmeno di quel poco che bastava per scoprire i seni della vecchia, avvertì un languore per tutto il corpo e sedette sul letto. È difficile descrivere fino a che punto si sentisse bene, fino a che punto fosse soddisfatto e felice. Quando uno è così felice, il sonno viene a lui come una ricompensa. Xaver sorrideva e sprofondava nel sonno, in una notte bella e dolce in cui brillavano due occhi gelati, due lune intirizzite...

9

Xaver non vive un'unica vita, tesa dalla nascita alla morte come un lungo filo sporco; non vive la propria vita, ma piuttosto la dorme; in questa vita-sonno salta da un sogno all'altro; sogna, e sognando si addormenta e fa altri sogni, così che il suo sonno è come una scatola in cui è infilata un'altra scatola e in questa un'altra ancora, e così di seguito.

Ecco, adesso, per esempio, sta dormendo contemporaneamente in una casa vicino al ponte Carlo e in uno chalet di montagna; questi due sonni risuonano come note d'organo tenute a lungo, ed ora alle due note se ne aggiunge una terza:

È in piedi e si guarda attorno. La strada è vuota, solo a tratti passa un'ombra che rapidamente dilegua dietro l'angolo o dentro un portone. Neanche lui vuol essere visto; si incammina per certe stradine laterali della periferia e dall'altro capo della città gli giunge l'eco di una sparatoria.

Finalmente è entrato in una casa ed è sceso per una scala; nel sotterraneo si aprirono alcune porte; per un attimo ha cercato quella giusta, poi ha bussato; prima tre colpi, poi, dopo una pausa, un colpo e di nuovo, dopo un'altra pausa, tre colpi.

10

La porta si aprì e un giovane in tuta lo invitò a entrare. Attraversarono alcune stanze piene di carabattole, di vestiti appesi ad attaccapanni, ma anche di fucili appoggiati agli angoli, e dopo un lungo corridoio (dovevano aver superato di molto il perimetro esterno dell'edificio) entrarono in un piccolo locale sotterraneo dove erano riuniti una ventina d'uomini.

Si sedette su una sedia vuota ed esaminò i presenti; alcuni li conosceva già. A un capo della stanza c'erano tre uomini seduti dietro un tavolo; uno di loro, con un berretto a visiera, stava parlando; parlava di una data vicina e segreta in cui doveva decidersi tutto; per quel giorno ogni cosa doveva essere pronta secondo i piani: volantini, giornali, radio, posta, telegrafo, armi. Quindi chiese a ciascuno dei presenti se avesse eseguito, per il successo di quella giornata, il compito assegnatogli. In ultimo si rivolse anche a Xaver e gli chiese se avesse portato l'elenco.

Fu un attimo terribile. Perché fosse al sicuro, Xaver aveva già da tempo ricopiato l'elenco nelle ultime pagine del quaderno di ceco. Il quaderno era nella cartella, insieme con gli altri quaderni e i libri. Ma la cartella dov'era? Non l'aveva con sé!

L'uomo col berretto a visiera ripeté la domanda.

Dio mio, dov'era la cartella? Xaver rifletté febbrilmente e dal fondo della memoria affiorò un ricordo vago e inafferrabile, un soffio dolce di felicità; avrebbe voluto fermare quel ricordo, ma non ne ebbe il tempo, perché tutti i visi erano rivolti verso di lui, in attesa della sua risposta. Dovette confessare che non aveva l'elenco.

I visi degli uomini tra i quali era venuto come amico tra amici si accigliarono, e l'uomo col berretto disse con voce gelida che se i nemici si fossero impadroniti dell'elenco la data nella quale avevano riposto tutte le loro speranze sarebbe stata rovinata, sarebbe stata una data come tutte le altre: vuota e morta.

Ma prima ancora che Xaver riuscisse a dire qualcosa, la porta si aprì cautamente e comparve un uomo che cominciò a fischiare. Tutti sapevano che si trattava del segnale di allarme; prima che l'uomo col berretto avesse il tempo di impartire qualche ordine Xaver disse: «Lasciatemi uscire per primo», perché sapeva che la strada che li attendeva era pericolosa e chi usciva per primo rischiava la vita.

Xaver sapeva che, avendo dimenticato l'elenco, doveva riscattare la propria colpa. Ma non era solo il senso di colpa a spingerlo verso il pericolo. Detestava la bassezza che fa della vita una semivita e degli uomini dei semiuomini. Voleva mettere la propria vita sul piatto di una bilancia che sull'altro piatto recasse la morte. Voleva che ogni sua azione, o meglio ogni giorno, ogni ora, ogni secondo della sua vita si misurassero a quel criterio supremo che è la morte. Per questo voleva essere in prima fila, camminare su una corda tesa sopra l'abisso, avere intorno alla testa un'aureola di pallottole: per crescere così agli occhi di tutti, ed essere infinito com'è infinita la morte...

L'uomo col berretto lo guardò con i suoi freddi occhi severi in cui brillava una luce di comprensione. «Bene, vai» gli disse.

11

Passò da una porta di ferro e si ritrovò in un angusto cortile. Era buio, in lontananza crepitavano le fucilate e se guardava in alto vedeva muoversi sui tetti i fasci di luce dei riflettori. Di fronte, una stretta scala di ferro portava fino al tetto di un edificio di cinque piani. Si slanciò verso la scala e vi si arrampicò rapidamente. Gli altri, che lo avevano seguito di corsa nel cortile, si addossarono ai muri. Aspettavano che lui arrivasse sul tetto e desse il segnale di via libera.

Quindi si avviarono per i tetti, strisciando cautamente, e Xaver era sempre in testa; rischiava la propria vita e proteggeva quella degli altri. Avanzava a passi cauti, vellutati, avanzava come un felino e i suoi occhi riuscivano a vedere anche nel buio. A un certo punto si fermò e chiamato l'uomo col berretto gli indicò, sotto di loro, alcune figure nere che correvano con delle armi corte in pugno, scrutando nella penombra. «Continua a guidarci» disse l'uomo a Xaver.

E Xaver andava, saltando di tetto in tetto, arrampicandosi su scalette di ferro, nascondendosi dietro i comignoli per sfuggire ai riflettori indiscreti che scrutavano senza tregua le case, i bordi dei tetti e i canyon delle vie.

Era un bellissimo viaggio di uomini silenziosi mutati in uno sciame di uccelli che passava in volo sopra il nemico in agguato e si portava, sulle ali dei tetti, al capo opposto della città, dove non c'erano trappole ad attenderli. Era un viaggio lungo e bellissimo, ma un viaggio così lungo ormai, che Xaver cominciò ad avvertirne la fatica; quella fatica che offusca i sensi e riempie il pensiero di allucinazioni; gli pareva di udire una marcia funebre, la famosa *Marche funèbre* di Chopin che le bande suonano nei cimiteri.

Non rallentò il passo, cercò con ogni sua forza di tenere svegli i propri sensi e di ricacciare indietro quella funesta allucinazione. Invano: la musica lo raggiungeva sempre come per annunciargli la prossima fine, come per appuntare su quell'attimo di lotta il nero velo della morte futura.

Ma perché opponeva tanta resistenza a questa allucinazione? Non desiderava forse che la grandezza della morte rendesse indimenticabile e immensa la sua corsa sui tetti? La musica funebre che giungeva ai suoi orecchi come un presagio non era forse il più bell'accompagnamento al suo coraggio? Non era splendido che la sua lotta fosse anche il suo funerale e il suo funerale una lotta, che vita e morte si accoppiassero così magnificamente?

No, a spaventare Xaver non era che la morte fosse venuta ad annunciarsi, ma il non poter più fare affidamento sui propri sensi, il non riuscire più a sentire (lui, che doveva garantire la sicurezza dei compagni!) le insidie furtive del nemico, ora che aveva le orecchie tappate dalla fluida malinconia di una marcia funebre.

Ma è davvero possibile che un'allucinazione sembri a tal punto reale da far sentire la marcia di Chopin con tutti gli sbagli di tempo e le stecche dei tromboni?

12

Aprì gli occhi e vide una stanza con un armadio tutto screpolato e un letto, quello sul quale era disteso. Constatò con soddisfazione che aveva dormito vestito e che quindi non doveva cambiarsi; non fece altro che infilare le scarpe gettate sotto il letto.

Ma da dove viene questa fanfara triste le cui note sembrano così reali?

Si avvicinò alla finestra. A qualche passo da lui, in un paesaggio dal quale la neve era ormai quasi scomparsa, stava immobile, voltandogli le spalle, un gruppo di persone vestite di nero. Stavano lì abbandonate e tristi, tristi come il paesaggio che le circondava; della neve scintillante non restavano che strisce e brandelli sporchi sulla terra umida.

Aprì la finestra e si affacciò. La situazione, adesso, gli era più chiara. Le persone vestite di nero erano riunite intorno a una fossa accanto alla quale era posata una bara. Di là dalla fossa altre persone vestite di nero reggevano davanti alla bocca strumenti di ottone sormontati da piccoli leggii con spartiti sui quali tenevano fissi gli occhi; suonavano la marcia funebre di Chopin.

La finestra era a neanche un metro da terra. Xaver la superò con un salto e si avvicinò a quella piccola folla in lutto. In quell'istante due robusti contadini fecero passare delle corde sotto la bara, la sollevarono e poi la calarono lentamente. Un vecchio e una vecchia che facevano parte del gruppo di persone vestite di nero scoppiarono in singhiozzi, e gli altri li presero sottobraccio cercando di confortarli.

Poi la bara toccò il fondo della fossa e le persone in nero si avvicinarono, una dopo l'altra, per gettarvi un pugno di terra. Anche Xaver si chinò, per ultimo, sulla bara; raccolse del terriccio con un po' di neve e lo gettò nella fossa.

Era l'unico lì di cui nessuno sapesse nulla, ed era l'unico a sapere tutto. Lui solo sapeva come e perché fosse morta la ragazzina bionda, lui solo sapeva che la mano del gelo si era posata sulle sue caviglie e di lì si era spinta lungo il corpo fino al grembo e tra i seni; lui solo sapeva chi era stato la causa della sua morte. Lui solo sapeva perché lei avesse chiesto di venir seppellita proprio lì, nel luogo dove più aveva sofferto, dove aveva desiderato morire per aver visto l'amore che la tradiva e l'abbandonava.

Lui solo sapeva tutto; gli altri lì erano come il pubblico che non capisce, o come la vittima che non capisce. Li vedeva sullo sfondo di un lontano paesaggio montuoso e gli sembrava che fossero perduti in quelle immense lontananze come la morta era perduta nell'immensa terra; e di essere lui stesso (lui che sapeva tutto) ancora più vasto di quel lontano paesaggio umido, e che ogni cosa – i superstiti, la morta, i becchini con le vanghe e i campi e le montagne – penetrasse in lui e si perdesse in lui.

Era colmo di quel paesaggio, del dolore dei sopravvissuti e della morte della biondina, e si sentiva riempito da tutto questo come da un albero che fosse cresciuto dentro di lui; si sentiva grande, e adesso il suo personaggio reale gli appariva come un travestimento, una maschera di modestia; e sotto la maschera del suo personaggio si avvicinò ai genitori della morta (il volto del padre gli ricordava i tratti della biondina; era arrossato dal pianto) e fece loro le condoglianze; gli tesero le mani con aria assente e lui sentì fra le sue le loro mani fragili e insignificanti.

Dopo restò per molto tempo appoggiato al muro dello chalet dove aveva dormito così a lungo, e seguì con lo sguardo le persone che avevano assistito alla sepoltura e ora si allontanavano in piccoli gruppi e dileguavano lentamente nelle umide lontananze. D'un tratto si sentì accarezzare; sì, sentì che una mano gli sfiorava il volto. Era certo di comprendere il senso di quella carezza, e la accettò con gratitudine; sapeva che era la mano del perdono; che la biondina gli faceva capire che non aveva smesso di amarlo e che l'amore continua oltre la tomba.

13

Sprofondava nei suoi sogni.

Gli attimi più belli erano quelli in cui un sogno durava ancora mentre già nasceva quello successivo, nel quale si svegliava.

Le mani che lo accarezzavano mentre stava immobile nel paesaggio montano appartenevano già alla donna di un altro sogno in cui era sul punto di sprofondare, ma Xaver non lo sapeva ancora, e per il momento esistevano unicamente il sole, quelle mani; mani miracolose in uno spazio vuoto; mani tra due avventure, tra due vite; mani non contaminate da un corpo e da una testa.

Che questa carezza di mani senza corpo duri il più a lungo possibile!

14

Poi sentì, oltre alla carezza delle mani, anche quella di seni opulenti e morbidi, che premevano contro il suo petto, e vide il volto di una donna bruna e udì la sua voce: «Svegliati! Dio mio, svegliati!».

Sotto di lui c'era un letto sgualcito, intorno a lui una camera grigiastra con un grosso armadio. Xaver si ricordò d'essere nella casa vicino al ponte Carlo.

«So che vorresti dormire ancora,» diceva la donna come per scusarsi «ma dovevo svegliarti perché ho paura».

«Paura di che cosa?» chiese Xaver.

«Dio mio, non sai niente» disse la donna. «Ascolta!».

Xaver tacque e si sforzò di ascoltare attentamente; da lontano giungeva un'eco di spari.

Saltò dal letto e corse alla finestra; gruppi di uomini in tuta, col mitra a tracolla, passavano sul ponte Carlo.

Era come un ricordo che si fa strada attraverso molte pareti; Xaver sapeva che cosa significavano i gruppetti di operai armati che montavano la guardia sul ponte, eppure aveva la sensazione di non riuscire a ricordare qualcosa, qualcosa che gli avrebbe chiarito il proprio atteggiamento nei confronti di quanto vedeva. Sapeva di avere una parte precisa in quella scena e di esserne sparito solo per uno sbaglio, come quando un attore dimentica di entrare in scena al momento giusto e la commedia continua, stranamente mutilata, senza di lui. Ma poi di colpo ricordò.

Nell'attimo stesso in cui ricordò, si guardò attorno per la stanza e tirò un sospiro di sollievo: la cartella era sempre lì, appoggiata alla parete in un angolo, nessuno l'aveva portata via. Si avvicinò con un balzo e l'aprì. C'era tutto: il quaderno di matematica, quello di ceco, il libro di scienze. Prese il quaderno di ceco, lo aprì alla rovescia e tirò un secondo respiro di sollievo: l'elenco che gli aveva chiesto l'uomo col berretto era lì, ricopiato con cura in una scrittura chiara e minuta, e Xaver si compiacque nuovamente di avere avuto l'idea di dissimulare un documento così importante in un quaderno di scuola dove si poteva leggere, dall'altra parte, una composizione sul tema: *È arrivata la primavera.*

«Ma che cosa cerchi là dentro, Dio mio!».

«Niente» disse Xaver.

«Ho bisogno di te, ho bisogno del tuo aiuto. Lo vedi quel che sta succedendo. Vanno di casa in casa, arrestano, fucilano».

«Non aver paura,» rise lui «non possono fucilare nessuno!».

«E tu come lo sai?» protestò la donna.

Come lo sapeva? Lo sapeva fin troppo bene: l'elenco di tutti i nemici del popolo che avrebbero dovuto essere giustiziati nel primo giorno della rivoluzione era sul suo quaderno: non ci sarebbe stata davvero nessuna esecuzione. Del resto, l'angoscia di quella bella donna lo lasciava indifferente; sentiva il rumore degli spari, vedeva gli uomini che montavano la guardia sul ponte e pensava una cosa sola: che la giornata da lui preparata con tanto entusiasmo insieme coi suoi compagni di lotta era arrivata all'improvviso, e lui intanto dormiva; che lui era altrove, in un'altra stanza e in un altro sogno.

Voleva correre fuori, voleva raggiungere immediatamente gli uomini in tuta, voleva consegnare loro l'elenco che era l'unico a possedere e senza il quale la rivoluzione era cieca, poiché non sapeva chi arrestare e fucilare. Ma poi si rese conto che non era possibile: non conosceva la parola d'ordine fissata per quel giorno, da tempo era considerato un traditore e nessuno gli avrebbe creduto. Era in un'altra vita, in un'altra avventura, e non era in grado di salvare da questa vita l'altra della quale ormai non faceva più parte.

«Che hai?» insisteva angosciata la donna.

E Xaver pensò che se non poteva salvare la vita perduta, doveva almeno rendere grande la vita che viveva in quel momento. Si voltò verso la bella donna formosa e già sapeva di doverla abbandonare, perché la vita era laggiù, fuori, oltre le finestre da dove giungeva l'eco degli spari, simile a un cinguettio di usignoli.

«Dove vuoi andare?» gridò la donna.

Xaver sorrise e indicò la finestra.

«Mi avevi promesso di portarmi con te!».

«È passato del tempo, ormai».

«Mi vuoi tradire?».

Lei si inginocchiò davanti a lui e gli abbracciò le gambe.

Lui la guardava e si rendeva conto che era bella e che era doloroso staccarsi da lei. Ma il mondo oltre la finestra era ancor più bello. E se per quel mondo avesse abbandonato la donna amata, esso avrebbe avuto ancor più valore per lui: tutto il valore di un amore tradito.

«Sei bella,» le disse «ma ti devo tradire». Poi si strappò dal suo abbraccio e avanzò verso la finestra.

PARTE TERZA

OVVERO

IL POETA SI MASTURBA

1

Il giorno in cui Jaromil andò a mostrarle le sue poesie, la madre attese invano il marito, e lo attese invano anche l'indomani e i giorni seguenti.

In compenso ricevette dalla Gestapo la comunicazione ufficiale che il marito era stato arrestato. Verso la fine della guerra le giunse un'altra comunicazione ufficiale, con la notizia che il marito era morto in un campo di concentramento.

Se il suo matrimonio era stato povero di gioie, la sua vedovanza fu grande e gloriosa. Aveva una grande fotografia del marito che risaliva all'epoca in cui si erano conosciuti, la mise in una cornice dorata e l'appese al muro.

Poi, tra la grande esultanza dei praghesi, la guerra finì, i tedeschi evacuarono la Boemia e per la mamma cominciò una vita che aveva tutta l'austera bellezza della rinuncia; il denaro che aveva ereditato un giorno da suo padre era finito, sicché fu costretta a licenziare la cameriera, alla morte di Alík si rifiutò di comprare un nuovo cane, e dovette cercarsi un lavoro.

Ma avvennero anche altri cambiamenti: sua sorella decise di lasciare al figlio appena sposato l'appartamento che occupava nel centro di Praga, e di venire ad abitare con il marito e il figlio più piccolo al pianterreno della villa paterna, mentre la nonna si trasferì in una stanza allo stesso piano della vedova.

La mamma detestava il cognato da quando lo aveva sentito affermare che Voltaire era un fisico che aveva inventato i volt. La sua famiglia era chiassosa e si dedicava con fatuità ai suoi primitivi divertimenti; spesse frontiere separavano l'allegra vita del pianterreno dal regno della malinconia che si stendeva al piano superiore.

Eppure in questo periodo la mamma camminava più eretta che all'epoca dell'abbondanza. Come se portasse sul capo (a somiglianza delle donne dalmate, che portano in quel modo cesti colmi d'uva) l'invisibile urna del marito.

2

Nel bagno, sulla mensola sotto lo specchio, ci sono bottigliette di profumo e tubetti di crema, ma la mamma non se ne serve quasi mai. Se spesso si attarda davanti a quegli oggetti è perché le ricordano il padre defunto, le sue drogherie (già da tempo, ormai, appartengono all'aborrito cognato) e i lunghi anni di vita spensierata nella villa.

Sul passato vissuto insieme coi genitori e il marito si è posata la luce nostalgica del sole appena tramontato. Questa luce nostalgica la strazia; si rende conto di apprezzare la bellezza di quegli anni solo adesso che è troppo tardi, e si rimprovera di essere stata una moglie ingrata. Suo marito si era esposto ai rischi più gravi, era roso dalle preoccupazioni, e per non turbare la sua tranquillità non le aveva mai detto nulla; e ancora oggi lei ignora la ragione per cui l'avevano arrestato, il gruppo di resistenza del quale aveva fatto parte, i compiti che vi aveva svolto; non sa nulla, e pensa che quell'ignoranza sia l'infamante castigo inflittole per esser stata una donna limitata, che nell'atteggiamento del marito aveva saputo vedere solo un affievolirsi dei sentimenti. Al pensiero di essergli stata infedele proprio mentre lui correva i più grossi pericoli arriva quasi a disprezzarsi.

Ora si guarda nello specchio e constata con meraviglia che il suo viso è ancora giovane, addirittura, pensa, inutilmente giovane, come se il tempo l'avesse dimenticato sul suo collo per errore e ingiustamente. Poco tempo fa è venuta a sapere che qualcuno, vedendola per strada con Jaromil, li ha presi per fratello e sorella; la cosa le è sembrata comica. Nondimeno, le ha fatto piacere; da allora è per lei una gioia ancor più grande andare a teatro o ai concerti col figlio.

D'altronde, che cosa le è rimasto, a parte il figlio?

La nonna aveva perso la memoria e la salute, non usciva più di casa, rammendava le calze di Jaromil e stirava i vestiti della figlia. Era piena di rimpianti e di ricordi e, insieme, di una premurosa sollecitudine. Creava intorno a sé un'atmosfera malinconicamente affettuosa e rafforzava il carattere femminile dell'ambiente (l'ambiente di una doppia vedovanza) che circondava Jaromil a casa.

3

Le pareti della cameretta di Jaromil non erano più decorate con le sue frasi infantili (la mamma le aveva riposte a malincuore in un armadio), ma con venti piccole riproduzioni di quadri cubisti e surrealisti che lui stesso aveva ritagliato da riviste e incollato su cartone. In mezzo alle riproduzioni si poteva vedere, fissata al muro, una cornetta del telefono con un pezzo di filo tagliato (qualche tempo prima erano venuti a riparare il telefono della villa e Jaromil aveva visto nella cornetta difettosa staccata dall'apparecchio un esempio di oggetto che, staccato dal suo contesto abituale, produce un'impressione magica e può esser definito a buon diritto *oggetto surrealista*). Ma l'immagine che egli osservava più spesso era racchiusa nella cornice dello specchio appeso alla stessa parete. Non c'era nulla che studiasse con più cura del proprio volto, nulla che lo tormentasse di più e in nulla (anche se ciò gli costava uno sforzo accanito) riponeva maggior fiducia:

Quel volto assomigliava al volto materno, ma poiché Jaromil era un uomo, la delicatezza dei tratti era molto più evidente: aveva un nasetto sottile e un piccolo mento appena rientrante. Quel mento lo angustiava molto; in una celebre meditazione di Schopenhauer aveva letto che il mento sfuggente ispira particolare ripugnanza, giacché è proprio per il mento pronunciato che l'uomo si distingue dalla scimmia. Ma poi aveva trovato da qualche parte una foto di Rilke e aveva constatato che anche lui aveva il mento rientrante, e in questo trovò un incoraggiante sollievo. Si guardava a lungo nello specchio e si dibatteva disperatamente nell'immenso spazio tra la scimmia e Rilke.

A dire il vero, il suo mento era solo moderatamente sfuggente, e la madre aveva ragione di trovare infantilmente leggiadro il viso del figlio. Ma proprio questo tormentava Jaromil ancor più della forma del mento: la delicatezza dei lineamenti lo faceva apparire di alcuni anni più giovane, e poiché i suoi compagni di classe avevano un anno più di lui, il suo aspetto infantile risultava ancora più appariscente, più irrefutabile, veniva commentato molte volte al giorno, e Jaromil non poteva scordarsene per un solo istante.

Che fardello portare un simile volto! Come era pesante il leggerissimo disegno dei suoi tratti!

(A volte Jaromil faceva sogni spaventosi: sognava che doveva sollevare un oggetto molto leggero, una tazza da tè, un cucchiaino, una piuma, e che non ce la faceva, era tanto più debole quanto più leggero era l'oggetto, e *soccombeva sotto la sua leggerezza*; viveva questi sogni come incubi e si svegliava in un bagno di sudore; a noi sembra che quei sogni avessero per argomento il suo volto delicato dai tratti leggerissimi, che lui si sforzava invano di sollevare e gettar via).

4

Nelle case in cui sono nati i poeti lirici regnano le donne: la sorella di Trakl, le sorelle di Esenin e Majakovskij, le zie di Blok, la nonna di Hölderlin e quella di Lermontov, la nutrice di Puškin, e soprattutto, naturalmente, le madri, le madri dei poeti, dietro le quali impallidisce l'ombra del padre. Lady Wilde e Frau Rilke vestivano i loro figli da bambina. Vi meravigliate che il ragazzo si guardi allo specchio con angoscia? *È ora di diventare uomo*, scrive nel suo diario Jiří Orten.[1] Per tutta la vita, il poeta cercherà la virilità dei tratti sul proprio volto.

Quando si guardava allo specchio per molto tempo riusciva a trovare quello che cercava: lo sguardo

1. Jiří Orten, poeta ceco morto all'età di ventidue anni nel 1941.

duro degli occhi o la linea severa della bocca; ma naturalmente doveva imporsi un certo sorriso, o meglio un certo ghigno che gli contraeva violentemente il labbro superiore. Si sforzava di modificare la propria fisionomia anche con la pettinatura: cercava di sollevarsi i capelli sulla fronte perché formassero come una boscaglia spessa e selvaggia; ma, ahimè!, quei capelli che la madre amava più di ogni altra cosa, tanto da conservarne una ciocca in un medaglione, erano quanto di peggio lui si potesse augurare: gialli come la peluria dei pulcini appena nati e fini come la lanugine dei denti di leone; era impossibile dar loro una qualsiasi forma; la madre li accarezzava spesso e diceva che erano capelli d'angelo. Ma Jaromil odiava gli angeli e amava i diavoli; avrebbe voluto tingersi i capelli di nero, ma non osava, perché tingersi i capelli era ancora più effeminato che averli biondi; così li lasciava crescere, perché fossero almeno molto lunghi, e li portava tutti arruffati.

A ogni occasione controllava e rettificava il proprio aspetto; non passava mai davanti a una vetrina senza gettarvi un rapido colpo d'occhio. Ma più sorvegliava il proprio aspetto, più ne prendeva coscienza, e più esso gli appariva importuno e doloroso. Per esempio:

Torna a casa dal liceo. La strada è vuota, ma da lontano vede una giovane donna sconosciuta avanzare verso di lui. Si avvicinano l'uno all'altra irrimediabilmente. Jaromil vede che la donna è bella e pensa al proprio volto. Cerca di mettersi sulle labbra quel sorriso duro che ha provato tante volte, ma sente che non ci riesce. Pensa sempre di più al proprio volto, la cui femmineità infantile lo rende ridicolo agli occhi delle donne, è tutto incarnato in quel faccino minuscolo che si fissa, si impietrisce e (ahimè!) arrossisce! Così affretta il passo per ridurre le possibilità che la donna lo guardi, giacché se si lasciasse sorprendere da una bella donna nell'atto di arrossire non riuscirebbe a sopportare tanta vergogna!

5

Le ore passate davanti allo specchio gli facevano toccare il fondo della disperazione; per fortuna c'era un altro specchio che lo sollevava fino alle stelle. Questo specchio esaltante erano i suoi versi; sognava quelli che non aveva ancora scritto, e quelli già scritti li ricordava con compiacimento come si ricordano le donne; non ne era soltanto l'autore, ma anche il teorico e lo storico; scriveva commenti su ciò che aveva scritto, divideva la sua produzione in differenti periodi a ciascuno dei quali dava un nome, così che nel giro di due o tre anni arrivò a considerare la propria opera poetica come un processo evolutivo degno di uno storiografo.

Era una consolazione: *In basso*, dove viveva la sua vita quotidiana, dove andava a scuola, dove pranzava con la mamma e la nonna, si spalancava un vuoto inarticolato; *in alto*, invece, nelle sue poesie, lui piantava pietre miliari, cartelli indicatori; lì il tempo era articolato ed eterogeneo; passava da un periodo poetico a un altro e poteva (gettando con la coda dell'occhio uno sguardo verso il basso, verso quella terribile stagnazione senza avvenimenti) annunciare a se stesso, in un'estatica esaltazione, l'inizio di un nuovo periodo che avrebbe dischiuso insospettati orizzonti alla sua fantasia.

E poteva anche nutrire la ferma e tranquilla certezza di portare in sé, nonostante il suo aspetto insignificante (e la sua vita insignificante), una ricchezza eccezionale; oppure in altri termini: la certezza di essere un *eletto*.

Chiariamo questa parola:

Anche se non molto spesso, giacché la madre non ne era contenta, Jaromil continuava a vedere il pittore; già da un pezzo aveva smesso di disegnare ma un giorno, in compenso, aveva trovato il coraggio di mostrargli i suoi versi e da allora glieli portava tutti. Il pittore li leggeva con fervido interesse e a volte li teneva per mostrarli agli amici; la cosa mandava in estasi Jaromil, perché il pittore, che un tempo s'era mostrato molto scettico nei confronti dei suoi disegni, era rimasto per lui un'autorità incrollabile; era convinto che esistesse (gelosamente custodito nella coscienza degli iniziati) un criterio oggettivo per giudicare i valori artistici (così come nel museo di Sèvres è conservato il prototipo in platino del metro) e che il pittore lo conoscesse.

Eppure in tutto questo c'era qualcosa di irritante: Jaromil non riusciva mai a capire che cosa il pittore apprezzasse nella sua poesia e che cosa no; certe volte elogiava una poesiola che Jaromil aveva scritto con la mano sinistra, e altre volte scartava con aria annoiata versi a cui il ragazzo teneva moltissimo. Come spiegarlo? Se Jaromil non era in grado di capire da solo il valore di ciò che scriveva, non bisogna dedurne che producesse valori macchinalmente, per caso, senza volerlo e senza saperlo e quindi senza alcun merito (così come una volta aveva incantato il pittore con un universo di uomini cinocefali scoperti accidentalmente)?

«Certo» gli disse il pittore un giorno che toccarono l'argomento. «Credi forse che un'immagine fantastica che hai messo in una tua poesia sia il risultato di un ragionamento? Niente affatto: ti è balenata di colpo, inaspettata; non sei tu l'autore di quell'immagine, ma piuttosto qualcuno che è in te, qualcuno che in te scrive poesie. Questo qualcuno che scrive poesie è il flusso onnipossente dell'inconscio che attraversa ognuno di noi; non è merito tuo se questo flusso, nel quale noi tutti siamo uguali, ha scelto te come suo violino».

Per il pittore quelle parole volevano essere una lezione di modestia, ma Jaromil vi scovò subito un'esca per il proprio orgoglio: d'accordo, non era lui a creare le immagini delle sue poesie, però qualcosa di misterioso aveva scelto proprio la sua mano di scrittore: poteva dunque andar fiero di qualcosa di più grande del semplice *merito*; poteva andar fiero della sua qualità di *eletto*.

Del resto non aveva mai dimenticato le parole della signora della piccola stazione termale: *questo bambino ha un grande avvenire*. Credeva a frasi del genere come a profezie. L'avvenire era una lontananza sconosciuta al di là dell'orizzonte, dove una vaga immagine della rivoluzione (il pittore parlava spesso della sua ineluttabilità) si mescolava ai suoi occhi con una vaga immagine della libertà bohémienne dei poeti; sapeva che avrebbe riempito quell'avvenire della propria fama, e questa consapevolezza gli dava una certezza che viveva in lui (autonoma e libera) accanto a tutte le tormentose incertezze.

6

Ah, i lunghi e vuoti pomeriggi durante i quali Jaromil, chiuso nella sua stanza, si guarda a turno nei suoi due specchi!

Com'è possibile? Eppure ha letto dappertutto che la giovinezza è il periodo più pieno della vita! Da dove viene dunque questo nulla, questa rarefazione della materia vivente? Da dove viene questo *vuoto*?

Era una parola sgradevole come la parola sconfitta. E c'erano altre parole che nessuno doveva pronunciare in sua presenza (almeno in casa, in questa metropoli del vuoto). Per esempio la parola *amore*, o la parola *ragazze*. Come odiava le tre persone che abitavano al pianterreno della villa! Spesso avevano ospiti fino a tarda notte e si potevano sentire le loro voci ubriache inframmezzate a stridule voci femminili che laceravano l'anima di Jaromil, avvolto nelle coperte e incapace di dormire. Suo cugino aveva solo due anni più di lui, ma quei due anni si ergevano tra loro come dei Pirenei che separassero due secoli diversi; il cugino, che studiava all'università, si portava nella villa (con la sorridente complicità dei genitori) splendide ragazze e disprezzava vagamente Jaromil; lo zio lo si vedeva poco in giro (aveva il suo da fare con i negozi ereditati), ma in compenso la voce della zia rimbombava per tutto l'edificio; ogni volta che incontrava Jaromil gli poneva la stereotipata domanda: *Allora, come va con le ragazze?* Jaromil le avrebbe volentieri sputato in faccia, perché quella domanda, posta con gioviale condiscendenza, metteva a nudo tutta la sua miseria. Non che non avesse nessun rapporto con le ragazze, ma quei rapporti erano così rari che i suoi appuntamenti distavano uno dall'altro come stelle nell'universo. La parola ragazza per lui era triste quanto la parola nostalgia o la parola insuccesso.

Se gli appuntamenti con le ragazze non riempivano il suo tempo, lo riempiva l'attesa di quegli appuntamenti, e quell'attesa non era una semplice contemplazione dell'avvenire, ma una preparazione e uno studio. Jaromil era convinto che il successo di un incontro dipendesse soprattutto dal saper parlare senza cadere in imbarazzanti silenzi. Un appuntamento con una ragazza era soprattutto arte della conversazione. Per questo teneva uno speciale quadernetto sul quale annotava le storie degne di essere raccontate; non storielle comiche, giacché queste non possono rivelare niente di personale su chi le racconta. Scriveva avventure vissute in prima persona, e poiché non ne aveva vissuta quasi nessuna, se le inventava; in questo campo aveva gusto: le avventure inventate (o lette da qualche parte, o sentite raccontare da qualcuno) in cui lui figurava come protagonista non dovevano presentarlo sotto una luce eroica, ma solo trasportarlo delicatamente, quasi impercettibilmente, dal mondo in cui regnavano la stagnazione e il vuoto in quello in cui regnavano il movimento e l'azione.

Nel quadernetto scriveva anche diverse citazioni di poesie (ma, questo va sottolineato, mai delle poesie che gli piacevano) nelle quali i poeti si rivolgevano alla bellezza femminile e che potevano passare come sue invenzioni del momento. Per esempio si era annotato questo verso: *Del tuo viso si potrebbe fare un bel tricolore: occhi, labbra, capelli...* Naturalmente bisognava togliere al verso l'artificiosità del ritmo e dirlo alla ragazza come se si trattasse di un'idea balenata all'improvviso, di un complimento spontaneo e spiritoso: *Il tuo viso, sai, sembra proprio un tricolore! Gli occhi, la bocca, i capelli. Non riconosco altra bandiera!*

Per tutto il tempo dell'incontro Jaromil pensa alle sue frasi preparate in anticipo col terrore che la voce possa apparire innaturale, le frasi suonare come una lezione imparata a memoria e il tono assomigliare a quello di un cattivo attore dilettante. Così non trova il coraggio di dirle, ma poiché è tutto concentrato su di esse non riesce a dire nient'altro. L'incontro si svolge in un silenzio penoso, Jaromil avverte la derisione negli sguardi della ragazza e ben presto si congeda da lei con una sensazione di disfatta.

A casa, poi, siede a tavolino e scrive rabbiosamente, di getto e con odio: *Gli sguardi colano dai tuoi occhi come urina / Prendo di mira i passerotti spelacchiati dei tuoi stupidi pensieri / Tra le tue gambe c'è una pozzanghera da cui saltano fuori reggimenti di rane...*

Scrive e scrive, e alla fine rilegge con soddisfazione, molte volte di seguito, il testo la cui fantasia gli sembra stupendamente demoniaca.

Sono un poeta, sono un grande poeta, dice a se stesso, e poi lo scrive anche nel diario: *Sono un grande poeta, possiedo una grande sensibilità, un'immaginazione demoniaca, sento quello che gli altri non sentono...*

Nel frattempo torna a casa la mamma e si ritira nella sua stanza...

Jaromil va allo specchio e osserva a lungo il suo odiato viso infantile. Lo osserva così a lungo che finisce per scorgervi la luce della creatura eccezionale, dell'eletto.

E nella stanza accanto la mamma si alza sulla punta dei piedi per staccare dalla parete il ritratto del marito con la cornice dorata.

7

Quel giorno, infatti, è venuta a sapere che suo marito già da molto tempo prima che cominciasse la guerra aveva una relazione con una giovane ebrea; quando i tedeschi avevano occupato la Boemia e gli ebrei erano stati obbligati a portare in pubblico, sui cappotti, l'infamante stella gialla, lui non l'aveva abbandonata, aveva continuato a frequentarla e l'aveva aiutata come poteva.

Poi la ragazza era stata deportata nel ghetto di Terezín e lui aveva fatto una pazzia: con l'aiuto dei guardiani cechi era riuscito a introdursi nella città strettamente sorvegliata e a vedere la sua amante per qualche minuto. Allettato dal successo, era andato ancora a Terezín e quella volta l'avevano preso: non avevano più fatto ritorno, né lui né la sua amante.

L'invisibile urna che la mamma portava sul capo è stata riposta dentro l'armadio insieme col ritratto del marito. Ormai non deve più tenere la testa alta, ormai non c'è più nulla che gliela faccia sollevare, perché tutta la grandezza morale se la son tenuta gli altri:

Sente ancora la voce della vecchia ebrea, una parente dell'amante del marito, che le ha raccontato tutto: «Era l'uomo più coraggioso che abbia mai conosciuto». E ancora: «Sono rimasta sola al mondo. Tutta la mia famiglia è morta in campo di concentramento».

L'ebrea era seduta davanti a lei in tutta la gloria del suo dolore, mentre il dolore che la mamma provava in quel momento era privo di gloria; sentì quel dolore ripiegarsi miserevolmente dentro di lei.

8

Fastelli di fieno che tremuli fumate
forse state fumando il tabacco del suo cuore

scriveva Jaromil, e si immaginava un corpo di ragazza sepolto in un campo.

La morte appariva assai spesso nelle sue poesie. Ma la mamma si sbagliava (era sempre la prima lettrice di tutti i suoi versi) quando attribuiva il fatto alla precoce maturità del figlio, affascinato dal tragico della vita.

La morte di cui scriveva Jaromil aveva poco in comune con la morte reale. La morte diventa reale quando comincia a penetrare nell'uomo attraverso le fessure dell'invecchiamento. Per Jaromil era infinitamente lontana; era astratta; per lui essa non era una realtà, ma un sogno.

Ma che cosa cercava in quel sogno?

Cercava l'immensità. La sua vita era disperatamente piccola; tutto ciò che lo circondava era ordinario e grigio. E la morte è assoluta; non la si può dividere, sminuzzare.

La presenza di una ragazza era una cosa da nulla (qualche carezza e molte parole insignificanti), ma la sua assenza totale era grandiosa; nell'immaginare una ragazza sepolta in un campo scoprì subitamente la nobiltà del dolore e la grandezza dell'amore.

Ma nei suoi sogni di morte non cercava solo l'assoluto, cercava anche la felicità.

Sognava di un corpo che si dissolve lentamente nella terra e gli sembrava che fosse uno splendido atto d'amore durante il quale il corpo, lungamente e voluttuosamente, si trasforma in terra.

Il mondo lo feriva senza tregua; arrossiva davanti alle donne, si vergognava, dappertutto non vedeva che irrisione. Nel suo sogno di morte c'era il silenzio, una vita lenta, muta e felice. Sì, la morte di Jaromil era una morte *vissuta*: somigliava stranamente al periodo in cui l'uomo non ha bisogno di entrare nel mondo perché è lui stesso un mondo e sopra di lui si inarca, come una tenera volta, la parete interna del ventre materno.

In questa morte, simile a un'eterna felicità, desiderava essere fuso alla donna amata. In una sua poesia gli amanti si stringevano fino a penetrare l'uno nell'altra e a formare un unico essere che, incapace di muoversi, lentamente si mutava in un minerale e durava in eterno, non assoggettato al tempo.

Altre volte si immaginava due amanti che restavano così a lungo uno accanto all'altra da coprirsi di muschio e divenire essi stessi muschio; poi il piede di qualcuno per caso li calpestava ed essi (perché il muschio fioriva proprio allora) si libravano in volo nello spazio, inesprimibilmente felici, come solo il volo può essere felice.

9

Pensate che il passato, solo perché è già stato, sia compiuto e immutabile? Ah no, il suo abito è fatto di taffetà cangiante, e ogni volta che ci voltiamo a guardarlo lo vediamo con colori diversi. Ancora poco tempo prima lei si rimproverava di aver tradito il marito a causa del pittore, e adesso si strappava i capelli per aver tradito il suo unico amore a causa del marito.

Come era stata vigliacca! Il suo ingegnere viveva una grande storia romantica e a lei lasciava solo le briciole della vita quotidiana, come a una cameriera. E lei era stata così piena di timori e di rimorsi di coscienza che l'avventura col pittore le era passata sopra e non c'era stato neanche il tempo di viverla. Ma adesso le era chiarissimo: Aveva gettato via l'unica grande occasione che la vita avesse offerto al suo cuore.

Si mise a pensare al pittore con una continuità ossessiva. La cosa curiosa era che nei suoi ricordi non lo rivedeva sullo sfondo dello studio praghese, dove aveva vissuto con lui giorni di amore sensuale, ma sullo sfondo di un paesaggio dai colori pastello, con un fiume, una barca e le arcate rinascimentali di una cittadina termale. Ritrovava il suo paradiso del cuore in quelle placide settimane di villeggiatura, quando l'amore non era ancora nato, ma era appena stato concepito. Aveva voglia di andare dal pittore per chiedergli di tornare laggiù insieme con lei, di ricominciare a vivere la storia del loro amore e viverla su quello sfondo color pastello, liberamente, allegramente e senza inibizioni.

Un giorno salì all'ultimo piano, fino alla porta del suo appartamento. Ma non suonò, perché dall'interno le giunse una voce femminile.

Poi camminò su e giù davanti alla casa, a lungo, finché non lo vide; aveva come sempre il soprabito di pelle e teneva sottobraccio una giovane donna che stava accompagnando alla fermata del tram. Quando tornò indietro gli si fece incontro. Lui la riconobbe e la salutò con aria sorpresa. Finse di essere sorpresa anche lei da quell'incontro casuale. Lui la invitò a casa. Il suo cuore si mise a battere all'impazzata; sapeva che al primo fugace contatto si sarebbe sciolta tra le braccia del pittore.

Lui le offrì del vino; le mostrò dei nuovi quadri; le sorrideva amichevolmente come si sorride al passato; non la sfiorò una sola volta e poi l'accompagnò fino alla fermata del tram.

10

Un giorno che tutti i ragazzi, nell'intervallo, facevano ressa intorno alla lavagna, gli parve fosse giunto il suo momento; si avvicinò non visto a una ragazza della sua classe che era rimasta sola nel banco; già da tempo gli piaceva e spesso si scambiavano lunghe occhiate; le si sedette accanto. Quando, dopo un attimo, i compagni, sempre maligni, li notarono, non si fecero sfuggire l'occasione di divertirsi; tra risate soffocate uscirono dall'aula e chiusero a chiave la porta.

Finché era stato protetto dalle spalle dei compagni si era sentito naturale e a suo agio, ma appena restò solo con la ragazza ebbe l'impressione di trovarsi su un palcoscenico illuminato. Tentò di nascondere il suo imbarazzo con qualche battuta spiritosa (aveva imparato a dire qualcos'altro che non fossero le frasi preparate). Disse che l'azione dei compagni era una delle peggiori possibili; svantaggiosa per coloro che l'avevano commessa (ora dovevano starsene ad aspettare nel corridoio con la loro curiosità insoddisfatta), offriva invece dei vantaggi a quelli contro cui era diretta (si trovavano soli, come entrambi desideravano). La compagna fu d'accordo con lui e disse che bisognava approfittare dell'occasione. Il bacio era sospeso nell'aria. Bastava chinarsi verso la ragazza. Ma il tratto di strada fino alle sue labbra gli sembrava infinitamente lungo e pieno di ostacoli; parlava, parlava e non la baciava.

Poi suonò la campana, il che significava che tra pochi istanti sarebbe arrivato il professore e avrebbe costretto gli studenti ammassati davanti alla porta ad aprirla. L'idea eccitò i due ragazzi. Jaromil disse che il modo migliore per vendicarsi dei compagni era fare in modo che li invidiassero per essersi baciati. Poi toccò con un dito le labbra della compagna (da dove gli veniva tanta audacia?) e disse con un sorriso che il bacio di labbra così pesantemente truccate avrebbe di sicuro lasciato una traccia ben visibile sul suo volto. E la ragazza approvò di nuovo, dicendo che era un peccato che non si fossero baciati, e mentre lo diceva si udì la voce irritata del professore da dietro la porta.

Jaromil disse che sarebbe stato un peccato che né il professore né i compagni vedessero sulle sue guance le tracce del bacio e fece di nuovo per chinarsi sulla ragazza, ma ancora una volta la strada fino alle sue labbra gli parve lunga come una scalata del Monte Bianco.

«Sì, dovremmo proprio farci invidiare» disse la ragazza, e tirati fuori dalla borsa il rossetto e un fazzoletto tinse il fazzoletto di rosso e lo sfregò sul viso di Jaromil.

La porta si aprì e nella classe fecero irruzione il professore, nero in volto, e la massa degli studenti. Jaromil e la ragazza si alzarono come devono fare gli studenti quando entra in classe un professore; erano soli in mezzo ai banchi vuoti, di fronte a una folla di spettatori che avevano tutti gli occhi fissi sul viso di Jaromil coperto di magnifiche macchie rosse. E lui si offriva agli sguardi di tutti, fiero e felice.

11

Un collega d'ufficio le faceva la corte. Era sposato, e tentava di persuaderla a invitarlo a casa sua.

Lei cercava di capire in che modo Jaromil avrebbe preso la sua libertà sessuale. Cominciò a parlargli, cautamente e per allusioni, di altre donne che avevano perso il marito in guerra e delle difficoltà che trovavano nel tentativo di ricominciare una nuova vita.

«Che cosa vuol dire, una nuova vita?» replicava Jaromil irritato. «Vuoi dire una vita con un altro uomo?».

«Certo, questo è uno degli aspetti della questione. La vita continua, Jaromil, la vita ha le sue esigenze...».

La fedeltà della moglie all'eroe caduto faceva parte dei miti sacri a Jaromil; gli dava la sicurezza che l'assoluto dell'amore non fosse soltanto un'invenzione dei poeti, ma che esistesse veramente e rendesse la vita degna di essere vissuta.

«Come può una donna che ha vissuto un grande amore rotolarsi in letto con un altro uomo?» esclamava indignato a proposito delle vedove infedeli. «Come possono anche solo toccare un altro, quando hanno nella memoria l'immagine di un uomo che è stato torturato e assassinato? Come possono torturarlo ancora, metterlo a morte una seconda volta?».

Il passato porta un vestito di taffetà cangiante. La mamma rifiutò le profferte del simpatico collega e tutto il passato le apparve sotto una luce completamente nuova.

Non è vero che ha tradito il pittore a causa del marito. Lo ha lasciato a causa di Jaromil, per conservargli la pace del focolare! Se ancora oggi la nudità del suo corpo la angoscia è a causa di Jaromil, che le ha imbruttito il ventre. Ed è sempre a causa di lui che ha perso l'amore del marito, imponendogli la sua nascita ostinatamente e a tutti i costi!

Lui le ha preso tutto fin dall'inizio!

12

Un'altra volta (adesso aveva alle spalle un bel po' di baci veri) passeggiava per le strade deserte del parco di Stromovka con una ragazza che aveva conosciuto a scuola di danza. Un attimo prima la loro conversazione si era interrotta, e adesso i loro passi risuonavano nel silenzio, i loro passi all'unisono che di colpo rivelavano ciò a cui finora non avevano osato dare un nome: che camminavano insieme, e se camminavano insieme era sicuramente perché si volevano bene; i passi che risuonavano nel loro silenzio li smascheravano, e la loro andatura si faceva sempre più lenta, tanto che a un certo punto la ragazza posò la testa sulla spalla di Jaromil.

Era infinitamente bello, ma prima di poter gustare a fondo quella bellezza Jaromil sentì che era eccitato, e in modo decisamente visibile. Ebbe paura. Desiderava che la prova visibile della sua eccitazione sparisse il più presto possibile, ma più ci pensava, meno il suo desiderio si realizzava. Era terrorizzato all'idea che la ragazza abbassasse gli occhi e scorgesse quel gesto compromettente del suo corpo. Si sforzava di attirare il suo sguardo verso l'alto, le parlava degli uccelli tra le foglie degli alberi e delle nuvole.

Quella passeggiata era stata piena di felicità (prima d'allora nessuna donna gli aveva posato la testa sulla spalla, e in quel gesto lui vedeva il segno di una devozione che sarebbe durata fino alla morte), ma al tempo stesso piena di vergogna. Temeva che il suo corpo potesse ricadere in quella penosa indiscrezione. Dopo aver riflettuto a lungo, prese dall'armadio della biancheria della madre una lunga e larga fascia di tela e prima dell'appuntamento successivo se la avvolse sotto i pantaloni in modo che l'eventuale prova della sua eccitazione restasse incatenata alla gamba.

13

Abbiamo scelto questo episodio tra decine di altri per poter dire che la più grande felicità conosciuta da Jaromil fino a quel momento era stata sentire la testa di una ragazza posata sulla propria spalla.

La testa di una ragazza per lui significava più del corpo di una ragazza. Il corpo non lo capiva tanto (che cosa sono veramente un paio di belle gambe? come dev'essere un bel sedere?); il viso, invece, gli era del tutto comprensibile, e soltanto il viso decideva ai suoi occhi della bellezza di una donna.

Con questo non vogliamo affatto dire che il corpo gli fosse indifferente. L'idea della nudità femminile gli dava le vertigini. Ma consideriamo con attenzione questa sottile differenza:

Non desiderava la nudità di un corpo di ragazza; desiderava un viso di ragazza illuminato dalla nudità del corpo.

Non desiderava possedere un corpo di ragazza; desiderava un viso di ragazza la quale come prova d'amore gli facesse dono del corpo.

Quel corpo era al di là dei confini della sua esperienza, e proprio per questo consacrava ad esso un numero incalcolabile di poesie. Quante volte compare il sesso femminile nei suoi versi di questo periodo! Ma per un miracoloso effetto della magia poetica (la magia dell'inesperienza), Jaromil aveva fatto di quell'organo creato per il concepimento e la copula un oggetto vago e un tema di giocose fantasticherie.

Così, per esempio, in una poesia scriveva di *un piccolo orologio che fa tic-tac* al centro del corpo di lei.

Altre volte lo rappresentava come *una casa di creature invisibili.*

Altre volte ancora si lasciava trasportare dall'immagine dell'orifizio e vedeva se stesso trasformato in una pallina che cadeva lungamente in quell'orifizio fino a divenire pura caduta, *una caduta che eternamente cade dentro il corpo di lei.*

In un'altra poesia le gambe della ragazza si mutavano in due fiumi che si congiungevano; nel punto della confluenza immaginava una misteriosa montagna alla quale aveva dato un nome dal vago sapore biblico: *il monte Sein.*

O ancora, parlava dei lunghi vagabondaggi di un velocipedista (questa parola gli sembrava bella come il crepuscolo) che pedala faticosamente in un paesaggio; quel paesaggio è il corpo di lei, e i due covoni di fieno su cui vorrebbe dormire sono i suoi seni.

Era talmente bello vagabondare su un corpo femminile, un corpo sconosciuto, mai visto, irreale, un corpo senza odore, senza nèi, senza piccoli difetti e senza malattie, un corpo immaginato, un corpo-terreno di gioco dei suoi sogni!

Era così affascinante parlare dei seni e del ventre femminili nel tono in cui si raccontano le favole ai bambini; sì, Jaromil viveva nel paese della tenerezza, che è il paese dell'*infanzia artificiale*. Diciamo artificiale perché l'infanzia reale non ha niente di paradisiaco, e non è neanche tanto tenera.

La tenerezza nasce nel momento in cui, rigettati sulla soglia dell'età adulta, ci si rende conto con angoscia dei vantaggi dell'infanzia, i vantaggi che da bambini non si potevano capire.

La tenerezza è il terrore di fronte all'età adulta.

La tenerezza è il tentativo di creare uno spazio artificiale in cui valga il patto di trattarsi l'un l'altro come bambini.

La tenerezza è anche paura delle conseguenze fisiche dell'amore; è tentativo di sottrarre l'amore al mondo degli adulti (dove esso è vincolante, insidioso, greve di carne e di responsabilità) e di considerare la donna come un bambino.

Batte piano piano il cuore della sua lingua, scriveva in una poesia. Gli sembrava che la lingua di lei, il suo mignolo, i suoi seni, il suo ombelico fossero esseri autonomi che parlavano tra loro con voce impercettibile; gli sembrava che il corpo della ragazza si componesse di migliaia di esseri e che amare quel corpo significasse ascoltare quegli esseri e sentire *i suoi due seni parlarsi in una lingua segreta.*

14

I ricordi la tormentavano. Ma un giorno che guardò di nuovo e a lungo dietro di sé scoprì un ettaro di paradiso, quello dove aveva vissuto con Jaromil neonato, e dovette correggersi; no, non era vero che Jaromil le avesse preso tutto; al contrario, le aveva dato molto più di chiunque altro. Le aveva dato un pezzo di vita non sporcato dalla menzogna. Nessuna ebrea sopravvissuta a un campo di concentramento poteva venirle a dire che sotto quella felicità si nascondevano solo ipocrisia e vuoto. Quell'ettaro di paradiso era la sua unica verità.

E il passato (era come far ruotare un caleidoscopio) le apparve di nuovo sotto una luce diversa: Jaromil non le aveva mai portato via nulla di prezioso, aveva solo strappato una maschera dorata da qualcosa che era solo menzogna e falsità. Non era ancora nato e già l'aveva aiutata a scoprire che il marito non l'amava e tredici anni più tardi l'aveva salvata da un'avventura folle che le avrebbe portato solo nuovo dolore.

Si diceva che la comune esperienza dell'infanzia di Jaromil era stata per entrambi un impegno e un patto sacro. Tuttavia, si rendeva conto sempre più spesso che il figlio tradiva quel patto. Quando gli parlava, vedeva che lui non la stava ad ascoltare e che aveva la testa piena di pensieri che non voleva confidarle. Constatò che in sua presenza era imbarazzato, che cominciava a custodire gelosamente i suoi piccoli segreti, fisici e spirituali, che si avvolgeva in veli attraverso i quali lei non riusciva a vedere.

Questo la faceva soffrire e la irritava. Nel patto che avevano stipulato quando lui era piccolo non era forse scritto che lui doveva avere sempre fiducia e non avere mai vergogna di lei?

Avrebbe voluto che la verità vissuta insieme durasse per sempre. Come quando lui era piccolo, ogni mattina gli diceva quello che doveva mettersi; e così, attraverso la scelta della biancheria, era presente per tutto il giorno sotto i suoi vestiti. Quando capì che la cosa gli era diventata sgradevole, si vendicò rimproverandolo di proposito per ogni minima traccia di sporco sulla sua biancheria. Provava gusto nell'attardarsi nella stanza in cui lui si vestiva e si svestiva, per punirlo del suo insolente pudore.

«Jaromil, vieni a farti vedere» lo chiamò un giorno che aveva ospiti. «Dio mio, che aspetto hai!» esclamò poi sgomenta quando vide i capelli accuratamente arruffati del figlio. Portò un pettine, e senza smettere di conversare con gli ospiti gli prese la testa tra le mani e si mise a pettinarlo. E il grande poeta che era dotato di una fantasia demoniaca e che somigliava a Rilke se ne stava seduto, rosso in faccia e furente, e si lasciava pettinare; l'unica cosa che poteva fare era esibire il sorriso crudele (quello in cui si era esercitato per lunghi anni) e lasciarlo indurire sul volto.

La mamma indietreggiò un poco per ammirare la sua opera e poi disse, rivolta agli ospiti: «Dio mio, ma mi dite perché mio figlio fa queste smorfie?».

E Jaromil giura a se stesso che starà sempre dalla parte di coloro che vogliono cambiare radicalmente il mondo.

15

Quando arrivò tra di loro, il dibattito era già in pieno svolgimento; discutevano su che cosa significhi il progresso e se esso esista veramente. Si guardò attorno e constatò che il circolo di giovani marxisti dove era stato invitato da un compagno di liceo era composto dagli stessi ragazzi che si potevano vedere in tutti i licei di Praga. L'attenzione era certo molto più viva che non durante le discussioni che la professoressa di ceco tentava di organizzare in classe, ma anche qui c'erano dei disturbatori; uno teneva in mano un giglio che annusava in continuazione, e la cosa suscitava le risate degli altri, tanto che a un certo punto un tipo piccolo e bruno, il padrone della casa in cui aveva luogo la riunione, finì col togliergli di mano il fiore.

Tutt'a un tratto drizzò le orecchie, perché uno dei partecipanti stava affermando che non si può parlare di progresso nell'arte; non si può dire, per esempio, che Shakespeare sia inferiore ai drammaturghi contemporanei. Jaromil aveva una gran voglia di intervenire nella discussione, ma esitava a prendere la parola davanti a persone alle quali non era abituato; temeva che tutti guardassero la sua faccia, che sarebbe arrossita, e le sue mani, che avrebbero gesticolato nervosamente. Eppure desiderava con tutte le forze *unirsi* a quel piccolo gruppo, e sapeva che non poteva riuscirci senza prendere la parola.

Per darsi coraggio pensò al pittore, alla sua grande autorità, di cui non aveva mai dubitato, e si rassicurò all'idea di essere suo amico e suo discepolo. Il pensiero gli diede tanto coraggio che osò intervenire nella discussione e ripetere le idee che ascoltava durante le visite allo studio. Il fatto che si servisse di idee altrui non è assolutamente degno di nota quanto il fatto che non le esprimesse con la propria voce. Lui stesso fu un po' meravigliato di constatare che la voce che gli usciva di bocca somigliava a quella del pittore e che quella voce trascinava dietro di sé anche le mani, che cominciarono a descrivere nell'aria gli stessi gesti del pittore.

Disse che il progresso nell'arte è incontestabile: le tendenze dell'arte moderna rappresentano un vero e proprio rivolgimento totale in un'evoluzione millenaria; esse hanno finalmente liberato l'arte dall'obbligo di propagandare idee politiche e filosofiche e di imitare la realtà, così che si potrebbe addirittura affermare che solo con l'arte moderna comincia la vera storia dell'arte.

A questo punto molti dei presenti avrebbero voluto dir la loro, ma Jaromil non si fece togliere la parola. All'inizio gli era stato sgradevole sentire il pittore parlare attraverso la sua bocca, con le sue parole e la sua melodiosa intonazione, ma poi aveva trovato in quel prestito sicurezza e protezione; si nascondeva dietro di esso come dietro a uno scudo; smise di provare paura e imbarazzo; era soddisfatto che le sue frasi risuonassero così bene in quell'ambiente, e continuò:

Si richiamò al pensiero di Marx secondo il quale l'umanità fino a quel momento aveva vissuto la sua preistoria, mentre la vera storia sarebbe cominciata soltanto con la rivoluzione proletaria, che è il passaggio dal regno della necessità a quello della libertà. Nella storia dell'arte, a questa tappa decisiva corrispondeva il momento in cui André Breton e gli altri surrealisti avevano scoperto la scrittura automatica e con essa il miracoloso tesoro dell'inconscio umano. Il fatto che quella scoperta fosse all'incirca contemporanea della rivoluzione russa era altamente simbolico, perché la liberazione dell'immaginazione significava per il genere umano un salto nel regno della libertà pari a quello provocato dall'abolizione dello sfruttamento economico.

A questo punto intervenne nella discussione l'uomo bruno; elogiò Jaromil per la sua difesa del progresso, ma giudicò discutibile che il surrealismo potesse essere messo sullo stesso piano della rivoluzione proletaria. Espresse al contrario l'opinione che l'arte moderna era un'arte decadente e che nell'arte l'epoca che corrispondeva alla rivoluzione proletaria era il realismo socialista. Non André Breton, ma Jiří Wolker,[1] il fondatore della poesia socialista ceca,

1. Jiří Wolker, poeta ceco del primo Novecento.

doveva essere preso a modello. Non era la prima volta che Jaromil sentiva queste idee, gliene aveva già parlato il pittore deridendole sarcasticamente. Così adesso anche Jaromil provò il sorrisetto sarcastico e disse che il realismo socialista non portava nulla di nuovo nell'arte e somigliava tale e quale al vecchio Kitsch borghese. Al che l'uomo bruno replicò che è moderna solo l'arte che aiuta a lottare per un mondo nuovo, e non era certo questo il caso del surrealismo, giacché le masse popolari non lo comprendevano.

La discussione era interessante; l'uomo bruno sviluppava i suoi argomenti con garbo e senza tono autoritario, sicché la polemica non degenerò mai in litigio, neanche quando Jaromil, inebriato dall'attenzione che si concentrava su di lui, ricorse a un'ironia alquanto convulsa; del resto nessuno espresse un giudizio definitivo, nella discussione intervennero altre persone e l'idea che Jaromil sosteneva fu ben presto sommersa da nuovi temi di discussione.

Ma era poi così importante che il progresso esistesse o no, che il surrealismo fosse borghese o rivoluzionario? Era così importante che avesse ragione lui o avessero ragione gli altri? L'importante era essersi unito a loro. Disputava con loro, ma provava nei loro confronti un'ardente simpatia. Non li ascoltava neanche più e pensava a una cosa soltanto, che era felice: aveva trovato un gruppo di persone in cui lui non esisteva come figlio di sua madre o come compagno di classe, ma come se stesso. E si disse che si può essere totalmente se stessi solo quando si è totalmente in mezzo agli altri.

Poi l'uomo bruno si alzò e tutti capirono che dovevano alzarsi anche loro e andarsene, perché il loro maestro era atteso da un lavoro al quale aveva alluso con un tono deliberatamente vago che dava l'impressione di una cosa molto importante e ispirava soggezione. Quando erano già in anticamera, vicino alla porta, Jaromil fu avvicinato da una ragazza con gli occhiali. Diciamo subito che per tutto il tempo della riunione Jaromil non l'aveva affatto notata; del resto non aveva nulla di notevole, anzi era di aspetto qualsiasi; non brutta, ma un po' trasandata; senza trucco, con i capelli lisci spioventi sulla fronte, totalmente ignari delle cure del parrucchiere, e vestita come ci si veste solo perché non si può andare in giro nudi.

«Mi ha molto interessato quello che hai detto» gli disse. «Mi piacerebbe discuterne ancora un po' con te...».

16

Non lontano dalla casa dell'uomo bruno c'erano dei giardini pubblici; entrarono e parlarono a lungo e abbondantemente; Jaromil venne a sapere che la ragazza andava all'università e aveva ben due anni più di lui (questa notizia lo riempì di un folle orgoglio); camminavano per il viale che contornava i giardini, la ragazza faceva discorsi eruditi e anche Jaromil faceva discorsi eruditi, entrambi avevano fretta di dirsi che cosa pensavano, a che cosa credevano, che cosa erano (la ragazza era orientata piuttosto sullo scientifico, Jaromil sull'artistico); snocciolarono elenchi di grandi nomi che ammiravano, e la ragazza ripeté che le insolite opinioni di Jaromil l'avevano molto colpita; per qualche attimo tacque e poi lo definì *efebo*; sì, quando lui era entrato nella stanza, lei aveva avuto l'impressione di vedere un grazioso efebo...

Jaromil non sapeva con precisione che cosa significasse quella parola, ma gli sembrò bellissimo essere definito in qualche modo e addirittura con una parola greca; del resto intuì se non altro che la parola efebo non indicava una giovinezza maldestra e degradante, come quella di cui aveva fatto l'esperienza fino a quel momento, ma piuttosto una giovinezza vigorosa e degna d'ammirazione. Con la parola efebo la studentessa alludeva alla sua immaturità ma, al tempo stesso, la liberava di tutta la penosa goffaggine e ne faceva qualcosa di vantaggioso. E questo era così incoraggiante che quando erano ormai al sesto giro del giardino Jaromil osò compiere il gesto a cui pensava fin dall'inizio senza trovare il coraggio di decidersi: prese la studentessa sottobraccio.

La parola *prese* non è esatta; sarebbe meglio dire che *insinuò* la sua mano tra il fianco e il braccio della ragazza; la insinuò con grande discrezione, come se desiderasse non farsi notare dalla ragazza; e quella in effetti non reagì minimamente al suo gesto, e la mano di Jaromil restava timidamente posata sul suo corpo come un oggetto estraneo, una borsa o un pacchetto di cui la proprietaria si è dimenticata e che rischia di cadere a ogni istante. Ma poi, improvvisamente, la sua mano cominciò a sentire che il braccio sotto il quale si era introdotta era al corrente della sua presenza. E il suo passo cominciò a sentire che il movimento delle gambe della studentessa rallentava leggermente. Conosceva già quel rallentamento e sapeva che qualcosa di irrevocabile era nell'aria. E come succede sempre quando sta per accadere qualcosa di irrevocabile, uno fa di tutto per affrettare almeno di un poco gli avvenimenti (forse per dimostrare che ha almeno un poco di potere su di essi): la mano di Jaromil, che per tutto quel tempo era rimasta inattiva, di colpo si animò e strinse il braccio della studentessa. In quel momento lei si fermò, alzò gli occhiali verso il viso di Jaromil e lasciò cadere dal braccio (l'altro) la cartella.

Quel gesto lasciò Jaromil di stucco: innanzi tutto, incantato com'era, non si era neanche accorto che la ragazza avesse una cartella; adesso che era caduta, la cartella faceva la sua apparizione sulla scena come un messaggio celeste. Quando poi si rese conto che la ragazza era venuta alla riunione marxista direttamente dall'università e che dunque la sua cartella doveva contenere dispense e difficili libri scientifici, la sua ebbrezza non fece che aumentare; gli parve che lei avesse lasciato cadere in terra tutta l'università per poterlo prendere tra le sue braccia liberate.

La caduta della cartella fu effettivamente tanto patetica che cominciarono a baciarsi in preda a uno splendido stordimento. Si baciarono molto a lungo, e quando alla fine i baci finirono e non seppero più come continuare, la ragazza sollevò di nuovo verso di lui gli occhiali e disse con voce turbata dall'angoscia: «Penserai di sicuro che io sia come tutte le altre ragazze. Ma non devi pensare che sia come le altre».

Quelle parole furono forse ancora più patetiche della caduta della cartella e Jaromil si rese conto con stupore che la donna che stava davanti a lui lo amava, che lo amava dal primo istante, miracolosamente e senza che lui potesse dirne il perché. E notò anche di sfuggita (ai margini della coscienza, per poi poterci ripensare attentamente e con cura) che la ragazza parlava di altre donne come se vedesse in lui un uomo già ricco di un'esperienza che non poteva non far soffrire la donna che lo amava.

Rassicurò la ragazza dicendole che non pensava affatto che fosse come le altre; quindi lei raccolse la cartella (ora Jaromil poté osservarla meglio: era veramente pesante e grossa, piena di libri) e intrapresero il settimo giro dei giardini; si erano appena fermati di nuovo e avevano ricominciato a baciarsi quando si trovarono improvvisamente in un cono di luce violenta. Davanti a loro stavano due poliziotti che esigevano i documenti.

Imbarazzatissimi, i due innamorati cercarono la carta d'identità e la porsero con mano tremante ai poliziotti, che forse erano lì per reprimere la prostituzione o forse volevano soltanto divertirsi un po' durante le lunghe ore di servizio. In ogni caso procurarono ai due giovani un'esperienza indimenticabile: per tutto il resto della serata (Jaromil accompagnò la ragazza fino a casa) essi parlarono dell'amore perseguitato dai pregiudizi, dal moralismo, dalla polizia, dalla vecchia generazione, dalle leggi stupide e dal marciume di un mondo che meritava di essere raso al suolo.

17

La giornata era stata bella e la serata anche, ma quando Jaromil arrivò a casa era quasi mezzanotte e la mamma andava su e giù nervosamente per le stanze della casa.

«Ma ti rendi conto di quanta paura ho avuto? Dove sei stato? Non hai proprio nessun riguardo per me!».

Jaromil era ancora pieno di quella grande giornata e cominciò a risponderle nel tono che aveva usato al circolo marxista; imitava la voce piena di sicurezza del pittore.

La mamma riconobbe subito quella voce; vedeva il viso del figlio dal quale veniva la voce dell'amante perduto; vedeva un volto che non le apparteneva, ascoltava una voce che non le apparteneva; suo figlio le stava di fronte come l'immagine di un doppio rifiuto, e la cosa le parve intollerabile.

«Tu mi uccidi, mi uccidi!» gridò con voce isterica, e si precipitò nella stanza vicina.

Jaromil restò immobile, spaventato, con la sensazione di aver commesso una grande colpa.

(Ah, ragazzo mio, non ti libererai mai di questa sensazione. Sei colpevole, sei colpevole! Ogni volta che uscirai di casa, porterai con te quello sguardo di rimprovero che ti richiamerà indietro! Andrai per il mondo come un cane legato a un lungo guinzaglio! Anche quando sarai lontano, sentirai sempre la pressione del collare sulla nuca! Anche quando passerai il tuo tempo con delle donne, anche quando sarai nel loro letto, al tuo collo sarà legato un lungo guinzaglio di cui da qualche parte, lontano, tua madre terrà l'altro capo, e dagli strappi del guinzaglio lei indovinerà i movimenti osceni a cui tu ti abbandoni!).

«Mamma, ti prego, non arrabbiarti, ti prego, perdonami!». Inginocchiato timorosamente accanto al suo letto, la accarezza sulle guance umide.

(Charles Baudelaire, avrai quarant'anni e avrai ancora paura di tua madre!).

E la mamma tarda a perdonarlo per sentire il più a lungo possibile le dita del figlio sulla propria pelle.

18

(Questo non sarebbe mai potuto succedere a Xaver, perché Xaver non aveva madre e neanche padre, e non avere genitori è la prima condizione della libertà.

Ma, intendetemi bene, non si tratta di perdere i genitori. La madre di Gérard de Nerval morì che lui era appena nato, e tuttavia egli visse tutta la vita sotto lo sguardo ipnotico dei suoi magnifici occhi.

La libertà non comincia là dove i genitori sono respinti o sotterrati, ma là dove essi *non sono*:

Là dove l'uomo nasce senza sapere da chi.

Là dove l'uomo nasce da un uovo gettato in un bosco.

Là dove l'uomo viene sputato sulla terra dal cielo e posa il piede sul mondo senza il minimo sentimento di gratitudine).

19

Ciò che nacque durante la prima settimana d'amore tra Jaromil e la studentessa fu Jaromil stesso; si sentì dire che era un efebo, che era bello, che era intelligente e pieno di fantasia; capì che la ragazza con gli occhiali lo amava e temeva il giorno in cui lui l'avrebbe abbandonata (era di sera, diceva lei, quando si salutavano davanti a casa sua e lo vedeva allontanarsi col suo passo leggero, che aveva l'impressione di vederlo nel suo vero aspetto: quello di un uomo che si allontana, che fugge, che sparisce...). Aveva finalmente trovato la propria immagine, quella che aveva cercato così a lungo nei suoi due specchi.

La prima settimana si videro tutti i giorni: fecero tre lunghe passeggiate notturne per la città, una volta andarono a teatro (seduti in un palco, non fecero che baciarsi, senza prestare la minima attenzione allo spettacolo) e due volte al cinema. Il settimo giorno andarono di nuovo a passeggiare: faceva freddo, si gelava, e lui aveva soltanto un soprabitino leggero, non aveva gilet tra la camicia e la giacca (perché il gilet di lana grigia fatto a mano che la mamma lo obbligava a portare gli sembrava più adatto a un vecchietto di campagna), in testa non aveva né cappello né berretto (perché la ragazza con gli occhiali, già dal secondo giorno, aveva elogiato i suoi capelli ribelli che un tempo lui detestava, dicendo che erano indomabili proprio come lui), e poiché i suoi calzettoni pesanti avevano l'elastico rotto e gli scivolavano sempre lungo il polpaccio ricadendo sugli stivaletti, portava scarpe basse e calzini grigi (la cui discordanza col colore dei pantaloni gli sfuggiva perché non capiva le raffinatezze dell'eleganza).

Si incontrarono verso le sette e cominciarono una lunga passeggiata verso la periferia, dove la neve sulla terra nuda scricchiolava sotto i loro piedi e dove potevano fermarsi per baciarsi. La cosa che affascinava Jaromil era la docilità del corpo della ragazza. Fino a quel momento i suoi contatti col corpo femminile erano stati come lunghi viaggi in cui lui raggiungeva progressivamente varie tappe: ci voleva del tempo prima che la ragazza si lasciasse baciare, ci voleva del tempo prima che lui riuscisse a posarle la mano sul seno, e quando le toccava il sedere credeva di essere ormai molto lontano – non era mai andato oltre. Ma questa volta con lei era avvenuto, fin dal primo momento, qualcosa d'inatteso: la studentessa era tra le sue braccia completamente sottomessa, indifesa, pronta a tutto, poteva toccarla dove voleva. Questo gli pareva una grande prova d'amore, ma al tempo stesso lo imbarazzava perché non sapeva che fare di quell'improvvisa libertà.

E quel giorno (il settimo) la ragazza gli rivelò che i suoi genitori si assentavano spesso e che sarebbe stata felice di invitare Jaromil a casa sua. All'esplosione di queste parole seguì un lungo silenzio; entrambi sapevano che cosa poteva significare il loro incontro nella casa vuota (ricordiamo ancora una volta che la ragazza con gli occhiali, quando era tra le braccia di Jaromil, non gli rifiutava nulla); così tacquero, e solo dopo una lunghissima pausa la ragazza disse con voce tranquilla: «Io credo che in amore non esista alcun compromesso. L'amore significa donarsi tutto».

Jaromil approvava con tutta l'anima questa dichiarazione, perché anche per lui l'amore significava tutto; ma non sapeva cosa dire; invece di rispondere si fermò, fissò sulla ragazza due occhi patetici (senza pensare che era buio e il pathos degli occhi era poco visibile) e si mise a baciarla e a stringerla freneticamente.

Dopo un quarto d'ora di silenzio la ragazza ricominciò a parlare e gli disse che lui era il primo uomo che invitava a casa sua; disse che aveva molti amici maschi, ma che erano, appunto, solo amici; si erano abituati alla situazione e l'avevano addirittura soprannominata per scherzo *la vergine di pietra*.

Jaromil era felicissimo di sentire che sarebbe stato il primo amante della studentessa, ma al tempo stesso aveva paura: aveva sentito già parlare molto dell'atto d'amore e sapeva anche che la deflorazione è generalmente considerata una cosa difficile. Per questo non riusciva in alcun modo a seguire la vivace parlantina della studentessa; si sentiva fuori dal presente; viveva nel pensiero le voluttà e le angosce di quel grande giorno promesso, dal quale (era ancora sotto l'ispirazione del celebre pensiero di Marx sulla preistoria e la storia dell'umanità) sarebbe cominciata la vera storia della sua vita.

Non parlarono molto, ma camminarono molto a lungo; più la notte avanzava, più il freddo si faceva intenso, e Jaromil avvertiva il gelo sul suo corpo insufficientemente vestito. Propose di andare a sedersi da qualche parte, ma erano troppo lontani dal centro e per un lungo tratto intorno a loro non c'erano caffè. E così tornò a casa gelato fino alle ossa (alla fine della passeggiata aveva dovuto fare uno sforzo per non far sentire che batteva i denti) e l'indomani mattina, quando si svegliò, gli faceva male la gola. La mamma gli fece mettere il termometro e constatò che aveva la febbre.

20

Il corpo di Jaromil giaceva malato nel letto, ma la sua anima viveva già la grande giornata attesa. L'idea che si faceva di quella giornata si componeva da una parte di una felicità astratta e dall'altra di preoccupazioni concrete. Giacché Jaromil non riusciva assolutamente a figurarsi che cosa significhi, in tutti i dettagli concreti, far l'amore con una donna; sapeva solo che la cosa richiede preparazione, abilità ed esperienza; sapeva che dietro l'amore fisico sogghigna il minaccioso spettro della gravidanza e sapeva anche (era il soggetto di innumerevoli conversazioni tra i suoi compagni di liceo) che ci si poteva difendere da quel pericolo. In quei tempi barbari gli uomini (simili a cavalieri che indossano l'armatura prima della battaglia) infilavano sul loro piede virile un calzino trasparente. In teoria Jaromil era largamente informato di tutto questo. Ma dove procurarsi quel calzino? Jaromil non avrebbe mai potuto vincere la sua timidezza ed entrare in una farmacia per comprarne uno! E a che punto bisognava infilarlo perché la ragazza non se ne accorgesse? Il calzino gli sembrava ridicolo, e non poteva tollerare l'idea che la ragazza ne conoscesse l'esistenza! Poteva metterselo prima, a casa? Oppure bisognava aspettare di essere nudo davanti alla ragazza?

Erano domande senza risposta. Jaromil non aveva nessun calzino di prova (da allenamento) sottomano, ma decise di procurarsene uno ad ogni costo per esercitarsi a infilarlo. Sospettava che la rapidità e la destrezza avessero in questo campo un'importanza decisiva, e che non poteva acquistarle senza allenamento.

Ma anche altre cose lo tormentavano: Che cos'è veramente l'atto di amore? Che cosa si prova in quei momenti? Che cosa passa per il corpo? Non era per caso un piacere così terribile che ci si mette a gridare e si perde il controllo di sé? E non ci si rende ridicoli a gridare in quel modo? E quanto dura la cosa? Ah, Dio, si poteva mai intraprendere una cosa del genere senza esservi preparati?

Fino ad allora Jaromil non aveva mai praticato la masturbazione. La considerava una cosa indegna che un vero uomo doveva evitare; si sentiva destinato a un grande amore, non all'onanismo. Ma come accedere al grande amore senza una certa preparazione? Jaromil capì che la masturbazione era proprio quell'indispensabile preparazione e smise di considerarla con ostilità preconcetta: non era più un misero surrogato dell'amore fisico, ma una tappa necessaria per giungere ad esso; non era più una confessione di indigenza, ma uno stadio che era necessario attraversare per arrivare alla ricchezza.

Fu così che eseguì (con trentotto e due di febbre) la sua prima imitazione dell'atto d'amore, che lo sorprese per la sua incredibile brevità e non gli strappò nessun grido di piacere. Ne rimase deluso e tranquillizzato al tempo stesso; ripeté più volte l'esperienza nei giorni successivi e non apprese nulla di nuovo; ma si convinse che in quel modo avrebbe acquistato sempre maggior sicurezza e avrebbe potuto affrontare senza timori la ragazza che amava.

Erano ormai tre giorni che stava a letto con la gola fasciata quando una mattina la nonna entrò nella sua stanza e disse: «Jaromil, giù da basso c'è il caos!». «Che cosa succede?» chiese lui, e la nonna spiegò che al pianterreno, dalla zia, stavano sentendo la radio e che c'era la rivoluzione. Jaromil saltò giù dal letto e corse nella stanza vicina. Accese la radio e udì la voce di Klement Gottwald.

Capì rapidamente di che cosa si trattava perché negli ultimi giorni aveva sentito dire (anche se la cosa non lo interessava molto visto che aveva, come abbiamo già spiegato, preoccupazioni più gravi) che i ministri non comunisti minacciavano il comunista Gottwald, capo del governo, di presentargli le loro dimissioni. E ora sentiva la voce di Gottwald denunciare alla folla radunatasi nella piazza della Città Vecchia i traditori che volevano espellere dal governo il partito comunista e impedire al popolo la marcia verso il socialismo; incitava il popolo a pretendere le dimissioni dei ministri e a costituire dappertutto nuovi organi rivoluzionari di potere sotto la guida del partito comunista.

Il vecchio apparecchio radio trasmetteva, insieme alla voce di Gottwald, un clamore di folla che infiammava Jaromil e lo riempiva di entusiasmo. Ritto nella stanza della nonna, in pigiama, con un asciugamano intorno al collo, urlava: «Finalmente! Doveva arrivare questo momento! Finalmente!».

La nonna non era molto sicura che l'entusiasmo di Jaromil fosse giustificato. «Pensi che sia veramente una cosa buona?» gli chiese con inquietudine. «Certo, nonna, è una cosa buona. È una cosa eccellente!». L'abbracciò e poi si mise a camminare nervosamente su e giù per la stanza; si diceva che la folla radunata nella piazza della Città Vecchia aveva lanciato fino al cielo la data di quel giorno e che questa avrebbe brillato come una stella visibile per molti secoli; poi gli venne in mente che era terribile dover passare quel giorno grandioso a casa con la nonna, e non fuori con la gente. Ma prima che avesse il tempo di completare questo pensiero la porta si aprì ed entrò lo zio, rosso in faccia e furioso, urlando: «Avete sentito? Quei bastardi! Quei bastardi! È un colpo di stato!».

Jaromil guardò lo zio che aveva sempre odiato, insieme con sua moglie e col figlio pieno di boria, e pensò che era arrivato il momento in cui poteva finalmente trionfare su di lui. Stavano uno di fronte all'altro: lo zio con la porta alle spalle e Jaromil che dietro di sé aveva la radio e si sentiva dunque legato a una folla di centomila persone e parlava a suo zio come centomila persone parlano a un uomo solo: «Non è un colpo di stato, è la rivoluzione» disse.

«Ma vaffanculo tu e la tua rivoluzione!» disse lo zio. «È facile fare la rivoluzione quando si hanno dietro l'esercito, la polizia, e in più una grossa potenza».

Quando sentì la voce piena di sicurezza dello zio che gli parlava come a un bambino stupido, l'odio gli montò alla testa: «Quell'esercito e quella polizia vogliono impedire a una manica di delinquenti di opprimere il popolo come prima».

«Piccolo cretino,» disse lo zio «i comunisti avevano già la maggioranza del potere e hanno fatto questo colpo di stato per averlo tutto. L'ho sempre pensato che eri un ragazzino imbecille».

«E io ho sempre pensato che tu eri uno sfruttatore e che la classe operaia un giorno o l'altro ti avrebbe tirato il collo».

Jaromil aveva pronunciato l'ultima frase in un accesso di collera, senza riflettere; tuttavia ci soffermeremo un po' a considerarla: aveva usato parole che si potevano leggere spesso sui giornali comunisti e ascoltare spesso dalla bocca di oratori comunisti, ma che fino ad allora gli ripugnavano, come gli ripugnavano tutte le frasi stereotipate. Aveva sempre creduto di essere prima di tutto un poeta, e di conseguenza, anche tenendo discorsi rivoluzionari, non voleva rinunciare alle proprie parole. Ma ecco che aveva detto: la classe operaia ti tirerà il collo.

Sì, è strano; in un momento di esaltazione (e cioè in un momento in cui l'individuo agisce spontaneamente e il suo io si rivela per quello che è) Jaromil rinunciava al proprio linguaggio e preferiva essere il *medium* di qualcun altro. E non solo agiva in questo modo, ma agiva in questo modo con un senso di estrema soddisfazione; gli sembrava di far parte di una folla con mille teste, di essere una delle teste del drago con mille teste della folla, e gli sembrava magnifico. Improvvisamente si sentiva forte e riusciva a ridere apertamente dell'uomo davanti al quale ancora ieri arrossiva timidamente. E proprio la rude semplicità della frase pronunciata (la classe operaia un giorno o l'altro ti tirerà il collo) gli dava gioia, perché lo schierava a fianco di quegli uomini meravigliosamente semplici che se la ridono delle sfumature e la cui saggezza consiste nell'interessarsi sempre all'essenziale, che è sempre beffardamente semplice.

Jaromil (in pigiama e con l'asciugamano avvolto intorno al collo) stava piantato a gambe larghe davanti alla radio che aveva appena finito di rimbombare, alle sue spalle, di giganteschi applausi, e aveva l'impressione che quel ruggito penetrasse in lui ingigantendolo e facendolo ergere di fronte allo zio come un albero incrollabile, come una roccia che ride.

E lo zio, quello che credeva che Voltaire avesse inventato i volt, gli si avvicinò e gli mollò un ceffone.

Jaromil sentì un dolore bruciante alla guancia. Sapeva di essere stato umiliato, e sentendosi grande e possente come un albero o come una roccia (migliaia di voci continuavano a risuonare nell'apparecchio alle sue spalle) avrebbe voluto scagliarsi contro lo zio per rendergli lo schiaffo. Ma poiché gli occorse qualche istante per decidersi a farlo, lo zio ebbe il tempo di voltarsi e uscire dalla stanza.

Jaromil gridò: «Gliela farò pagare! Porco! Gliela farò pagare!», e si diresse verso la porta. Ma la nonna lo trattenne per una manica del pigiama e lo supplicò di non muoversi, e così Jaromil poté solo ripetere *porco, porco, porco*, e tornò a letto dove nemmeno un'ora prima aveva lasciato la sua amante immaginaria. Adesso non era più capace di pensare a lei. Vedeva soltanto lo zio, sentiva ancora il bruciore dello schiaffo, e si rimproverava di non essere stato capace di reagire prontamente, da uomo; quei rimproveri erano così amari che a un certo punto scoppiò a piangere e bagnò il cuscino di lacrime di rabbia.

Nel tardo pomeriggio tornò la mamma e raccontò terrorizzata che il suo capufficio, persona che lei rispettava moltissimo, era già stato licenziato e che tutti i non comunisti avevano paura di essere arrestati.

Jaromil si sollevò sui gomiti e cominciò a discutere appassionatamente. Spiegò alla madre che quello che stava succedendo era una rivoluzione e che una rivoluzione è un breve periodo durante il quale è necessario ricorrere alla violenza per affrettare l'avvento di una società nella quale non ci sarà più nessuna violenza. La mamma doveva capirlo!

Anche lei metteva tutta l'anima nella discussione, ma Jaromil riuscì a confutare tutte le sue obiezioni. Disse che il dominio dei ricchi era una cosa insensata, come lo era tutta quella società di imprenditori e di commercianti, e le ricordò con raffinata astuzia che anche lei, nella sua stessa famiglia, era vittima di gente come quella; ricordò l'arroganza di sua sorella e la mancanza di educazione del cognato.

Lei era scossa e Jaromil si rallegrava del successo ottenuto; gli pareva di essersi vendicato dello schiaffo ricevuto qualche ora prima; ma quando se ne ricordò, sentì tornare la collera e disse: «E poi, sai, mamma, ho deciso di entrare anch'io nel partito comunista».

Lesse la disapprovazione negli occhi materni, ma perseverò nella sua affermazione; disse che si vergognava di non esserci entrato prima, che solo l'ingombrante eredità dell'ambiente in cui era cresciuto lo separava da coloro ai quali apparteneva già da tempo.

«Forse rimpiangi di esser nato qui e che io sia tua madre?».

La mamma aveva parlato con un tono risentito e Jaromil dovette affrettarsi a dirle che lo aveva frainteso; secondo lui sua madre, così com'era, non aveva niente da spartire né con la sorella né con la società dei ricchi.

Ma la mamma disse: «Se mi vuoi bene, non farlo. Lo sai in che inferno vivo con lo zio. Se venisse a sapere che sei entrato nel partito comunista, qui la vita diventerebbe intollerabile. Sii ragionevole, ti prego».

Una lacrimosa tristezza strinse la gola di Jaromil. Invece di rendere lo schiaffo allo zio, ne aveva appena ricevuto un altro da lei. Si voltò dall'altra parte e aspettò che la madre uscisse dalla stanza. Poi scoppiò di nuovo in lacrime.

21

Erano le sei di sera, la studentessa universitaria lo accolse in grembiule bianco e lo condusse in una cucina piccola e pulita. La cena non aveva nulla di straordinario, uova strapazzate con salame tagliato a dadini, ma era la prima cena che una donna (a eccezione della madre e della nonna) avesse mai preparato a Jaromil, e lui la mangiò con la fierezza dell'uomo di cui l'amante si prende cura.

Poi passarono nella stanza accanto; c'era un tavolo rotondo di mogano coperto da una tovaglia all'uncinetto sulla quale era posato a mo' di peso un massiccio vaso di vetro; alle pareti c'erano quadri orribili e in un angolo un divano con un'incredibile quantità di cuscini. Tutto era stato deciso e promesso in anticipo per quella serata, sicché non restava loro che sprofondare nelle soffici onde dei cuscini; ma, cosa strana, la studentessa sedette su una sedia dura accanto al tavolo rotondo e lui di fronte a lei; seduti su quelle sedie dure, discussero a lungo, a lungo, di varie cose, e Jaromil cominciava a essere preda dell'angoscia.

Sapeva che doveva rientrare alle undici e aveva chiesto alla madre il permesso di passare la notte fuori (si era inventato che i suoi compagni di liceo avevano organizzato una festa), ma si era scontrato con un rifiuto così netto che non aveva osato insistere e quindi adesso doveva solo sperare che le cinque ore comprese tra le sei e le undici fossero uno spazio di tempo sufficientemente lungo per la sua prima notte d'amore.

Solo che la studentessa parlava e parlava, e lo spazio delle cinque ore si accorciava rapidamente; parlava della sua famiglia, del fratello che una volta aveva tentato il suicidio a causa di un amore infelice. «Quel fatto mi ha segnata. Non riesco a essere come le altre ragazze. Non riesco a prendere l'amore alla leggera» disse, e Jaromil sentì che quelle parole dovevano dare il peso della serietà all'amore fisico che gli era stato promesso. Si alzò dunque dalla sedia, si chinò sulla ragazza e le disse con voce molto grave: «Io ti capisco, sì, ti capisco», poi la sollevò dalla sedia, la condusse fino al divano e la fece sedere.

Quindi si baciarono, si accarezzarono e si fecero mille tenerezze. La cosa durò un'eternità e Jaromil pensava che forse era ora di svestire la ragazza, ma siccome non l'aveva mai fatto non sapeva da dove cominciare. Prima di tutto non sapeva se era il caso di spegnere la luce. Da tutte le informazioni che aveva su situazioni del genere, riteneva che bisognasse spegnerla. Del resto aveva in tasca un pacchetto col calzino trasparente e se voleva indossarlo discretamente e di nascosto al momento decisivo, aveva assoluto bisogno dell'oscurità. Ma non riusciva a decidersi ad alzarsi nel bel mezzo delle carezze per andare fino all'interruttore, senza contare che la cosa gli sembrava (non dimentichiamo che era beneducato) un po' sconveniente, visto che era ospite, e sarebbe toccato piuttosto alla padrona di casa andare a spegnere la luce. Finalmente, trovò il coraggio di dire con voce timida: «Non sarebbe meglio spegnere la luce?».

Ma lei disse: «No, no, ti prego». E Jaromil si chiese se ciò significasse che la ragazza non voleva stare al buio e di conseguenza non voleva fare l'amore, oppure che la ragazza voleva fare l'amore, ma non al buio. Avrebbe potuto chiederglielo, ma si vergognava di esprimere ad alta voce quei pensieri.

Poi ricordò di nuovo che doveva essere a casa per le undici e si costrinse a vincere la timidezza; slacciò il primo bottone femminile della sua vita. Era il bottone di una camicetta bianca, e lo slacciò nella timorosa attesa di ciò che avrebbe detto la ragazza. Lei non disse nulla. Continuò dunque a sbottonare, poi tirò fuori dalla gonna l'orlo inferiore della camicetta e gliela tolse completamente.

Adesso lei era stesa sui cuscini in gonna e reggiseno e, cosa stupefacente, mentre pochi attimi prima baciava avidamente Jaromil, adesso, senza la camicetta, era come impietrita; non si muoveva e protendeva leggermente il busto come il condannato a morte che tende eroicamente il petto alle canne dei fucili.

A Jaromil non restava che continuare a spogliarla; trovò la chiusura lampo sul fianco della gonna e l'aprì; l'ingenuo non sospettava l'esistenza del gancio che teneva chiusa la gonna in vita e per un po' si sforzò ostinatamente e vanamente di tirarla giù lungo i fianchi della ragazza; questa, protendendo il petto verso l'invisibile plotone di esecuzione, non si accorgeva nemmeno delle sue difficoltà.

Ah, passiamo sotto silenzio il quarto d'ora di pene patite da Jaromil! Alla fine riuscì a spogliare completamente la studentessa. Quando la vide docilmente allungata sui cuscini in attesa del momento da tanto tempo progettato, capì che non gli restava che spogliarsi a sua volta. Ma il lampadario spandeva una luce violenta, e lui si vergognava a spogliarsi. A questo punto gli venne un'idea salvatrice: aveva notato, accanto al soggiorno, la stanza da letto (una camera all'antica, con un lettone matrimoniale); lì la luce non era accesa; lì sarebbe stato possibile spogliarsi al buio e magari anche infilarsi sotto una coperta.

«Andiamo nella stanza da letto?» chiese timidamente.

«Perché nella stanza da letto? Che bisogno hai della stanza da letto?» gli disse ridendo la ragazza.

Non sappiamo perché ridesse. Era una risata gratuita, casuale, imbarazzata. Ma Jaromil ne fu ferito; ebbe paura di aver detto qualcosa di stupido, che la sua proposta di passare nella stanza da letto rivelasse la sua ridicola inesperienza. Restò completamente smarrito; era in una stanza estranea, sotto la luce indiscreta di un lampadario che non poteva spegnere, con una donna estranea che lo prendeva in giro.

E in quell'attimo seppe che quella sera non avrebbero fatto l'amore; si sentiva offeso, e sedette senza dire una parola sul divano; gli dispiaceva, ma al tempo stesso provava sollievo; ormai non doveva più chiedersi se doveva o non doveva spegnere la luce e come poteva fare per spogliarsi; ed era felice che non fosse per colpa sua; lei non avrebbe dovuto ridere in quel modo così stupido.

«Che hai?» gli chiese lei.

«Niente» disse Jaromil, e capì che se avesse spiegato alla ragazza perché si sentiva offeso si sarebbe reso ancora più ridicolo. Riuscì dunque a controllarsi, la sollevò dal divano e cominciò a guardarla ostentatamente (voleva dominare la situazione, e pensava che chi esamina domina chi è esaminato); poi disse: «Sei bella».

La ragazza, sollevata dal divano su cui era rimasta fino a quel momento in un'attesa impietrita, apparve di colpo liberata; ridivenne loquace e sicura di sé. Non le dava nessun imbarazzo che lui la guardasse (forse pensava che chi è esaminato domina chi esamina), e alla fine chiese: «Sono più bella nuda o vestita?».

C'è un certo numero di domande femminili classiche che ogni uomo prima o poi incontra nella vita, e alle quali la scuola dovrebbe preparare i giovani. Ma Jaromil, come noi tutti, frequentava cattive scuole e non sapeva che cosa rispondere; si sforzò di indovinare quale risposta volesse sentire la ragazza, ma era in grande imbarazzo: agli altri la ragazza si mostra per lo più vestita, sicché le farà sicuramente piacere essere più bella vestita; d'altra parte la nudità è una sorta di verità del corpo, sicché lui le farebbe ugualmente piacere dicendole che è più bella nuda.

«Sei bella in tutti e due i modi» le disse, ma la studentessa non fu per nulla soddisfatta di questa risposta. Si mise ad andare avanti e indietro per la stanza offrendosi agli sguardi del ragazzo, pretendendo che lui le rispondesse senza giri di parole: «Voglio sapere come ti piaccio di più».

Alla domanda così precisata era già più facile rispondere; dal momento che le altre persone la conoscevano soltanto vestita, prima gli era parso indelicato dire che vestita era meno bella che nuda, ma poiché adesso gli chiedeva il suo parere personale, poteva arditamente rispondere che a lui personalmente piaceva di più nuda, poiché in quel modo le faceva capire che l'amava così com'era, per lei stessa, e non si curava minimamente di quanto era aggiunto alla sua persona.

Evidentemente non aveva giudicato male: la studentessa, sentendosi dire che era più bella nuda, reagì in modo molto favorevole e addirittura non si rivestì finché lui non se ne andò, gli diede molti baci, e al momento di salutarsi (erano le dieci e tre quarti, la mamma sarebbe stata contenta) gli sussurrò all'orecchio, sulla soglia: «Oggi ho capito che mi vuoi bene. Sei molto buono, mi vuoi davvero bene. Sì, così è stato meglio. Terremo in serbo quel momento ancora per un po'».

22

In quei giorni si mise a scrivere una lunga poesia. Era una *poesia-racconto* e parlava di un uomo che all'improvviso capisce di essere vecchio; capisce di trovarsi al punto *in cui il destino non costruisce più le sue stazioni*; di essere abbandonato e dimenticato; che intorno a lui

> *imbiancano le pareti e portano via i mobili*
> *e cambiano ogni cosa nella stanza*

Allora esce in fretta di casa e ritorna là dove un giorno ha vissuto i momenti più intensi della sua vita:

> *il retro di una casa terzo piano porta in fondo*
> *a sinistra nell'angolo*
> *con un nome sulla targhetta illeggibile nell'oscurità*
> *«Attimi trascorsi da vent'anni, accoglietemi!»*

Gli apre la porta una vecchia, strappata dall'indifferente trascuratezza in cui l'hanno sprofondata lunghi anni di solitudine. Subito, subito si morde le labbra esangui per ridar loro un po' di colore; subito, con gesto un tempo familiare, tenta di ravviarsi i radi capelli non lavati e gesticola imbarazzata per cercare di nascondere agli occhi di lui le fotografie degli antichi amanti appese alla parete. Ma poi d'un tratto sente una nuova dolcezza nella stanza e comprende che le apparenze non contano; dice:

« Vent'anni E tuttavia sei tornato
Come l'ultima cosa importante che incontrerò
E non ho più nulla da vedere
se guardo al di là delle tue spalle nel futuro »

Sì, nella stanza c'è una nuova dolcezza; nulla ha più importanza, né le rughe, né i vestiti trascurati, né i denti ingialliti, né i capelli radi, né le labbra pallide, né il ventre floscio.

Certezza certezza Non mi muovo più e sono pronta
Certezza Di fronte a te bellezza non è nulla Nulla è gioventù

E lui, stanco, attraversa la stanza (*col guanto cancella estranee impronte sul tavolo*) e sa che lei ha avuto degli amanti, folle di amanti che

hanno dilapidato tutta la luce della sua pelle
nemmeno al buio ormai riesce a essere bella
ma i luoghi consumati sì quelli non contano

E una vecchia canzone gli attraversa l'anima, una canzone dimenticata, oh Dio, come fa quella canzone?

Tu scorri via scorri via sulla sabbia dei letti
e cancelli la tua immagine
Scorri via scorri via finché di te non resta
che il centro nient'altro che il tuo centro

E lei sa già di non avere più niente di giovane per lui, niente di essenziale. Ma:

Nei momenti di debolezza che ora mi assalgono
la mia fatica il mio sfacelo questo processo così
importante e così puro
apparterranno solamente a te

I loro corpi rugosi si sfiorano con emozione e lui le dice «bambina» e lei a lui «ragazzo», e poi piangono.

E non c'era tra loro intermediario
Né parola né gesto Niente dietro cui nascondersi
Più niente per nascondere la loro comune povertà

Perché è proprio quella reciproca povertà che loro assaporano a piena bocca. La bevono avidamente l'uno dall'altra. Accarezzano i loro corpi miserevoli e sentono, l'uno sotto la pelle dell'altra, il sommesso ronfare degli strumenti della morte. E capiscono di essere definitivamente e totalmente votati l'uno all'altra; che quello è il loro ultimo e anche il loro più grande amore, perché l'ultimo amore è il più grande. L'uomo pensa:

È l'amore senza via d'uscita È l'amore come muro

E la donna pensa:

Forse lontana nel tempo ma vicina nella sembianza
è la morte
per noi due adesso un lungo sprofondare in poltrone
la meta raggiunta e le gambe così soddisfatte
che non tentano più di fare un passo
e le mani così sicure che non cercano neanche una carezza
ora non resta che aspettare che la saliva nelle nostre bocche
si muti in rugiada

Quando la mamma lesse questa strana poesia, si stupì come sempre della precoce maturità che permetteva al figlio di capire un'età così lontana; non si rendeva conto che i personaggi della poesia erano lontanissimi dalla psicologia reale della vecchiaia.

No, in quella poesia non si parlava affatto di un vecchio e di una vecchia; se si fosse chiesto a Jaromil che età avevano i personaggi della sua poesia, prima avrebbe esitato e poi avrebbe risposto: tra i quaranta e gli ottanta; non sapeva nulla della vecchiaia, che per lui era una nozione lontana e astratta; tutto ciò che sapeva della vecchiaia era che si tratta di un periodo della vita in cui l'età adulta appartiene ormai al passato; in cui il destino è ormai compiuto; in cui l'uomo, ormai, non deve più temere quel terribile sconosciuto che si chiama avvenire; in cui l'amore che si incontra è l'ultimo e certo.

Perché Jaromil era pieno di angosce; avanzava verso il corpo nudo della ragazza come si cammina sui rovi; desiderava quel corpo e ne aveva paura; per questo nelle sue poesie di tenerezza sfuggiva alla materialità del corpo cercando rifugio nel mondo dell'immaginazione infantile; privava il corpo della sua realtà e rappresentava il sesso femminile come un ticchettante giocattolo meccanico; questa volta aveva cercato rifugio dalla parte opposta: dalla parte della vecchiaia; là dove il corpo non è più pericoloso né fiero; là dove è miserevole e suscita pena; la miseria di un corpo vecchio in qualche modo lo riconciliava con l'orgoglio del corpo giovanile che un giorno avrebbe dovuto anch'esso invecchiare.

La poesia era piena di brutture naturalistiche; Jaromil non aveva dimenticato né i denti ingialliti né gli occhi cisposi né il ventre cascante; ma dietro la brutalità di questi dettagli c'era il desiderio commovente di limitare l'amore all'eterno, all'indistruttibile, a ciò che può sostituire l'abbraccio materno, a ciò che non è soggetto al tempo, a ciò che è *il centro, nient'altro che il centro*, a ciò che può vincere la potenza del corpo, del perfido corpo il cui mondo si stendeva davan-

ti a lui come una terra incognita abitata dai leoni.
Scriveva poesie sull'infanzia artificiale della tenerezza, scriveva poesie su una morte irreale, scriveva poesie su una vecchiaia irreale. Erano le tre bandiere azzurrognole sotto le quali avanzava timidamente verso il corpo immensamente reale della donna adulta.

23

Quando lei venne a casa sua (la madre e la nonna erano andate fuori Praga per due giorni) badò a non accendere la luce anche se ormai l'oscurità cominciava a calare lentamente. Avevano cenato, e adesso erano seduti nella stanza di Jaromil. Verso le dieci (l'ora in cui la madre di solito lo mandava a letto) lui disse la frase che si era ripetuto più volte mentalmente per poterla pronunciare con la massima disinvoltura: «E se andassimo a letto?».

Lei assentì, e Jaromil preparò il letto. Sì, tutto andava come aveva previsto, e senza difficoltà. La ragazza si spogliò in un angolo e Jaromil si spogliò (con molta più precipitazione) nell'altro; si infilò rapidamente il pigiama (nella cui tasca aveva già accuratamente sistemato il pacchetto col calzino), poi scivolò in fretta sotto le coperte (sapeva che il pigiama non gli stava bene, che era troppo grande e lo faceva sembrare più piccolo) e si mise a contemplare la ragazza che non si era tenuta niente addosso e tutta nuda (ah, nella penombra gli sembrava ancora più bella dell'altra volta!) venne a stendersi accanto a lui.

Gli si strinse contro e cominciò a baciarlo con passione; dopo un po' Jaromil si disse che era ormai arrivato il momento di aprire il pacchetto; si mise dunque la mano in tasca per tirarlo fuori senza esser visto. «Che hai lì?» gli chiese la ragazza. «Niente» rispose, e posò in fretta sul seno della studentessa la mano che si apprestava a prendere il calzino. Poi pensò che avrebbe dovuto scusarsi per un momento e andare in bagno, dove avrebbe potuto prepararsi discretamente. Ma mentre rifletteva (la ragazza non smetteva di baciarlo) si accorse che l'eccitazione che all'inizio aveva avvertito in tutta la sua evidenza fisica era sparita. La cosa lo gettò in un nuovo imbarazzo, perché sapeva che in quelle condizioni non aveva senso aprire il pacchetto. Cercò dunque di accarezzare appassionatamente la ragazza spiando angosciato il ritorno dell'eccitazione scomparsa. Ma invano. Il corpo sembrava come attanagliato dal terrore, sotto quel suo attento sguardo osservatore rimpiccioliva invece di crescere.

Carezze e baci non gli procuravano più né piacere né turbamento; ormai erano solo un paravento dietro il quale il ragazzo si tormentava richiamando disperatamente il proprio corpo all'obbedienza. Erano carezze e abbracci interminabili e interminabile era anche il supplizio, un supplizio sopportato in silenzio assoluto, giacché Jaromil non sapeva che cosa dire e aveva l'impressione che qualsiasi parola avrebbe tradito la sua ignominia; anche la ragazza taceva, probabilmente anche lei cominciava a presentire un insuccesso senza sapere esattamente se si trattava del suo o di quello del ragazzo; in ogni caso stava succedendo qualcosa a cui non era preparata e che aveva paura di chiamare per nome.

E quando poi quell'orrenda pantomima di baci e di carezze diminuì d'intensità e lei non ebbe più la forza di andare avanti, ognuno posò la testa sul suo cuscino e si sforzò di prender sonno. È difficile dire se dormissero o no e per quanto tempo, ma se non dormivano fingevano di farlo, perché in quel modo potevano nascondersi l'uno all'altra.

Quando si alzarono, la mattina dopo, Jaromil aveva paura di guardare il corpo della studentessa; gli sembrava tormentosamente bello, tanto più bello perché non gli apparteneva. Andarono in cucina, si prepararono la colazione e fecero grandi sforzi per parlarsi in modo naturale.

Ma poi la studentessa disse: «Tu non mi ami».

Jaromil avrebbe voluto assicurarle che non era vero, ma lei non lo lasciò parlare: «No, è inutile che cerchi di convincermi. È più forte di te e stanotte si è visto. Non mi vuoi abbastanza bene. Lo hai constatato tu stesso, stanotte, che non mi vuoi abbastanza bene».

Sulle prime Jaromil avrebbe voluto spiegare alla ragazza che la cosa non aveva nulla a che vedere con l'intensità del suo amore, ma non lo disse. Le parole della ragazza gli davano in realtà l'inattesa occasione di nascondere la propria vergogna. Era mille volte più facile accettare il rimprovero di non amare la ragazza che non la consapevolezza di avere un corpo tarato. Così non rispose nulla e si limitò ad abbassare la testa. Quando la ragazza ripeté le stesse accuse disse in un tono deliberatamente vago e poco convinto: «Ma no, ti voglio bene».

«Menti,» disse lei «tu ami un'altra».

Era ancora meglio. Jaromil chinò la testa e si strinse tristemente nelle spalle, come riconoscendo che c'era qualcosa di vero in quell'accusa.

«Se non è vero amore, non ha più senso» disse cupa la studentessa. «Ti ho detto che non riesco a prendere alla leggera questo tipo di cose. Non sopporto l'idea di essere per te il sostituto di un'altra».

Anche se la notte appena trascorsa era stata crudele, per Jaromil non c'era che una via d'uscita: ripeterla per cancellare il proprio fallimento. Si vide dunque costretto a dirle: «No, sei ingiusta. Ti voglio bene. Ti voglio un bene enorme. Ma ti avevo nascosto qualcosa. Nella mia vita c'è un'altra donna. Questa donna mi amava e io le ho fatto molto male. E adesso su di me grava come un'ombra, che mi opprime e contro la quale sono inerme. Capiscimi, ti prego. Sarebbe ingiusto che per questo tu non mi volessi più vedere, perché amo solo te, solo te».

«Non dico che non ti voglio più vedere, dico soltanto che non sopporto nessun'altra donna, neanche sotto forma di ombra. Anche tu devi capirmi, per me l'amore significa l'assoluto. In amore non conosco compromessi».

Jaromil guardava il viso della ragazza con gli occhiali e il cuore gli si stringeva all'idea di perderla; gli sembrava che gli fosse vicina, che avrebbe potuto capirlo. Eppure non voleva, non poteva confidarsi con lei, ed era costretto a farsi passare per un uomo su cui grava un'ombra fatale, un uomo lacerato e degno di compassione.

«E l'assoluto nell'amore» replicò «non significa innanzi tutto riuscire a capirsi a vicenda e amare l'altro con tutto quello che c'è dentro di lui e sopra di lui, anche con le sue ombre?».

Era una frase ben detta e la studentessa si mise a riflettere. Jaromil pensò che forse non tutto era perduto.

24

Fino a quel momento non le aveva mai fatto leggere le sue poesie; il pittore gli aveva promesso di fargliele pubblicare su una rivista d'avanguardia, e lui contava sul prestigio delle lettere stampate per abbagliare la ragazza. Ma adesso aveva bisogno che i suoi versi gli venissero rapidamente in soccorso. Era convinto che quando la studentessa li avesse letti (contava soprattutto sulla poesia che parlava dei due vecchi) lo avrebbe capito e si sarebbe commossa. Si sbagliava; forse lei pensava di dovere al suo più giovane amico dei consigli critici, e lo gelò con la laconicità delle sue osservazioni.

Dov'era andato a finire lo splendido specchio della sua entusiastica ammirazione, nel quale aveva scoperto per la prima volta la sua personalità? Tutti gli specchi ora gli offrivano la ghignante bruttezza della sua immaturità, e questo era intollerabile. Allora gli venne in mente l'illustre nome di un poeta avvolto dal luminoso alone dell'avanguardia europea e degli scandali praghesi, e pur non conoscendolo e non avendolo neanche mai visto, provò per lui la cieca fiducia che un semplice credente prova per un alto dignitario della sua chiesa. Gli inviò le sue poesie, accompagnandole con una lettera umile e supplichevole. Poi fantasticò sulla risposta, cordiale e ammirativa, e quei sogni stendevano come un balsamo sui suoi incontri con la studentessa, che diventavano sempre più rari (lei sosteneva di avere poco tempo, in vista degli esami all'università che si facevano vicini) e più tristi.

Ritornò indietro, all'epoca (del resto non tanto lontana) in cui una conversazione con qualunque donna gli causava grosse difficoltà ed era costretto a prepararsela a casa; di nuovo, viveva ogni appuntamento con molti giorni d'anticipo e passava intere lunghe serate in immaginarie conversazioni con la studentessa. In quei silenziosi monologhi inespressi appariva sempre più chiaramente (eppure misteriosamente) il personaggio della donna di cui la studentessa aveva sospettato l'esistenza durante la colazione a casa di Jaromil; quella donna circondava Jaromil dell'aureola luminosa di un passato vissuto, svegliava un interesse geloso e giustificava il fallimento del suo corpo.

Sfortunatamente, la donna appariva soltanto in quei monologhi inespressi, perché era discretamente e rapidamente scomparsa dalle conversazioni reali tra Jaromil e la studentessa; e la studentessa aveva smesso di interessarsene di colpo, così come aveva cominciato a parlarne. La cosa era preoccupante! Tutte le piccole allusioni di Jaromil, i lapsus accuratamente calcolati, i bruschi silenzi destinati a far credere che stava pensando a un'altra donna, passavano completamente inosservati.

In compenso, lei gli parlava a lungo (e molto allegramente, ahimè!) dell'università, e gli descriveva i suoi compagni in modo così vivo che essi gli sembravano assai più reali di lui stesso. Stavano entrambi tornando ad essere quello che erano prima di conoscersi: lui un ragazzino timido e lei una *vergine di pietra*, che faceva discorsi eruditi. Solo a tratti (e Jaromil amava infinitamente quei momenti, li divorava) lei diventava di colpo taciturna o diceva a bruciapelo una frase triste e nostalgica alla quale Jaromil invano tentava di annodare le proprie parole, perché la tristezza della ragazza era tutta rivolta verso il suo intimo e non desiderava accordarsi con la tristezza di Jaromil.

Qual era la fonte di quella tristezza? Chissà; forse rimpiangeva l'amore che aveva visto scomparire; forse pensava a un altro che desiderava; chissà; una volta quel momento di tristezza fu così intenso (erano usciti da un cinema e passeggiavano per una strada vuota e tranquilla) che gli posò la testa sulla spalla.

Mio Dio! Lui aveva già vissuto tutto questo! L'aveva vissuto la sera che passeggiava nel parco di Stromolka con la ragazza conosciuta alla scuola di danza! Quel movimento della testa, che allora lo aveva eccitato, produsse su di lui lo stesso effetto: era eccitato! era infinitamente e visibilmente eccitato! Solo che questa volta non si vergognava, al contrario, questa volta desiderava disperatamente che la ragazza notasse la sua eccitazione!

Ma lei teneva la testa posata tristemente sulla sua spalla, e Dio sa dove guardava attraverso i suoi occhialetti.

E l'eccitazione di Jaromil persisteva, vittoriosamente, fieramente, lungamente, visibilmente, e lui desiderava che fosse notata e apprezzata! Avrebbe voluto prendere la mano della ragazza e posarla in basso sul proprio corpo, ma era solo un'idea, che gli parve insensata e irrealizzabile. Si disse allora che avrebbe potuto fermarsi e baciarla, così la ragazza avrebbe sentito col corpo la sua eccitazione.

Ma quando la studentessa capì, da come lui andava rallentando il passo, che voleva fermarsi per baciarla, disse: «No, no, voglio restare così, voglio restare così...», e lo disse con tanta tristezza che Jaromil obbedì senza protestare. E quell'altro, tra le gambe, gli faceva l'impressione di un nemico, di un clown, di un buffone che ballava e si prendeva gioco di lui. Camminava con una testa triste ed estranea sulla spalla e con un clown estraneo e irridente tra le gambe.

25

Pensando forse che la tristezza e il desiderio di conforto (il celebre poeta continuava a non rispondergli) potessero giustificare qualsiasi azione insolita, andò a trovare il pittore senza preavviso. Appena fu in anticamera capì dal brusio delle voci che c'era gente e fece per scusarsi e andarsene; ma il pittore lo invitò calorosamente a entrare nello studio dove lo presentò ai suoi ospiti, tre uomini e due donne.

Jaromil si sentiva avvampare le guance sotto gli sguardi di cinque sconosciuti, ma al tempo stesso era lusingato; nel presentarlo, il pittore disse subito che scriveva splendidi versi, e parlò di lui come se gli invitati lo conoscessero già di fama. Era una sensazione piacevole. Quando si sedette in poltrona e si guardò intorno, constatò con grande piacere che tutt'e due le donne presenti erano più belle della sua studentessa. Con quanta elegante naturalezza accavallavano le gambe, scuotevano la cenere della sigaretta nel portacenere e mescolavano in frasi bizzarre termini eruditi e parole volgari! Jaromil si sentiva come sollevato da un ascensore verso altezze dove la voce torturante della ragazza con gli occhiali non poteva più raggiungere le sue orecchie.

Una delle donne, rivolgendosi a lui, gli chiese con molta amabilità che genere di versi scrivesse. «Versi» rispose stringendosi nelle spalle imbarazzato. «Versi notevoli» aggiunse il pittore, e Jaromil abbassò la testa; l'altra donna lo guardò e disse con una voce da contralto: «Qui in mezzo a noi mi fa pensare a Rimbaud tra Verlaine e i compagni nel quadro di Fantin-Latour. Un bambino in mezzo a degli uomini. Si dice che a diciotto anni Rimbaud ne dimostrasse tredici. Anche lei» disse poi rivolta a Jaromil «sembra proprio un bambino».

(Non possiamo trattenerci dal far osservare che questa donna si chinava su Jaromil con la stessa tenerezza crudele con cui si chinavano su Rimbaud le sorelle del suo maestro Izambard – le famose *cercatrici di pidocchi* – quando lui andava a cercare rifugio da loro dopo i suoi lunghi vagabondaggi e loro lo lavavano, lo pulivano e lo spidocchiavano).

«Il nostro amico» disse il pittore «ha la fortuna, che del resto non durerà ancora a lungo, di non essere più un bambino e di non essere ancora un uomo».

«La pubertà è l'età più poetica» disse la prima donna.

«Resteresti di stucco» disse il pittore con un sorriso «se conoscessi la maturità e la perfezione sorprendente dei versi di questo sbarbatello...».

«Sì» fece uno degli uomini con un cenno di assenso, dimostrando così che conosceva i versi di Jaromil e approvava gli elogi del pittore.

«Non li pubblica?» chiese a Jaromil la donna con la voce da contralto.

«Non credo che l'epoca degli eroi positivi e dei busti di Stalin sia molto favorevole alla sua poesia» disse il pittore.

L'allusione agli eroi positivi spinse di nuovo la conversazione sui binari lungo i quali scorreva prima dell'arrivo di Jaromil. Jaromil conosceva già l'argomento e poteva facilmente partecipare alla discussione, ma ormai non sentiva più quello che dicevano intorno a lui. Nella sua testa echi interminabili gli andavano ripetendo che dimostrava tredici anni, che era un bambino, che era uno sbarbatello. Certo, sapeva bene che nessuno aveva avuto intenzione di offenderlo e che soprattutto il pittore ammirava sinceramente le sue poesie, ma questo non faceva che peggiorare le cose; che cosa gli importava, in quel momento, delle sue poesie? Avrebbe rinunciato mille volte alla loro maturità in cambio della propria maturità. Avrebbe dato tutte le sue poesie per un solo coito.

La discussione diventava sempre più animata e Jaromil aveva voglia di andarsene. Ma era così angosciato che gli riusciva difficile pronunciare la frase con la quale avrebbe dovuto congedarsi. Aveva paura di sentire la propria voce; aveva paura che quella voce si mettesse a tremare o a balbettare, tradendo così nuovamente davanti a tutti la sua immaturità e i suoi tredici anni. Avrebbe voluto diventare invisibile, sparire in punta di piedi, andarsene lontano, addormentarsi e dormire a lungo, e risvegliarsi solo dopo dieci anni, quando il suo viso fosse invecchiato e coperto di rughe virili.

La donna con la voce da contralto si rivolse di nuovo a lui: «Perché così silenzioso, piccolo?».

Biascicò che preferiva ascoltare piuttosto che parlare (anche se in realtà non ascoltava affatto) e gli parve impossibile sfuggire alla condanna pronunciata contro di lui dalla studentessa, e che la sentenza con cui veniva ricacciato nella verginità, che si portava addosso come un marchio (Dio mio, tutti capivano al primo sguardo che non aveva mai avuto una donna!), fosse ancora una volta confermata.

E poiché sapeva che tutti gli altri lo stavano di nuovo guardando, prese dolorosamente coscienza del proprio viso e sentì, quasi con terrore, che quello che aveva sul viso era il sorriso della madre! Lo riconosceva con certezza, quel sorriso delicato, amaro, se lo sentiva sulle labbra e non aveva modo di sbarazzarsene. Sentiva di avere la madre incollata sul viso, sentiva che la madre lo avvolgeva come una crisalide avvolge la larva alla quale non vuol riconoscere il diritto a un'immagine autonoma.

E stava lì, in mezzo a degli adulti, con addosso la maschera della madre, e la madre lo abbracciava e lo tirava verso di sé per allontanarlo da quel mondo al quale lui voleva appartenere e che nei suoi confronti si comportava con benevolenza, ma sempre come ci si comporta nei confronti di qualcuno che ancora non vi appartiene. La situazione era così intollerabile che Jaromil fece appello a tutte le sue forze per scrollarsi di dosso la maschera materna, per uscirne; si sforzò di seguire la discussione.

Essa verteva su un argomento allora oggetto di appassionati dibattiti tra tutti gli artisti. In Boemia l'arte moderna si era sempre richiamata alla rivoluzione comunista; ma quando la rivoluzione era arrivata, aveva proclamato come programma imprescindibile un realismo popolare comprensibile a tutti e aveva rigettato l'arte moderna come una manifestazione mostruosa della decadenza borghese. «È questo il nostro dilemma,» diceva uno degli ospiti del pittore «tradire l'arte moderna con la quale siamo cresciuti, o la rivoluzione a cui ci richiamiamo?».

«Il problema è posto male» disse il pittore. «Una rivoluzione che fa risuscitare dalla tomba l'arte accademica e fabbrica a migliaia di esemplari busti degli uomini di Stato non ha tradito soltanto l'arte moderna, ma prima di tutto se stessa. Una rivoluzione del genere non vuole trasformare il mondo, ma al contrario, vuole conservare lo spirito più reazionario della storia, lo spirito del fanatismo, della disciplina, del dogmatismo, della fede e delle convenzioni. Non c'è nessun dilemma per noi. Come veri rivoluzionari non possiamo accettare questo tradimento della rivoluzione».

Jaromil non avrebbe avuto nessuna difficoltà a sviluppare il pensiero del pittore, di cui conosceva molto bene la logica, ma gli ripugnava l'idea di esibirsi lì, sul palcoscenico del pittore, nella parte dell'allievo commovente, del bambino docile che verrà coperto di elogi. Fu invaso da un desiderio di ribellione e disse, rivolto al pittore:

«Lei cita sempre Rimbaud: *Bisogna essere assolutamente moderni*. Concordo in pieno. Ma assolutamente nuovo non è quello che prevediamo cinquant'anni prima, bensì quello che ci sciocca e ci sorprende. Assolutamente moderno non è il surrealismo, che dura ormai da un quarto di secolo, ma questa rivoluzione che si sta compiendo sotto i nostri occhi. Il fatto che lei non la comprende è semplicemente la dimostrazione che essa è nuova».

Lo interruppero: «L'arte moderna era un movimento diretto contro la borghesia e il suo mondo».

«Sì,» disse Jaromil «ma se fosse veramente coerente nella sua negazione del mondo contemporaneo dovrebbe calcolare anche la propria sparizione. Avrebbe dovuto sapere (e addirittura volere) che la rivoluzione avrebbe creato anche un'arte completamente nuova, a propria immagine e somiglianza».

«Dunque, lei approva» disse la donna con la voce da contralto «che oggi vengano messe all'indice le poesie di Baudelaire, che tutta la letteratura moderna venga proibita e che i quadri cubisti della Galleria Nazionale vengano messi in cantina?».

«La rivoluzione è violenza,» disse Jaromil «è una cosa risaputa, e proprio il surrealismo sapeva bene che i vecchi devono essere cacciati via brutalmente dalla scena, solo che non immaginava di essere ormai lui stesso tra i vecchi».

La rabbia e l'umiliazione gli facevano formulare i suoi pensieri, così gli sembrava, in modo puntuale e cattivo. Solo una cosa lo sconcertò fin dalle prime parole: sentì nella propria voce l'intonazione autoritaria tipica del pittore e non poté impedire alla mano destra di descrivere nell'aria i gesti caratteristici del pittore. Era, in realtà, una curiosa discussione del pittore con il pittore, del pittore-uomo con il pittore-bambino, del pittore con la propria ombra in rivolta. Jaromil se ne rendeva conto e si sentiva ancora più umiliato; e così ricorreva a formulazioni sempre più dure per vendicarsi del pittore che l'aveva imprigionato nei suoi gesti e nella sua voce.

Per due volte il pittore rispose a Jaromil con lunghe spiegazioni, ma poi restò zitto. Si limitava a guardarlo, con aria dura e severa, e Jaromil sapeva che non avrebbe mai più potuto mettere piede nello studio. Tutti tacquero, poi a un certo punto la donna con la voce da contralto (ma questa volta non gli parlava chinandosi su di lui teneramente come la sorella di Izambard sulla testa pidocchiosa di Rimbaud, sembrava piuttosto ritrarsi da lui con tristezza e stupore) disse: «Io non conosco i suoi versi, ma da quanto ho sentito dubito che potrebbero essere pubblicati sotto questo regime che lei ha difeso con tanta veemenza».

Jaromil ricordò la poesia sui due vecchi e il loro ultimo amore; si rese conto che quella poesia, che lui amava infinitamente, non avrebbe mai potuto essere pubblicata nell'epoca degli slogan ottimistici e delle poesie di propaganda, e che rinnegandola avrebbe rinnegato quanto aveva di più caro, avrebbe rinnegato la sua unica ricchezza, senza la quale sarebbe rimasto completamente solo.

Ma c'era una cosa ancora più preziosa delle sue poesie; una cosa che non possedeva ancora, che era lontana e che lui desiderava ardentemente: la virilità; sapeva che avrebbe potuto raggiungerla solo con l'azione e il coraggio; e se coraggio significava avere il coraggio di essere abbandonato, abbandonato da tutti, dalla donna amata, dal pittore e persino dalle proprie poesie, ebbene, sì; voleva avere questo coraggio. E così disse:

«Sì, so che la rivoluzione non ha bisogno di queste poesie. Mi dispiace, perché io le amo. Ma il mio dispiacere, purtroppo, non è affatto un argomento contro la loro inutilità». Ci fu di nuovo qualche attimo di silenzio, poi uno degli uomini disse: «È terribile», e tremò veramente come se avesse avuto un brivido. Jaromil avvertì l'impressione di orrore prodotta dalle sue parole sui presenti, i quali, guardandolo, vedevano in lui la sparizione vivente di tutto ciò che amavano e per cui vivevano.

Era triste, ma anche bello: per un attimo, Jaromil perse la sensazione di essere un bambino.

26

La mamma leggeva i versi che Jaromil aveva posato sul suo tavolo senza dire una parola e cercava di leggere, tra le righe, la vita del figlio. Se i versi parlassero almeno un linguaggio chiaro! La loro sincerità è ingannevole; sono pieni di enigmi e di allusioni; la mamma sa che suo figlio ha la testa piena di donne, ma non ha idea di che cosa faccia con loro.

Per questo un giorno aprì il cassetto dello scrittoio di Jaromil e frugò finché non trovò il suo diario. Inginocchiata per terra, lo sfogliò con emozione; le annotazioni erano laconiche, ma poté comunque dedurne che il figlio era innamorato; poiché la designava soltanto con un'iniziale maiuscola, non riuscì a indovinare chi fosse in realtà quella donna; in compenso era stato annotato, con un compiacimento del dettaglio che la mamma trovò disgustoso, il giorno in cui si erano dati il primo bacio, quante volte avevano fatto il giro dei giardini, quando lui le aveva toccato per la prima volta il seno e per la prima volta il sedere.

Poi arrivò a una data segnata in rosso e decorata da molti punti esclamativi; accanto alla data si poteva leggere: *Domani! domani! ah, vecchio Jaromil, vecchietto dal cranio calvo, quando leggerai queste parole tra molti anni, ricorda che la vera storia della tua vita è cominciata quel giorno!*

Rifletté rapidamente e ricordò che era il giorno in cui si era assentata da Praga con la nonna; e poi ricordò che al ritorno aveva trovato, nel bagno, il suo prezioso flacone di profumo senza tappo; aveva chiesto a Jaromil che cosa avesse fatto col profumo e lui, imbarazzato, le aveva risposto: «Ci ho giocato...». Oh, come era stata stupida! Aveva ricordato che Jaromil da piccolo diceva di voler fare l'inventore di profumi, e quel ricordo l'aveva commossa. Si era limitata a dirgli: «Non credi di essere un po' troppo grande per questi giochi?». Ma adesso tutto era chiaro: in quel bagno c'era stata una donna, la donna con cui Jaromil aveva passato la notte nella villa, la donna con cui aveva perso la verginità.

Immaginava il suo corpo nudo; immaginava, accanto a quel corpo, il corpo nudo di una donna, immaginava che quel corpo femminile fosse cosparso del suo profumo e che avesse dunque il suo stesso odore; fu presa dal disgusto. Guardò di nuovo il diario e constatò che dopo la data seguita dai punti esclamativi le annotazioni finivano. Ecco, per un uomo tutto finisce il giorno in cui riesce a far l'amore con una donna, pensò con amarezza, e suo figlio le sembrò un essere ignobile.

Per alcuni giorni lo evitò e fece di tutto per non vederlo. Poi notò che era dimagrito e pallido; non ebbe il minimo dubbio che fosse perché il figlio faceva troppo l'amore.

Solo molti giorni dopo si accorse che nell'abbattimento del figlio c'era tristezza, oltre che stanchezza. La cosa la riconciliò un po' con lui e le diede speranza: si diceva che le amanti feriscono e le madri consolano; si diceva che le amanti possono essere molte, ma la madre è una sola. Bisogna che mi batta per lui, bisogna che mi batta per lui, si andava ripetendo, e da quel momento cominciò a prendersi cura di lui, a girargli intorno come una tigre vigilante e compassionevole.

27

In quei giorni Jaromil sostenne con successo gli esami di licenza liceale. Si congedò con grande tristezza dai compagni con cui aveva vissuto otto anni, e gli parve che quella maturità ufficialmente confermata si stendesse dinanzi a lui come un deserto. Poi, un bel giorno, venne a sapere (per puro caso: incontrò un ragazzo che aveva conosciuto durante le riunioni a casa dell'uomo bruno) che la studentessa con gli occhiali si era innamorata di un compagno di università.

Si videro ancora una volta; lei gli disse che tra qualche giorno sarebbe partita per la villeggiatura; lui si annotò il suo indirizzo; non fece parola di quello che era venuto a sapere; temeva, parlandone, di affrettare la loro rottura definitiva; era felice che lei non lo avesse ancora lasciato del tutto, anche se aveva un altro; era felice che gli permettesse, di tanto in tanto, di baciarla, e che lo trattasse almeno come un amico; teneva terribilmente a lei ed era pronto a rinunciare a tutto il suo orgoglio; lei era l'unica creatura viva nel deserto che vedeva davanti a sé; si aggrappava convulsamente alla speranza che il loro amore agonizzante potesse ancora rianimarsi.

La studentessa partì lasciando dietro di sé un'estate afosa, simile a un lungo tunnel soffocante. Una lettera a lei indirizzata (querula e implorante) scomparve in quel tunnel senza ottenere risposta. Jaromil pensava alla cornetta del telefono appesa nella sua stanza; sfortunatamente, quella cornetta aveva acquistato all'improvviso un significato vivo e reale: una cornetta con il filo rotto, una lettera senza risposta, una conversazione con una persona che non ascolta...

E sui marciapiedi scivolavano donne con abitini leggeri, le finestre aperte riversavano motivetti alla moda; i tram traboccavano di persone che portavano asciugamano e costume nella borsa, e il battello delle escursioni scendeva la Vltava, verso il Sud, verso le foreste...

Jaromil era solo come un cane e soltanto gli occhi materni lo seguivano e restavano fedelmente con lui;

ma a lui era insopportabile appunto che quegli occhi potessero mettere a nudo la sua solitudine, che voleva essere segreta e invisibile. Non sopportava gli sguardi della madre né le sue domande! Scappava da casa e rientrava tardi, per mettersi subito a letto.

Abbiamo detto che non era nato per la masturbazione, bensì per un grande amore, eppure, durante quelle settimane, si masturbò disperatamente e con frenesia, come se volesse punirsi da sé per un'attività così vile e umiliante. Dopo, aveva mal di testa per tutto il giorno, ma ne era quasi contento perché l'emicrania velava ai suoi occhi la bellezza delle donne in abitini leggeri e attutiva le melodie sfrontatamente sensuali delle canzonette; e così, in preda a un dolce torpore, riusciva ad attraversare senza difficoltà l'interminabile superficie della giornata.

E la risposta della studentessa non arrivava mai. Se almeno fosse arrivata qualche altra lettera! Se soltanto qualcuno avesse accettato di entrare nel suo vuoto! Se il celebre poeta a cui aveva inviato le sue poesie per un giudizio avesse finalmente scritto a Jaromil qualche frase! Oh, se almeno lui gli avesse scritto qualche parola piena di calore! (Sì, abbiamo detto che Jaromil avrebbe dato tutte le sue poesie pur di essere considerato un uomo, ma a questo dobbiamo aggiungere: se non veniva considerato un uomo, l'unica cosa che poteva dargli un po' di consolazione era essere almeno considerato poeta).

Volle farsi vivo un'altra volta con il celebre poeta. Farsi vivo, però, non con una lettera, ma con un gesto carico di poesia. Un giorno uscì di casa con un coltello affilato. Andò a lungo su e giù davanti a una cabina telefonica e quando fu sicuro che non passava nessuno entrò e tagliò la cornetta. Riuscì a portar via una cornetta al giorno, e dopo venti giorni (nessuna lettera era ancora arrivata, né dalla ragazza né dal poeta) aveva venti cornette col filo tagliato. Le mise in una scatola, che impacchettò e legò; ci scrisse sopra l'indirizzo del celebre poeta e il suo al posto del mittente. Poi, in preda a una grande agitazione, portò il pacco alla posta.

Mentre tornava dall'ufficio postale qualcuno gli diede una manata sulle spalle. Si voltò e vide il suo vecchio compagno delle medie, il figlio del bidello. Fu contento di vederlo (il minimo avvenimento era il benvenuto in quel vuoto dove non succedeva mai niente); iniziò la conversazione con gratitudine, e quando seppe che il compagno abitava vicino alla posta quasi l'obbligò a invitarlo a casa sua.

Il figlio del bidello non abitava più alla scuola coi genitori, aveva un appartamentino indipendente, di una stanza. «Mia moglie non è in casa» spiegò a Jaromil entrando. Jaromil non immaginava che il compagno fosse sposato. «Sì, è ormai un anno» disse il figlio del bidello, e lo disse con tanta sicurezza e naturalezza che Jaromil provò invidia.

Poi si sedettero e Jaromil notò vicino a una parete una culla con un neonato; si rese conto che il suo compagno era un padre di famiglia, mentre lui era un onanista.

Il figlio del bidello tirò fuori da un armadio una bottiglia di liquore, ne versò in due bicchieri e Jaromil pensò che lui non avrebbe potuto tenere in camera sua una bottiglia, perché la madre lo avrebbe tormentato con mille domande.

«E che fai?» chiese Jaromil.

«Sono nella polizia» disse il compagno, e Jaromil ricordò il giorno in cui, con la gola avvolta in un asciugamano, stava ritto davanti alla radio da cui venivano le grida scandite della folla. La polizia era il più solido sostegno del partito comunista, e il suo vecchio compagno di scuola si era certamente trovato, in quei giorni, insieme con la folla ruggente, mentre lui, Jaromil, era a casa con la nonna.

Sì, il figlio del bidello aveva effettivamente passato quelle giornate in strada e ne parlava con fierezza, ma anche con una certa cautela, sicché Jaromil credette necessario fargli capire che erano legati dalle stesse convinzioni; gli parlò delle riunioni a casa dell'uomo bruno. «Quell'ebreo?» disse il figlio del bidello senza entusiasmo. «Stacci attento, con quello! È un tipo molto strano!».

Il figlio del bidello continuava a sfuggirgli, era sempre un po' più in alto di lui, e Jaromil desiderava sollevarsi al suo stesso livello; gli disse con voce triste: «Non so se sei al corrente, ma mio padre è morto in un campo di concentramento. Da allora so che bisogna cambiare radicalmente il mondo e so dov'è il mio posto».

Il figlio del bidello finalmente fece un cenno di assenso con l'aria di chi ha capito; restarono a conversare ancora a lungo e quando parlarono del loro avvenire Jaromil affermò, di punto in bianco: «Voglio fare politica». Era lui stesso sorpreso di averlo detto; come se quelle parole avessero superato i suoi stessi pensieri; come se avessero deciso per lui e senza di lui il percorso della sua vita. «Sai,» continuò «mia madre vorrebbe che studiassi storia dell'arte o francese, o qualcos'altro del genere, ma a me non interessa. Non è vita. La vera vita è quella che fai tu».

Quando lasciò la casa del figlio del bidello gli parve di aver avuto, quel giorno, l'illuminazione decisiva. Qualche ora prima aveva spedito alla posta un pacco con venti cornette del telefono, persuaso che fosse uno splendido appello fantastico per sollecitare la risposta del grande poeta. Persuaso di avergli fatto dono, in quel modo, della vana attesa delle sue parole, del desiderio della sua voce.

Ma la conversazione che aveva avuto, subito dopo, col vecchio compagno di scuola (ed era sicuro che non fosse stato un caso!) aveva dato al suo atto poetico un significato opposto: non era un dono, non era un appello supplicante; niente affatto; aveva fieramente *restituito* al poeta tutta la sua vana attesa; le cornette col filo tagliato erano le teste decapitate della sua devozione e Jaromil le aveva sarcasticamente spedite al poeta, come un sultano turco di altri tempi rimandava al comandante dei cristiani le teste mozze dei crociati.

Adesso aveva capito tutto: Tutta la sua vita non era stata altro che una lunga attesa in una cabina abbandonata davanti a una cornetta del telefono con la quale non si poteva chiamare nessuno. Non c'era che una via d'uscita: lasciare la cabina abbandonata, andarsene al più presto!

28

«Jaromil, che ti succede?». La calda sollecitudine di quella domanda gli faceva venire le lacrime agli occhi; non c'era modo di sfuggirvi, e la mamma continuava: «Sei il mio bambino. Io ti conosco a memoria. So tutto di te, anche se non ti vuoi confidare».

Jaromil guardava da un'altra parte e si vergognava. E la mamma continuava: «Non devi pensare a me come a una madre, ma come a una tua amica più vecchia. Forse, se ti confidassi con me, ti sentiresti meglio. So che c'è qualcosa che ti fa soffrire». E aggiunse a bassa voce: «E so anche che si tratta di una ragazza».

«Sì, mamma, sono triste» ammise Jaromil, perché quella calda atmosfera di comprensione reciproca lo circondava tutto e non poteva fuggirne. «Ma mi è così difficile parlarne...».

«Ti capisco; ma non voglio che tu me ne parli adesso, voglio solo che tu sappia che quando vorrai potrai dirmi tutto. Guarda. Oggi è una giornata splendida. Mi ero messa d'accordo con delle amiche per fare una gita in battello. Ti porto con me. Hai bisogno di distrarti un poco».

Jaromil non ne aveva la minima voglia, ma non aveva nessuna scusa a portata di mano; e poi era così stanco e triste che non aveva abbastanza energia per resistere, e senza neanche sapere come a un certo punto si ritrovò sul ponte di un battello insieme con quattro signore.

Le signore avevano tutte l'età della madre e Jaromil offriva loro un soggetto di conversazione ideale; furono molto sorprese che avesse già dato gli esami di maturità; constatarono che somigliava alla madre; scossero la testa quando seppero che aveva deciso di iscriversi all'istituto di studi politici (erano d'accordo con la madre che quel genere di studi non fosse adatto a un giovane così delicato) e naturalmente gli chiesero con aria scherzosa se aveva già una ragazza; Jaromil le detestava in cuor suo, ma vedeva che la madre era contenta e, per farle piacere, sorrideva docilmente.

Poi il battello accostò e le signore, insieme col loro adolescente, scesero sulla riva cosparsa di gente seminuda e cercarono un posto per prendere il sole; solo due avevano il costume; la terza denudò il suo grasso corpo bianco e restò in reggiseno e mutandine rosa (non si vergognava affatto di esibire l'intimità della sua biancheria, forse si sentiva pudicamente dissimulata dalla sua bruttezza), mentre la mamma disse che le bastava abbronzarsi il viso, che girò verso il sole strizzando gli occhi. In compenso, tutte e quattro erano d'accordo che il ragazzo doveva spogliarsi, prendere il sole e fare il bagno; del resto la mamma ci aveva pensato e aveva portato il costume di Jaromil.

Da un caffè vicino giungeva la musica delle canzonette, che riempiva Jaromil di un languoroso desiderio inappagato; ragazzi e ragazze abbronzati passavano lì intorno in costume da bagno e Jaromil aveva l'impressione che tutti lo guardassero; era avvolto nei loro sguardi come fossero fiamme; faceva sforzi disperati perché nessuno si accorgesse che era con le quattro signore attempate, ma quelle non facevano che chiamarlo, parlargli, comportandosi come un'unica madre dalle quattro teste ciarliere; insistevano perché facesse il bagno.

«Non so neanche dove spogliarmi» protestava lui.

«Sciocco, non ti guarderà nessuno, basta che tu ti metta davanti l'asciugamano» gli suggerì la signora grassa con le mutandine rosa.

«È così pudico» disse la mamma ridendo, e tutte le altre signore risero con lei.

«Bisogna rispettare il suo pudore» disse la mamma. «Vieni, spogliati dietro l'asciugamano e nessuno ti vedrà». Teneva tra le mani tese un grande asciugamano bianco che avrebbe dovuto servire da paravento, proteggendolo dagli sguardi della spiaggia.

Lui indietreggiò, e la mamma lo seguì con l'asciugamano. Continuò a indietreggiare davanti a lei e lei continuava a seguirlo; sembrava un grande uccello dalle ali bianche all'inseguimento della preda in fuga.

Jaromil indietreggiava, indietreggiava, poi si girò e corse via.

Le signore lo guardavano con sorpresa, la mamma teneva sempre l'asciugamano tra le mani tese e lui si faceva strada tra i giovani corpi denudati, e spariva al loro sguardo.

PARTE QUARTA

OVVERO

IL POETA CORRE

1

Deve arrivare il momento in cui il poeta si strappa all'abbraccio della propria madre e fugge.

Ancora poco tempo fa andava docilmente in fila per due, in testa le sorelle, Isabelle e Vitalie, lui dietro con il fratello Frédéric, e in coda, simile a un comandante, la madre, che in questo modo portava ogni settimana a passeggio per Charleville i propri figli.

Aveva sedici anni quando si strappò per la prima volta alle sue braccia. A Parigi fu arrestato dalla polizia, il maestro Izambard e le sorelle di questi (sì, quelle che si chinavano su di lui per spidocchiarlo) gli offrirono rifugio per due settimane, poi il freddo abbraccio materno si richiuse su di lui con due ceffoni.

Ma Arthur Rimbaud continuò a fuggire; correva con un collare saldato intorno al collo e correndo poetava.

2

Era l'anno di grazia 1870 e a Charleville giungeva l'eco lontana dei cannoni della guerra francoprussiana. Era una situazione particolarmente favorevole alla fuga, giacché i clamori della battaglia esercitano un nostalgico richiamo sui poeti.

Il suo corpo minuto dalle gambe storte si rinchiuse in un'uniforme da ussaro. All'età di diciotto anni Lermontov[1] entrò nell'esercito sfuggendo così alla nonna e al suo invadente amore materno. Barattò la penna, che è la chiave dell'anima, per la pistola, che è la chiave delle porte del mondo. Perché quando tiriamo una pallottola nel petto di un uomo è come se noi stessi entrassimo in quel petto; e il petto dell'altro è appunto il mondo.

Dal momento in cui si è strappato alle braccia materne, Jaromil non ha mai smesso di correre, e anche al rumore dei suoi passi si mischia qualcosa che assomiglia al rombo del cannone. Non sono scoppi di granate, è piuttosto il tumulto di un rivolgimento politico. In epoche del genere il soldato non è altro che una decorazione e l'uomo politico prende il posto del soldato. Jaromil non scrive più versi, ma segue assiduamente i corsi dell'istituto di studi politici.

3

Rivoluzione e giovinezza sono due cose inseparabili. Che cosa può promettere la rivoluzione agli adulti? Ad alcuni la prigione, ad altri i suoi favori. Ma neanche quei favori valgono un gran che, perché

1. Michail Lermontov, poeta romantico russo.

interessano solo la metà peggiore della vita e apportano, insieme con i vantaggi, l'incertezza, un'attività spossante e lo sconvolgimento delle abitudini.

La giovinezza è in una posizione migliore: non è carica di colpe, e la rivoluzione può prenderla tutta sotto la sua protezione. L'incertezza delle epoche rivoluzionarie è un vantaggio per la gioventù, giacché è il mondo dei padri a essere precipitato nell'incertezza; ah, com'è bello entrare nell'età adulta quando i baluardi del mondo degli adulti sono crollati!

Nei primi anni dopo il colpo di Stato del 1948, nelle scuole superiori ceche i professori comunisti erano in minoranza. Per assicurare la propria influenza nelle università la rivoluzione doveva dare il potere agli studenti. Jaromil militava nella sezione dell'istituto dell'Unione giovanile e assisteva agli esami. In seguito riferiva al comitato politico dell'istituto in che modo il professore aveva tenuto l'esame, che tipo di domande aveva fatto e quali opinioni aveva manifestato, di modo che il vero esame lo sosteneva l'esaminatore più che l'esaminando.

4

Ma anche Jaromil sosteneva a sua volta un esame quando faceva rapporto al comitato. Doveva rispondere alle domande di giovanotti severi e desiderava parlare in modo da piacere loro: quando si tratta dell'educazione dei giovani il compromesso è un delitto. Non si possono lasciare nelle scuole insegnanti dalle idee superate: il futuro sarà nuovo o non sarà. E non ci si può fidare di quei professori che cambiano idea da un giorno all'altro: il futuro sarà puro o sarà ignominioso.

Adesso che Jaromil è divenuto un rigoroso militante i cui rapporti possono cambiare il destino degli adulti, si può ancora affermare che sia in fuga? Non dà l'impressione di aver raggiunto il suo scopo?

Niente affatto.

Già quando aveva sei anni, la madre gli aveva tolto un anno rispetto ai suoi compagni di scuola; continua ad avere un anno di meno. Quando fa rapporto su un professore che ha idee borghesi, non pensa al professore, ma guarda angosciato negli occhi dei giovanotti e vi osserva la propria immagine; come a casa controlla nello specchio la propria pettinatura e il proprio sorriso, così nei loro occhi controlla la fermezza, la virilità, la durezza delle proprie parole.

È sempre circondato da un muro di specchi e non vede al di là di essi.

La maturità, infatti, è indivisibile; la maturità è totale o non è. Finché altrove sarà un bambino, la sua presenza agli esami e i suoi rapporti sui professori saranno soltanto un modo di fuggire.

5

Perché Jaromil continua a fuggire da lei e non ci riesce mai; fa colazione con lei, cena con lei, le dà il buongiorno e la buonanotte. La mattina, riceve da lei la borsa della spesa; la mamma non si preoccupa che quel simbolo domestico sia poco adatto al controllore ideologico dei professori, e lo manda a fare le compere.

Guardatelo: percorre la stessa strada dove, all'inizio della parte precedente, l'abbiamo visto arrossire davanti a una sconosciuta che veniva in direzione opposta. Sono passati molti anni da quel giorno, ma lui continua ad arrossire, e nel negozio dove la madre lo manda a far la spesa non ha il coraggio di guardare negli occhi la ragazza col camice bianco.

Quella ragazza che passa otto ore al giorno imprigionata dietro la cassa gli piace alla follia. La morbidezza dei lineamenti, la lentezza dei gesti, la sua prigionia, tutto ciò gli sembra misteriosamente vicino e predestinato. Del resto lui sa perché: quella ragazza assomiglia alla cameriera a cui avevano fucilato il fidanzato: tristezza bel volto. E la gabbia della cassa in cui la ragazza sta seduta somiglia alla vasca in cui aveva visto la cameriera.

6

Chino sul suo scrittoio, trema all'idea degli esami; quelli dell'istituto lo terrorizzano come l'avevano terrorizzato quelli del liceo, perché è abituato a mostrare alla madre solo trenta e lode e non vuole farle dispiacere.

Ma com'è insopportabile la mancanza d'aria in questa angusta stanzetta praghese, quando l'aria è piena degli echi dei canti rivoluzionari e dalle finestre entrano le ombre di uomini vigorosi che tengono in mano dei martelli!

È l'anno 1922, non sono ancora passati cinque anni dalla grande rivoluzione russa e lui deve farsi venire la gobba su un libro e tremare dalla paura per un esame! Che condanna!

Alla fine mette via il libro (è notte fonda) e pensa alla poesia che ha già iniziato a scrivere; parla dell'operaio Jan che sogna una vita bella e vuole uccidere il sogno realizzandolo; in una mano stringe un martello, nell'altra il braccio della sua amante, e così marcia nella folla dei compagni verso la rivoluzione.

E lo studente di diritto (ma sì, certo, si tratta di Jiří Wolker) vede del sangue sul tavolo, molto sangue, perché

quando si uccidono grandi sogni
scorre molto sangue

ma lui non ha paura del sangue, perché sa bene che, se vuole essere un uomo, non deve avere paura del sangue.

7

Il negozio chiude alle sei e lui va ad appostarsi all'angolo di fronte. Sa che pochi minuti dopo le sei la cassiera uscirà. Ma sa anche che esce sempre insieme con un'altra commessa.

L'amica è molto meno carina, anzi gli sembra addirittura brutta; è l'esatto contrario dell'altra: la cassiera è bruna, quella è rossa; la cassiera è prosperosa, quella è magra; la cassiera è silenziosa, quella è chiacchierona; la cassiera gli è misteriosamente vicina, quella gli è antipatica.

Ripeteva spesso i suoi appostamenti nella speranza che una volta o l'altra le ragazze uscissero dal negozio ognuna per conto suo e si presentasse così l'occasione di attaccare discorso con la bruna. Ma non successe mai. Una volta le seguì tutt'e due; dopo aver percorso alcune strade entrarono in una casa; restò lì intorno per quasi un'ora, ma non uscirono né l'una né l'altra.

8

È venuta a trovarlo a Praga, dalla sua cittadina di provincia, e lo ascolta leggere le sue poesie. È tranquilla; sa che il figlio è sempre suo; né le donne né il mondo gliel'hanno preso; al contrario, le donne e il mondo sono entrati nel cerchio magico della poesia ed è un cerchio che lei stessa ha tracciato intorno al figlio, un cerchio all'interno del quale lei regna in segreto.

In questo momento lui le sta leggendo una poesia che ha scritto in ricordo della nonna, della madre di lei:

giacché io vado in battaglia
nonnina mia
per la bellezza di questo mondo

La signora Wolker è tranquilla. Che il figlio vada pure in battaglia nelle sue poesie, che stringa in mano un martello e dia il braccio all'amante; la cosa non le dà fastidio; lì, nelle poesie, sono rimaste lei, la nonna, la credenza di casa e tutte le virtù che lei gli ha inculcato. No, non vuole perderlo, ma sa benissimo che non ha motivo di temere: *esibirsi davanti al* mondo non è per nulla la stessa cosa che *andare nel* mondo.

Ma anche il poeta conosce questa differenza. E solo lui sa che tristezza c'è nella casa della poesia!

9

Solo il vero poeta sa che cosa sia l'immenso desiderio di non essere poeta, il desiderio di abbandonare la casa degli specchi in cui regna un silenzio assordante.

Esiliato dal paese dei sogni
cerco rifugio nella folla
e il mio canto in insulto
voglio mutare

Ma quando František Halas[1] scriveva questi versi non era tra la folla di una piazza; la stanza in cui scriveva, chino sul tavolo, era silenziosa.

E non è affatto vero che fosse stato esiliato dal paese dei sogni. Proprio la folla di cui parlava era il paese dei suoi sogni.

E non riuscì neppure a mutare il suo canto in insulto; al contrario, erano i suoi insulti a mutarsi costantemente in canto.

Ma allora è proprio vero che non si può fuggire dalla casa degli specchi?

10

Ma io
mi sono domato
da solo,
ho camminato
sulla gola
del mio stesso canto,

scriveva Vladimir Majakovskij, e Jaromil lo capisce. Il linguaggio in versi gli sembra uno di quei merletti che stanno nell'armadio della biancheria della madre. È già da molti mesi che non scrive poesie, né vuole più farlo. È in fuga. Va ancora a fare la spesa per la madre, ma chiude a chiave i cassetti dello

1. František Halas, poeta ceco.

scrittoio. Ha tolto dai muri tutte le riproduzioni di quadri moderni.

Che cosa ha messo al loro posto? Forse una fotografia di Karl Marx?

Niente affatto. Al muro spoglio ha appeso una foto del papà. Era una fotografia del trentotto, l'epoca della triste mobilitazione, e il padre portava l'uniforme da ufficiale.

Jaromil amava quella fotografia, dalla quale lo guardava un uomo che lui aveva conosciuto così poco e la cui immagine cominciava ormai a cancellarsi nella sua memoria. E tanto più aveva nostalgia di quell'uomo che era stato calciatore, soldato e deportato. Quell'uomo gli mancava enormemente.

11

L'aula magna della facoltà di filosofia era piena zeppa di studenti; sul podio erano seduti alcuni poeti. Un giovane in camicia turchina (come usavano allora vestirsi i membri dell'Unione giovanile) e con un'enorme criniera di capelli arruffati stava davanti al podio e diceva:

Mai il ruolo della poesia è così grande come durante i periodi rivoluzionari; la poesia ha dato alla rivoluzione la sua voce e in cambio la rivoluzione l'ha liberata dalla sua solitudine; oggi il poeta sa di essere ascoltato dalla gente e sa che lo ascoltano soprattutto i giovani, perché «Gioventù, poesia e rivoluzione sono una cosa sola!».

Poi si alzò il primo poeta e declamò una poesia dove si parlava di una ragazza che abbandona il fidanzato perché questi, che lavora al tornio vicino al suo, è un fannullone e non raggiunge gli obiettivi previsti dal piano; ma il fidanzato non vuole perdere la sua ragazza e così si mette a lavorare di buona lena, finché sul suo tornio un bel giorno appare la bandiera rossa del lavoratore d'assalto. Dopo di lui, si alzarono altri poeti e recitarono poesie sulla pace, su Lenin e su Stalin, sui martiri antifascisti e sugli operai stacanovisti.

12

La gioventù neanche immagina l'immenso potere che deriva dall'essere giovani. Ma il poeta (ha una sessantina d'anni) che si è appena alzato per recitare la sua poesia lo sa.

È giovane, declamava con voce armoniosa, chi è con la parola gioventù del mondo, e la gioventù del mondo è il socialismo. È giovane chi è immerso nell'avvenire e non si volta indietro.

In altre parole: Secondo il poeta sessantenne, la gioventù non designa un'epoca determinata della vita, bensì un *valore* più alto che non ha nulla in comune con l'età. Questa idea, elegantemente messa in rime, aveva almeno due obiettivi: Innanzi tutto lusingava il pubblico giovane, in secondo luogo liberava magicamente il poeta della sua età rugosa e gli assicurava un posto (giacché era fuor di dubbio che egli marciava col socialismo e non si voltava a guardare indietro) a fianco delle ragazze e dei ragazzi.

Jaromil era nella sala, tra il pubblico, e osservava i poeti con interesse, ma anche come se si trovasse ormai sull'altra sponda, come qualcuno che non era più dei loro. Ascoltava i loro versi con la stessa freddezza con cui una volta ascoltava le parole dei professori per farne rapporto al comitato. Quello che lo interessava di più era il poeta dal nome celebre, che proprio in quel momento si stava alzando dalla sua sedia (gli applausi che avevano premiato il sessantenne si erano ormai taciuti) e si dirigeva verso il centro del podio. (Sì, è lo stesso che non molto tempo fa ha ricevuto il pacco delle venti cornette col filo strappato).

13

Caro maestro, siamo nel mese dell'amore; ho diciassette anni. L'età delle speranze e delle chimere, come si dice... Se le mando alcuni miei versi, è perché amo tutti i poeti, tutti i buoni parnassiani... Non storca troppo la bocca quando leggerà questi versi: mi renderà folle di gioia se sarà così gentile, caro maestro, di occuparsi della loro pubblicazione... Non sono famoso; che importa? I poeti sono fratelli. Questi versi credono, amano, sperano: è tutto. Caro maestro, mi venga incontro: mi faccia un po' di coraggio, sono giovane: mi tenda una mano...

In ogni caso, mente; ha quindici anni e sette mesi; deve ancora fuggire da Charleville e dalla madre. Ma questa lettera risuonerà a lungo nella sua testa come una litania di infamia, come una prova di debolezza e servilismo. Ma si vendicherà di lui, del caro maestro, di quel vecchio imbecille, di quella testa pelata di Théodore de Banville! Neanche un anno dopo schernirà crudelmente tutte le sue poesie, tutti i languidi gigli e giacinti che riempiono i suoi versi, e gli invierà il suo scherno in una lettera come uno schiaffo raccomandato.

Ma per il momento il caro maestro non sospetta ancora nulla dell'odio che lo attende, e recita dei versi su una città russa rasa al suolo dai fascisti e che rinasce dalle rovine; l'ha decorata di magiche ghirlande surrealiste; i seni delle fanciulle sovietiche si levano in volo sulle strade come palloncini colorati; una lampada a petrolio posata sotto il cielo illumina quella bianca città sui cui tetti si posano elicotteri simili ad angeli.

14

Sedotto dal fascino della personalità del poeta, il pubblico proruppe in un applauso. Ma accanto a quella maggioranza di irriflessivi c'era una minoranza di teste pensanti, e costoro sapevano che il pubblico rivoluzionario non può stare ad aspettare come un umile postulante ciò che il podio si compiace di donargli; al contrario, se oggi ci sono dei postulanti sono proprio le poesie; esse implorano di venire ammesse nel paradiso socialista; ma i giovani rivoluzionari che montano la guardia davanti alle porte di quel paradiso devono essere severi: perché il futuro sarà nuovo o non sarà; sarà puro o sarà ignominioso.

«Che stupidaggini ci vuol fare ingoiare!» grida Jaromil, e altri gli fanno coro. «Vuole accoppiare il socialismo col surrealismo? Vuole accoppiare il gatto col cavallo, l'avvenire col passato?».

Il poeta sentiva bene quello che stava succedendo nella sala, ma era orgoglioso e non aveva intenzione di cedere. Era abituato fin da giovane a provocare lo spirito limitato dei borghesi e non gli dava nessun disagio il fatto di essere solo contro tutti. Si imporporò in viso e decise di recitare per ultima una poesia diversa da quella alla quale aveva pensato inizialmente: era una poesia piena di metafore violente e di accese immagini erotiche; quando finì di declamare, si levarono urla e fischi.

Gli studenti fischiavano e davanti a loro stava un vecchio che era venuto lì perché voleva loro bene; nella loro rivolta rabbiosa vedeva i raggi della propria gioventù. Credeva che il suo amore gli desse il diritto di dir loro ciò che pensava. Era la primavera del 1968, e la cosa avveniva a Parigi. Ma ahimè, gli studenti erano assolutamente incapaci di scorgere tra le sue rughe i raggi della loro gioventù, e il vecchio saggio scopriva con sorpresa di essere fischiato da coloro che amava.

15

Il poeta alzò una mano per placare il tumulto. Poi cominciò a gridare che somigliavano tutti a delle maestrine puritane, a preti dogmatici, a poliziotti corti di mente; che protestavano contro la sua poesia perché odiavano la libertà.

Il vecchio saggio ascoltava i fischi in silenzio e pensava che anche lui da giovane faceva parte del branco e anche a lui piaceva fischiare, ma il branco si era da tempo disperso e adesso lui era solo.

Il poeta gridava che la libertà è il dovere della poesia e che anche la metafora merita che si lotti per lei. Gridava che avrebbe accoppiato il gatto col cavallo e l'arte moderna col socialismo e che se quello era donchisciottismo lui voleva essere un donchisciotte, perché il socialismo per lui era l'epoca della libertà e del piacere e lui rifiutava ogni altro tipo di socialismo.

Il vecchio saggio osservava la folla dei ragazzi rumoreggianti e all'improvviso capì di essere il solo lì dentro a possedere il privilegio della libertà, perché era vecchio; solo quando è vecchio l'uomo può ignorare l'opinione del branco, l'opinione del pubblico e del futuro. Egli è solo con la sua morte vicina e la morte non ha orecchie né occhi, lui non ha bisogno di piacerle; può dire e fare quello che gli va di dire e di fare.

E quelli fischiavano e chiedevano la parola per rispondergli. Per ultimo si alzò Jaromil; aveva un velo nero davanti agli occhi e la folla dietro di sé; diceva che solo la rivoluzione è moderna, mentre l'erotismo decadente e le immagini poetiche incomprensibili sono solo anticaglia estranea al popolo. «Che cosa è moderno,» chiese al celebre poeta «le sue poesie incomprensibili oppure noi che stiamo costruendo un mondo nuovo? Assolutamente moderno» rispose subito «è soltanto il popolo che edifica il socialismo». A quelle parole la sala rimbombò di applausi.

Gli applausi risuonavano ancora mentre il vecchio saggio si allontanava lungo i corridoi della Sorbonne e leggeva sui muri: *Siate realisti, esigete l'impossibile.* E un po' più lontano: *L'emancipazione dell'uomo sarà totale o non sarà.* E più lontano ancora: *Soprattutto, niente rimorsi.*

16

I banchi della vasta aula sono addossati contro le pareti e il pavimento è cosparso di pennelli, colori e lunghi striscioni su cui alcuni studenti dell'istituto di studi politici disegnano gli slogan per il corteo del primo maggio. Jaromil, che è l'autore e il redattore degli slogan, sta in piedi alle loro spalle e guarda in un taccuino.

Ma come? Abbiamo sbagliato anno? Le parole d'ordine che detta ai compagni sono esattamente quelle che il vecchio saggio coperto di fischi stava leggendo qualche attimo fa sui muri della Sorbonne insorta. No, non ci siamo sbagliati; gli slogan che Jaromil fa scrivere sugli striscioni sono esattamente quelli con cui venti anni più tardi gli studenti parigini ricopriranno i muri della Sorbonne, i muri di Nanterre, i muri di Censier.

Su uno striscione fa scrivere: *Il sogno è realtà*; e su un altro: *Siate realisti, esigete l'impossibile*; e accanto: *Decretiamo lo stato di felicità permanente*; e ancora: *Basta chiese!* (questo slogan gli piace particolarmente; è di due sole parole e rigetta due millenni di storia); e poi: *Niente libertà per i nemici della libertà*; e ancora: *L'immaginazione al potere!*; e ancora: *Morte ai tiepidi!*; e ancora: *La rivoluzione nella politica, nella famiglia, nell'amore!*

I compagni dipingevano le lettere e Jaromil camminava fiero in mezzo a loro, come un maresciallo della parola. Era felice di essere utile, felice che il suo talento trovasse una realizzazione pratica. Sapeva che la poesia era morta (giacché un muro della Sorbonne proclama che *l'arte è morta*), ma che era morta per levarsi dalla tomba come arte della propaganda e degli slogan dipinti sugli striscioni e sui muri delle città (giacché un muro dell'Odéon proclama che *la poesia è nelle strade*).

17

«Hai letto il "Rudé právo"? In prima pagina c'era un elenco di cento slogan per il primo maggio. L'ha stabilito la sezione propaganda del comitato centrale del partito. Non te ne andava bene neanche uno?».

Davanti a Jaromil c'era un corpulento giovanotto del comitato distrettuale del partito, che gli si era presentato come presidente del comitato universitario per l'organizzazione delle celebrazioni del primo maggio 1949.

«Il sogno è realtà. Ma questo è idealismo della più bassa lega. Basta chiese. Sarei completamente d'accordo con te, compagno, ma per il momento la cosa è in contraddizione con la politica religiosa del partito. Morte ai tiepidi. Ma mica possiamo fare minacce di morte alla gente! L'immaginazione al potere. Che vuol dire? La rivoluzione nell'amore. Mi vuoi dire che cosa intendi, se non ti dispiace? Vuoi opporre l'amore libero al matrimonio borghese, oppure la monogamia alla promiscuità borghese?».

Jaromil disse che la rivoluzione avrebbe trasformato il mondo intero, in tutti i suoi aspetti, compresa la famiglia e l'amore, o non sarebbe stata rivoluzione.

«Certo,» ammise il giovanotto corpulento «ma ci si può esprimere meglio: Per una politica socialista, per una famiglia socialista! Vedi? Ed è uno slogan di quelli del "Rudé právo". Ti potevi risparmiare lo sforzo!».

18

La vita è altrove, hanno scritto gli studenti sui muri della Sorbonne, citando Rimbaud. Sì, lui lo sa bene, è proprio per questo che lascia Londra per l'Irlanda, dove il popolo si è ribellato. Si chiama Percy Bysshe Shelley, ha vent'anni, è poeta e porta con sé centinaia di volantini e proclami che gli serviranno da salvacondotto per entrare nella vita reale.

Perché la vita reale è altrove. Gli studenti tolgono i cubetti di porfido dalle strade, rovesciano le automobili, fanno barricate; il loro ingresso nel mondo è bello e rumoroso, illuminato dalle fiamme e salutato dagli scoppi dei candelotti lacrimogeni. Quanto più triste fu la sorte di Rimbaud, che sognava le barricate della Comune di Parigi e non poté mai raggiungerle dalla sua Charleville! In compenso nel 1968 migliaia di Rimbaud hanno le loro barricate personali, e al riparo di quelle barricate rifiutano qualsiasi compromesso coi vecchi padroni del mondo. L'emancipazione dell'uomo sarà totale o non sarà.

Ma a un chilometro di distanza, sull'altra riva della Senna, i vecchi padroni del mondo continuano a vivere la loro vita, e i tumulti del Quartiere Latino giungono alle loro orecchie come echi lontani. Il sogno è realtà, scrivevano sui muri gli studenti, ma sembra che sia vero piuttosto il contrario: questa realtà (le barricate, gli alberi abbattuti, le bandiere rosse) era il sogno.

19

Ma nell'istante presente non si sa mai se la realtà sia sogno o il sogno realtà; gli studenti che si erano allineati con i loro striscioni davanti all'istituto erano venuti fin lì di buon grado, ma al tempo stesso sapevano bene che se non fossero venuti avrebbero potuto avere delle noie negli studi. A Praga, l'anno 1949 trovò gli studenti cechi proprio in quell'interessante periodo di transizione in cui il sogno ormai non era più soltanto un sogno; le loro grida di esultanza erano ancora volontarie, ma già obbligatorie.

Il corteo sfilava per le strade e Jaromil gli marciava a lato; era responsabile non solo degli slogan scritti sugli striscioni, ma anche di quelli scanditi dai compagni; non aveva più inventato begli aforismi provocanti, ma si era limitato a segnarsi sul taccuino alcune parole d'ordine raccomandate dalla sezione centrale per la propaganda. Le va gridando come un prete in una processione, e i colleghi le scandiscono dopo di lui.

20

I cortei sono già sfilati per la piazza San Venceslao davanti alle tribune, orchestre improvvisate hanno fatto la loro apparizione agli angoli delle strade e giovani in camicia turchina cominciano a ballare. Qui tutti fraternizzano, anche se un attimo prima non si conoscevano, ma Percy Bysshe Shelley è infelice, il poeta Shelley è solo.

È a Dublino già da qualche settimana, ha distribuito centinaia di proclami, la polizia ormai lo conosce bene, ma non è riuscito ancora a legare con un solo irlandese. La vita è sempre dove lui non c'è.

Se almeno ci fossero le barricate e risuonassero degli spari! Jaromil pensa che i cortei celebrativi sono soltanto un'effimera imitazione delle grandi dimostrazioni rivoluzionarie, che mancano di densità e scivolano via tra le mani.

E a questo punto si immagina la ragazza imprigionata nella gabbia della cassa, lo assale un'atroce nostalgia, con un martello rompe la vetrina, spinge da parte le donnette che fanno la spesa, apre la gabbia della cassa e porta via, sotto gli occhi stupefatti della gente, la brunetta liberata.

E ancora si immagina che camminano insieme per le strade traboccanti di folla e, pieni di amore, si stringono l'uno all'altra. E all'improvviso la danza che turbina intorno a loro non è più danza, sono di nuovo barricate, è l'anno 1848, è il 1870, è il 1945, a Parigi, a Varsavia, a Budapest, a Praga, a Vienna, e sono sempre quelle eterne folle che attraversano la storia saltando da una barricata all'altra, e lui salta insieme con loro tenendo per mano la donna amata...

21

Sentiva la tiepida mano della donna nel suo palmo, e fu a questo punto che lo vide. Camminava in senso inverso al corteo, grande e robusto, e al suo fianco incedeva leggera una giovane donna; lei non portava la camicia turchina come la maggioranza delle ragazze che ballavano per strada; era elegante come una fata delle sfilate di moda.

L'uomo robusto si guardava attorno distrattamente e ad ogni momento faceva cenni di saluto; quando fu a qualche passo da Jaromil, i loro sguardi si incrociarono per un istante e Jaromil, in un subitaneo accesso di confusione (e sull'esempio degli altri, che riconoscevano l'uomo famoso e lo salutavano), fece un cenno di saluto con la testa e l'uomo rispose al suo saluto con occhi assenti (come quando salutiamo qualcuno che non conosciamo), e anche la donna che lo accompagnava gli indirizzò un cenno di saluto con aria molto distaccata.

Ah, com'era infinitamente bella quella donna! Ed era completamente reale! E la ragazza della cassa e della vasca da bagno, che fino a quel momento si era stretta contro il fianco di Jaromil, cominciò a sciogliersi nella luce radiosa di quel corpo reale e infine scomparve.

Si fermò sul marciapiede, nella sua infamante solitudine, e si voltò a guardarli con odio; sì, si trattava proprio di lui, del *caro maestro*, del destinatario del pacco con le venti cornette.

22

La sera calava lentamente sulla città e Jaromil sognava di rivederla. Seguì più di una donna che, vista da dietro, gli sembrava lei. Era bello consacrarsi tutto alla vana ricerca di una donna perduta tra la folla infinita. Poi decise di andare a fare quattro passi vicino alla casa in cui un giorno l'aveva vista entrare. Non c'erano molte probabilità di vederla, ma non aveva voglia di tornare a casa finché la madre era ancora in piedi. (La casa gli riusciva sopportabile solo di notte, quando la madre dormiva e la fotografia del padre si svegliava).

E così andava su e giù in una sperduta stradina di periferia, dove le bandiere e i fiori del primo maggio non avevano lasciato la loro traccia festosa. Alcune finestre dell'edificio si illuminarono. Si illuminò anche una finestra del seminterrato, sotto il livello del marciapiede. Jaromil vi scorse la ragazza che conosceva!

Ma no, non era la brunetta della cassa. Era la sua collega, la rossa magrolina; si avvicinava alla finestra per abbassare la veneziana.

Jaromil non riuscì a sopportare tutta l'amarezza di quella delusione, capì di essere stato visto; arrossì e fece esattamente ciò che aveva fatto il giorno in cui la bella e triste cameriera seduta nella vasca aveva guardato verso il buco della serratura: Fuggì via.

23

Erano le sei di sera del due maggio 1949; le commesse si precipitarono fuori dal negozio e a questo punto successe qualcosa di inatteso: la ragazza dai capelli rossi uscì sola.

Si nascose in fretta dietro l'angolo, ma era troppo tardi. La rossa lo aveva visto e si dirigeva verso di lui: «Ehi, non sa che è maleducato spiare la gente dalle finestre, la sera?».

Lui si fece rosso e tentò di cambiare discorso; temeva che la presenza della rossa rovinasse di nuovo le sue speranze quando la collega bruna fosse uscita a sua volta dal negozio. Ma la rossa era molto loquace e non aveva nessuna intenzione di congedarsi da Jaromil; lo invitò addirittura ad accompagnarla fino a casa sua (accompagnare una signorina a casa, diceva, era molto più educato che spiarla dalla finestra).

Jaromil gettava sguardi disperati verso la porta del negozio. «Ma dov'è la sua collega?» chiese infine.

«Lei arriva un po' tardi. Non lavora più da noi».

Andarono insieme fino alla casa di lei e Jaromil venne a sapere che tutte e due le ragazze venivano dalla provincia, che lavoravano e abitavano insieme; ora però la bruna aveva lasciato Praga perché si sposava.

Arrivati davanti al portone, la ragazza disse: «Non vuole entrare un momento?».

Sorpreso e confuso, entrò nella stanzetta della ragazza. E poi, neanche lui seppe dire come era successo, si abbracciarono e si baciarono, e dopo un attimo erano già seduti sul letto, la cui trapunta era nascosta da una coperta di lana.

Tutto fu così rapido e così semplice! Senza lasciargli il tempo di pensare che stava per realizzare un compito difficile e decisivo, la rossa gli mise una mano tra le gambe e il ragazzo provò una gioia feroce, perché il suo corpo reagiva come è giusto e normale.

24

«Sei formidabile, formidabile» gli sussurrava la rossa nell'orecchio e lui era disteso al suo fianco, la testa sprofondata nel cuscino, pieno di una gioia terribile; dopo un attimo di silenzio sentì:

«Quante donne hai avuto prima di me?».

Alzò le spalle e sorrise con fare deliberatamente enigmatico.

«Non me lo vuoi dire?».

«Indovina».

«Secondo me, cinque o sei» disse lei con l'aria di chi se ne intende.

Fu invaso da una sensazione di radioso orgoglio; aveva l'impressione di aver fatto l'amore, un attimo prima, non solo con lei, ma anche con quelle cinque o sei donne che lei gli aveva attribuito; come se lei non l'avesse soltanto liberato dalla sua verginità, ma di colpo l'avesse trasportato lontano, nel pieno dell'età virile.

La guardava con gratitudine e la sua nudità lo riempiva di entusiasmo. Com'era possibile che prima non gli piacesse? Aveva sul petto due seni incontestabilissimi, e una peluria altrettanto incontestabile sul basso ventre!

«Nuda sei mille volte più bella che vestita» le disse, e fece l'elogio della sua bellezza.

«Era da molto che mi desideravi?» gli chiese lei.

«Sì, da molto, e tu lo sai bene».

«Sì, lo so. Ti avevo notato quando venivi a fare la spesa da noi. So che mi aspettavi davanti al negozio».

«Sì».

«Non avevi il coraggio di attaccare discorso perché non ero mai sola. Ma io lo sapevo che un giorno o l'altro saresti stato qui con me. Perché anche io ti desideravo».

25

Guardava la ragazza, lasciando che le sue ultime parole riecheggiassero fino a spegnersi dentro di lui; sì, era così: per tutto il tempo in cui era stato tormentato dalla solitudine, in cui aveva disperatamente preso parte a riunioni e cortei, in cui non aveva fatto altro che correre e correre, la sua maturità era già lì, pronta: quella stanza nel seminterrato, con le macchie di umidità sui muri, lo aspettava pazientemente, lo aspettava quella donna ordinaria il cui corpo lo avrebbe finalmente legato, e in modo del tutto fisico, alla folla.

Più faccio l'amore, più ho voglia di fare la rivoluzione, più faccio la rivoluzione, più ho voglia di fare l'amore, c'era scritto su un muro della Sorbonne, e Jaromil penetrò per la seconda volta nel corpo della rossa. La maturità è totale o non è. Questa volta la amò a lungo e magnificamente.

E Percy Bysshe Shelley, che come Jaromil aveva un viso da ragazza e dimostrava anche lui meno della sua età, correva per le strade di Dublino, correva, correva, perché sapeva che la vita è altrove. E anche Rimbaud correva senza posa, a Stoccarda, a Milano, a Marsiglia e poi nello Harrar, a Aden e poi di nuovo indietro a Marsiglia, ma ormai aveva una gamba sola, e con una gamba sola è difficile correre.

Fece scivolare il suo corpo fuori da quello della ragazza e quando si vide disteso accanto a lei, rilassato e stanco, pensò che si riposava non da due atti d'amore, ma da una lunga fuga durata molti mesi.

PARTE QUINTA

OVVERO

IL POETA È GELOSO

1

Mentre Jaromil correva, il mondo cambiava; lo zio che credeva che Voltaire avesse inventato i volt fu accusato di immaginarie truffe (come centinaia di altri commercianti in quel periodo) tutti e due i negozi gli vennero confiscati (da allora divennero proprietà dello Stato) e lui fu mandato in prigione per qualche anno; suo figlio e sua moglie furono espulsi da Praga come nemici di classe. Lasciarono la villa in un silenzio glaciale, decisi a non perdonare mai la madre del fatto che il figlio si era schierato coi nemici della famiglia.

Nella villa vennero ad abitare degli inquilini a cui il comitato del popolo aveva assegnato le stanze ora libere al pianterreno. Venivano da un misero seminterrato e trovavano ingiusto che qualcuno un giorno avesse posseduto una villa così grande e bella; erano convinti di essersi trasferiti lì non per abitarci, ma per riparare a un'antica ingiustizia della Storia. Occuparono il giardino senza chiedere il permesso a nessuno e pretesero che la mamma si affrettasse a far riparare le crepe dell'intonaco, che cadeva a pezzi e poteva ferire i bambini quando giocavano all'aperto.

La nonna era invecchiata, perdeva la memoria, e un bel giorno (quasi senza farsi notare) si trasformò in fumo al crematorio.

Non c'è da meravigliarsi che la mamma soffrisse sempre di più nel vedere che il figlio si allontanava da lei; faceva studi che non le andavano a genio e aveva smesso di mostrarle le sue poesie, che lei si era ormai abituata a leggere regolarmente. Una volta che andò ad aprire il suo cassetto, lo trovò chiuso a chiave; fu come ricevere uno schiaffo: Jaromil la sospettava di frugare nelle sue cose! Ma quando si procurò una chiave di riserva, di cui Jaromil non immaginava l'esistenza, non trovò nel diario nessuna nuova annotazione e nessuna nuova poesia. Poi vide alla parete della stanzetta la fotografia del marito in uniforme e si ricordò di quando aveva pregato la statuetta di Apollo perché cancellasse dal frutto delle sue viscere i tratti del marito. Ah, doveva contendere anche al marito defunto il proprio figlio?

Circa una settimana dopo la sera in cui, nella parte precedente, abbiamo lasciato Jaromil nel letto della rossa, la mamma aprì di nuovo il cassetto del suo scrittoio. Nel diario trovò alcune laconiche annotazioni che non riuscì a capire, ma in compenso scoprì qualcosa di molto più importante: nuovi versi del figlio. Si disse che la lira di Apollo tornava a trionfare sull'uniforme del marito ed esultò in silenzio.

Dopo aver letto i versi ne fu ancora più favorevolmente impressionata, perché le poesie le piacquero davvero (era la prima volta che succedeva!); erano in rima (la mamma in cuor suo aveva sempre pensato che una poesia senza rime non è una vera poesia) ed erano anche comprensibilissime e piene di belle parole; niente vecchi, niente corpi che si dissolvono nella terra, niente ventri cascanti e occhi cisposi; c'erano nomi di fiori, c'erano il cielo e le nuvole e qui e là si incontrava (questo non era mai successo nelle sue poesie) anche la parola mamma.

Poi Jaromil tornò a casa; quando lei sentì i suoi passi sulle scale, tutti gli anni di sofferenze le salirono agli occhi e non poté trattenere le lacrime.

«Che hai, mamma, mio Dio, che hai?» le chiese, e la mamma avvertì nella sua voce una tenerezza che non sentiva ormai da molto tempo.

«Niente, Jaromil, niente» rispose tra le lacrime che si facevano sempre più copiose, incoraggiate dall'interesse del figlio. Ancora una volta sgorgavano da lei diverse specie di lacrime: lacrime di pena per la propria solitudine; lacrime di rimprovero perché il figlio l'aveva trascurata; lacrime di speranza perché forse (sull'onda delle melodiose frasi delle nuove poesie) il figlio sarebbe finalmente ritornato da lei; lacrime di rabbia perché lui restava lì, goffamente, e non era neanche capace di farle una carezza sui capelli; lacrime di astuzia che avrebbero dovuto commuoverlo e trattenerlo accanto a lei.

Finalmente, dopo qualche attimo di imbarazzo, lui le prese una mano; fu molto bello; la mamma smise di piangere e le parole sgorgarono da lei con la stessa generosità con cui poco prima erano sgorgate le lacrime; si mise a parlare di tutto quello che la faceva soffrire: della sua vedovanza, della sua solitudine, degli inquilini che avrebbero voluto cacciarla via dalla sua casa, della sorella che non la voleva più vedere («tutto per colpa tua, Jaromil!»), e infine della cosa più importante: il solo essere umano che lei avesse al mondo in quella fatale solitudine le voltava le spalle.

«Ma non è vero, io non ti volto le spalle!».

Lei non poteva accettare giustificazioni così a buon mercato e si mise a ridere con amarezza; come, non le voltava le spalle? tornava a casa tardi, c'erano giorni in cui non scambiavano neanche una parola, e quando qualche volta parlavano sapeva bene che lui non stava ad ascoltarla e pensava ad altro. Sì, si stava allontanando da lei.

«Ma no, mamma, non è vero!».

Lei sorrise di nuovo con amarezza. Non si stava staccando da lei? Doveva proprio dimostrarglielo? Doveva dirgli in che modo l'aveva ferita? Eppure la madre aveva sempre rispettato la sua vita privata; già quando lui era piccolo aveva litigato con tutti perché era convinta che avesse diritto a una stanzetta tutta sua; e adesso, che offesa! Jaromil non poteva immaginare cosa aveva provato il giorno che si era accorta (per puro caso, una volta che stava spolverando nella sua stanza) che chiudeva a chiave i cassetti del suo scrittoio! Per chi li chiudeva? Pensava veramente che lei avrebbe messo il naso nelle sue cose come una servetta curiosa?

«Ma mamma, è un equivoco! Quei cassetti non li uso affatto! Se sono chiusi, è soltanto un caso!».

La mamma sapeva che il figlio stava mentendo, ma non era questo l'importante; molto più importante della menzogna era l'umiltà della voce che offriva la riconciliazione. «Ti voglio credere, Jaromil» gli disse stringendogli la mano.

Dopo, sotto lo sguardo di lui, si rese conto delle tracce di lacrime sul proprio volto e andò nel bagno, dove ebbe paura dell'immagine riflessa nello specchio; il suo viso arrossato le pareva orrendo; si rimproverò anche per il vestito grigio con cui era tornata dall'ufficio. Si sciacquò in fretta il viso con l'acqua fredda, indossò una vestaglia rosa, andò in cucina e ne tornò con una bottiglia di vino. Poi si mise a parlare a lungo; disse che avrebbero dovuto di nuovo confidarsi l'uno con l'altra, perché in quel triste mondo non avevano più nessuno. Parlò diffusamente su questo tema, e lo sguardo con cui Jaromil la fissava le parve amichevole e approvatore. Si permise di dire che non dubitava che Jaromil, adesso che andava all'università, avesse dei segreti personali che lei peraltro rispettava; si augurava soltanto che la donna con cui, forse, Jaromil aveva una relazione non avrebbe guastato i rapporti esistenti tra loro due.

Jaromil ascoltava pazientemente e con comprensione. Se negli ultimi tempi aveva evitato la madre, era perché il suo dolore aveva bisogno di solitudine e penombra. Ma da quando era approdato sulla riva assolata del corpo della rossa aspirava alla luce e alla pace; il dissidio con la madre lo contrariava. A questi motivi sentimentali se ne aggiungeva un altro di ordine pratico: la rossa aveva una sua stanza indipendente, mentre lui che era un uomo viveva con la madre e poteva avere una sua vita indipendente solo grazie all'indipendenza della ragazza. Avvertiva amaramente questa ineguaglianza, e fu felice che la madre ora sedesse con lui in vestaglia rosa, davanti a una bottiglia di vino, e avesse l'aspetto di una giovane donna piacente, con la quale poteva parlare amichevolmente dei suoi diritti.

Le disse che non aveva nulla da nasconderle (la madre aveva la gola stretta da quell'angosciosa attesa) e si mise a raccontarle della rossa. Naturalmente non disse che la madre la conosceva già per averla vista nel negozio dove andava a fare la spesa, ma le confidò che aveva diciotto anni e che non era una studentessa, bensì una ragazza molto semplice che (lo disse con un tono quasi aggressivo) si guadagnava la vita lavorando.

La mamma si versò del vino e pensò che tutto ormai si metteva per il meglio. Il ritratto della ragazza che il figlio, la cui lingua ormai si era sciolta, le andava disegnando calmava la sua inquietudine: questa ragazza era giovanissima (l'orribile visione di una donna matura e dissoluta era felicemente messa in fuga), non era troppo colta (la mamma non doveva dunque temere la forza della sua influenza) e infine Jaromil aveva insistito in modo addirittura sospetto sulle sue virtù di semplicità e gentilezza, dal che lei concluse che la ragazza non doveva essere proprio un fiore di beltà (e poteva quindi supporre, con segreta soddisfazione, che l'infatuazione del figlio non sarebbe durata a lungo).

Jaromil sentiva che la madre considerava senza disapprovazione il ritratto della ragazza dai capelli rossi ed era felice: si immaginava seduto alla tavola comune, con la madre e la rossa, con l'angelo della sua infanzia e l'angelo della sua maturità; la cosa gli sembrava bella come la pace; la pace tra la casa e il mondo; la pace sotto le ali di due angeli.

E così, dopo un lungo periodo, madre e figlio ritrovavano una felice intimità. Parlarono a lungo, ma nel parlare Jaromil non perse mai di vista quello che era il suo piccolo obiettivo pratico: il diritto a una sua stanza dove avrebbe potuto portare la ragazza e restarci quanto e come voleva; giacché capiva che veramente adulto è solo chi è libero padrone di uno spazio chiuso dove può fare tutto quello che vuole senza essere osservato né controllato da nessuno. Anche questo (con molta cautela e prendendo il discorso alla lontana) disse alla madre; sarebbe rimasto a casa molto più volentieri se avesse potuto considerarsene il padrone.

Ma anche sotto il velo del vino la mamma restava una tigre vigilante: capì subito dove voleva mirare il figlio: «Cosa vorresti dire, Jaromil, che non ti senti padrone qui in casa?».

Jaromil disse che in casa ci stava benissimo, ma che avrebbe voluto avere il diritto di invitarci chi voleva e viverci con la stessa indipendenza di cui godeva la rossa nella sua stanza in subaffitto.

A questo punto la mamma capì che Jaromil le stava offrendo una grossa occasione: anche lei aveva diversi ammiratori, che era costretta a rifiutare perché temeva la condanna di Jaromil. Non poteva adesso, con un po' di abilità, comprare con la libertà di Jaromil un po' di libertà anche per sé?

Ma all'idea di Jaromil chiuso nella sua stanzetta da bambino con una donna estranea fu invasa da un disgusto invincibile. «Devi renderti conto che c'è pur sempre una differenza tra una madre e un affittacamere» disse con aria offesa, e in quello stesso istante capì che in quel modo si stava precludendo da sola, deliberatamente, la possibilità di vivere di nuovo come donna. Capì che il suo disgusto per la vita sessuale del figlio era più grande del desiderio del suo corpo di vivere la propria vita, e si spaventò di questa scoperta.

Jaromil, che perseguiva ostinatamente il proprio fine, non colse la disposizione d'animo della madre e continuò nella sua battaglia perduta ricorrendo a nuovi e vani argomenti. Solo dopo un po' si accorse che il viso della mamma era solcato di lacrime. Temette di aver offeso l'angelo della sua infanzia e tacque. Nello specchio delle lacrime materne la sua rivendicazione d'indipendenza gli apparve a un tratto come un'insolenza, una sfrontatezza, addirittura un'oscena imprudenza.

E la mamma era disperata: vedeva riaprirsi l'abisso tra lei e il figlio. Non guadagnava niente per sé e stava per perdere tutto un'altra volta! Rifletté in fretta chiedendosi che cosa potesse mai fare per non rompere completamente il filo prezioso dell'intesa con il figlio; gli prese una mano e gli disse tra le lacrime:

«Ah, Jaromil, non arrabbiarti; mi fa male vedere come sei cambiato; sei terribilmente cambiato negli ultimi tempi!».

«Come sarebbe, sono cambiato? Non sono affatto cambiato, mamma».

«Sì che sei cambiato. E ti dirò anche che cosa mi dispiace di più in questo tuo cambiamento. Il fatto che non scrivi più poesie. Scrivevi versi così belli e ora non scrivi più, e questo mi dispiace».

Jaromil fece per rispondere, ma la madre non gliene lasciò il tempo: «Credi alla tua mamma: anch'io capisco qualcosa; tu hai un enorme talento; la poesia è la tua missione; non devi tradirla; sei un poeta, Jaromil, sei un poeta e mi fa male vedere che lo dimentichi».

Jaromil ascoltava quasi in estasi le parole della madre. Era vero, l'angelo dell'infanzia lo capiva meglio di chiunque altro! Forse che anche lui non si era tormentato al pensiero che non scriveva più?

«Ma io mi sono rimesso a scrivere, mamma, io ora scrivo! Ti farò vedere le mie poesie!».

«Non è vero, Jaromil,» replicò la mamma scuotendo la testa «non scrivi, non devi cercare d'ingannarmi, so bene che non scrivi più».

«Ma no, scrivo, scrivo!» gridò Jaromil, poi corse nella sua camera, aprì il cassetto dello scrittoio e portò le sue poesie.

E la mamma vide gli stessi versi che aveva letto qualche ora prima, inginocchiata davanti allo scrittoio di Jaromil.

«Ah, Jaromil, come sono belli! Hai fatto grandi progressi, grandi progressi! Sei un poeta, e io sono così felice...».

2

Tutto sembra indicare che l'immenso desiderio di novità provato da Jaromil (questa religione del Nuovo) fosse soltanto la proiezione vaga del desiderio che ispira al vergine l'incredibilità del coito ancora sconosciuto; la prima volta che approdò alla riva del corpo della rossa gli passò per la testa la strana idea che ormai sapeva che cosa vuol dire essere assolutamente moderni; essere assolutamente moderni vuol dire essere distesi sulla riva del corpo della rossa.

Era così felice e pieno di entusiasmo che voleva recitare qualche verso alla ragazza; pensò a tutti quelli che sapeva a memoria (suoi e di altri poeti) ma capì (perfino con un certo stupore) che alla rossa non ne sarebbe piaciuto nessuno, e pensò che assolutamente moderni erano soltanto i versi che poteva comprendere e apprezzare la rossa, una ragazza del popolo.

Fu come un'illuminazione improvvisa; perché voleva camminare sulla gola del suo stesso canto? perché voleva rinunciare alla poesia a vantaggio della rivoluzione? adesso che era approdato alla riva della vita reale (reale per lui significava la densità nata dalla fusione tra la folla, l'amore fisico e gli slogan rivoluzionari), bastava solo che si dedicasse completamente a questa vita diventandone il violino.

Si sentiva pieno di versi, e si provò a scrivere una poesia che piacesse alla ragazza dai capelli rossi. Non era così semplice; fino ad allora aveva scritto versi senza rime e adesso si scontrava con le difficoltà tecniche del verso regolare, giacché non aveva dubbi che per la rossa una poesia fosse una cosa con le rime. Del resto, anche la rivoluzione vittoriosa era dello stesso parere; ricordiamoci che in quegli anni non si pubblicava una sola poesia che non fosse in rima; tutta la poesia moderna era stata dichiarata un prodotto della borghesia fatiscente e il verso libero era la manifestazione più evidente della putrefazione poetica.

Dobbiamo vedere in questo amore della rivoluzione vittoriosa per le rime soltanto un'attrazione casuale? È improbabile. La rima e il ritmo possiedono un potere magico: il mondo informe, racchiuso in una poesia dai versi regolari, diventa di colpo limpido, regolare, chiaro e bello. Se in una poesia la *morte* si trova nel punto preciso dove nel verso precedente è riecheggiato il suono della *sorte*, anche la morte diventa un elemento melodioso dell'ordine. E anche se la poesia protesta contro la morte, la morte è automaticamente giustificata, almeno in quanto causa di una bella protesta. Ossa, rose, bare, ferite, tutto nella poesia si trasforma in un balletto, e il poeta e il lettore sono i danzatori di questo balletto. I ballerini naturalmente non possono disapprovare la danza. Attraverso la poesia l'uomo manifesta il proprio accordo con l'essere, e la rima e il ritmo sono gli strumenti più brutali di questo accordo. E la rivoluzione che ha appena trionfato non ha forse bisogno di un'affermazione brutale del nuovo ordine e di conseguenza di una lirica piena di rime?

«Delirate con me!» grida Vítězslav Nezval al suo lettore, e Baudelaire scrive: «Bisogna essere sempre ubriachi... di vino, di poesia o di virtù, a vostra scelta...». Il lirismo è ebbrezza, e l'uomo si ubriaca per potersi fondere più facilmente col mondo. La rivoluzione non vuole essere studiata e osservata, vuole che ci si fonda con lei; in questo senso è lirica, e il lirismo le è necessario.

La rivoluzione pensa evidentemente a un lirismo diverso da quello che Jaromil coltivava un tempo; allora lui osservava in stato di ebbrezza le tranquille avventure e le belle eccentricità del suo io; ora, invece, aveva vuotato la sua anima come un hangar per far posto alle rumorose fanfare del mondo; aveva scambiato la bellezza di eccentricità che era il solo a capire con la bellezza di banalità comprensibili a tutti.

Desiderava ardentemente riabilitare le antiche bellezze davanti alle quali l'arte (con la superbia dell'apostata) storceva il naso: il tramonto, le rose, la rugiada sull'erba, le stelle, il crepuscolo, un canto che risuona in lontananza, la mamma e la nostalgia della casa; ah, come era bello, vicino e comprensibile quel mondo! Jaromil vi ritornava con stupore ed e-mozione, come il figliol prodigo che ritorna dopo lunghi anni alla casa abbandonata.

Ah, essere semplice, semplicissimo, semplice come una canzone popolare, come una filastrocca infantile, come un ruscello, come la ragazza dai capelli rossi!

Essere alla fonte delle bellezze eterne, amare le parole *lontananza*, *argento*, *arcobaleno*, amare perfino la parola *ah*, questa parolina così derisa!

Altre parole ancora affascinavano Jaromil: soprattutto quelle che esprimono un semplice movimento in avanti: *correre*, *andare*, ma ancora di più *navigare* e *volare*. In una poesia che scrisse per l'anniversario della nascita di Lenin gettava tra le onde un rametto di melo (quel gesto lo incantava, legato com'era all'antica consuetudine popolare di gettare nell'acqua ghirlande di fiori) perché la corrente lo portasse fino al paese di Lenin; è vero che nessun fiume della Boemia scorre anche in Russia, ma una poesia è un paese incantato dove i fiumi cambiano il loro corso. In un'altra poesia scriveva che il mondo un giorno sarebbe stato libero come *il profumo dei pini che valica le catene dei monti*. In un'altra poesia ancora parlava del profumo del gelsomino, così forte da trasformarsi in un veliero invisibile che scivola sull'aria; si figurava di salire a bordo di quel profumo e di andare lontano, lontano, fino a Marsiglia, dove (come scriveva il «Rudé právo») gli operai di cui lui voleva essere amico e fratello erano appena scesi in sciopero.

È per questo, anche, che il più poetico strumento di moto, le *ali*, appariva un numero incalcolabile di volte nelle sue poesie: la notte, di cui parlava una poesia, era piena di un *silenzioso battito d'ali*; il desiderio, la tristezza, perfino l'odio, e naturalmente il tempo, tutti possedevano ali.

In tutte queste parole si nascondeva il desiderio di un *abbraccio infinito*, in cui sembrava rivivere il famoso verso di Schiller: *Seid umschlungen, Millionen, diesen Kuss der Ganzen Welt.* L'abbraccio infinito non racchiudeva solo lo spazio, ma anche il tempo; meta della navigazione non era solo Marsiglia in sciopero, ma anche il *futuro*, meravigliosa isola in lontananza.

Un tempo per Jaromil il futuro era stato soprattutto un mistero; in esso si celava tutto ciò che era sconosciuto; per questo lo attirava e insieme lo spaventava; era il contrario della certezza, il contrario della casa (è per questo che nei momenti di angoscia sognava l'amore dei vecchi, che sono felici perché non hanno più futuro). Ma la rivoluzione dava al futuro un senso opposto: non era più un mistero, il rivoluzionario lo conosceva a memoria; lo conosceva dai libri, dagli opuscoli, dalle lezioni, dai discorsi di propaganda; il futuro non faceva paura, anzi offriva una certezza all'interno di un presente incerto, e il rivoluzionario vi cercava rifugio come un bambino tra le braccia della mamma.

Jaromil scrisse una poesia su un funzionario comunista che si è addormentato sul divano della sua cellula a tarda notte, quando *la pensosa riunione si è già coperta di rugiada mattutina* (l'idea di un comunista militante a quell'epoca non poteva essere espressa altrimenti che con l'immagine di un comunista in riunione); lo scampanellio del tram sotto le finestre diventava, nel sogno del funzionario, uno scampanio, lo scampanio di tutte le campane del mondo per annunciare che le guerre erano finite per sempre e il globo terrestre apparteneva al popolo lavoratore. Egli capisce che un salto miracoloso l'ha trasportato nel futuro lontano; è da qualche parte, in campagna, e una donna gli viene incontro su un trattore (su tutti i manifesti dell'epoca la donna dell'avvenire era rappresentata come una donna su un trattore) e, stupita, riconosce in lui un uomo come non ne ha mai visti, un uomo esausto che appartiene a un'altra epoca, un uomo che si è immolato perché lei possa con gioia (e cantando) arare i campi. Scende dalla sua macchina per augurargli il benvenuto; gli dice: «Qui sei a casa tua, questo è il tuo mondo...» e vuole ricompensarlo (Dio mio, come potrebbe quella giovane donna ricompensare un vecchio militante spossato dal lavoro?); ma in quel momento, giù in strada, i tram si mettono a scampanellare più forte, e l'uomo che riposava sul divanetto in un angolo della cellula si sveglia...

Aveva ormai scritto molte nuove poesie, eppure non era soddisfatto; per il momento le conoscevano solo lui e la madre. Le spediva tutte alla redazione del «Rudé právo» e comprava il «Rudé právo» ogni mattina; finalmente un giorno scoprì, in terza pagina, a destra, cinque strofe di quattro versi con il suo nome stampato in grassetto sotto il titolo. Quel giorno stesso mise il «Rudé právo» in mano alla rossa e le disse di guardarlo bene; la ragazzina lo esaminò a lungo senza trovarci nulla di particolarmente interessante (aveva l'abitudine di non fare attenzione alle poesie, sicché faceva ancor meno attenzione ai nomi scritti sotto le poesie) e alla fine Jaromil dovette indicarle col dito la sua poesia.

«Non lo sapevo che eri un poeta» gli disse lei guardandolo negli occhi con ammirazione.

Jaromil le spiegò che scriveva versi da molto tempo e tirò fuori dalla tasca alcune altre poesie scritte a mano.

La rossa le lesse e Jaromil le disse che per un certo periodo aveva smesso di scrivere versi e solo adesso, dopo averla incontrata, era tornato a farlo. Incontrarla era stato come incontrare la Poesia.

«Davvero?» chiese la ragazza, e quando Jaromil assentì lo abbracciò e lo baciò.

«La cosa straordinaria» continuò poi Jaromil «è che tu sei la musa non solo dei versi che scrivo oggi, ma anche di quelli che ho scritto quando ancora non ti conoscevo. Quando ti ho vista per la prima volta, ho avuto l'impressione che le mie vecchie poesie riprendessero vita e si trasformassero in una donna».

Guardava avidamente il suo viso incuriosito e incredulo, poi cominciò a raccontarle che molti anni prima aveva scritto una lunga prosa poetica, una sorta di racconto fantastico su un ragazzo che si chiamava Xaver. Scritto? Non proprio, aveva piuttosto sognato le sue avventure, e un giorno avrebbe voluto scriverle.

Xaver viveva in modo completamente diverso dagli altri; la sua vita era il sonno; Xaver dormiva e faceva un sogno, in quel sogno si addormentava e faceva un altro sogno, e in quel sogno si addormentava e sognava di nuovo; poi da quest'ultimo sogno si svegliava e si ritrovava nel sogno precedente, e così passava di sogno in sogno e viveva successivamente più vite; viveva in più vite e passava da una all'altra. Non era meraviglioso vivere come Xaver? Non essere imprigionato in un'unica vita? Essere mortali, ma avere ugualmente più di una vita?

«Sì, sarebbe bello...» disse la rossa.

E Jaromil le disse ancora che il giorno in cui l'aveva vista nel negozio era rimasto impietrito perché era esattamente così che si era figurato il più grande amore di Xaver: una donna fragile, rossa di capelli, con delicate lentiggini sul viso...

«Sono brutta!» disse la rossa.

«No! Io amo le tue lentiggini e i tuoi capelli rossi! Li amo perché sono la mia casa, la mia patria, il mio vecchio sogno!».

La rossa baciò Jaromil e lui continuò: «Immagina che il racconto cominciava così: A Xaver piaceva vagabondare per le fumose strade della periferia; passava sempre davanti alla finestra di un seminterrato, si fermava e fantasticava sulla bella donna che forse abitava dietro quella finestra. Un giorno la finestra era illuminata e lui scorse dentro la casa una ragazza tenera, fragile, coi capelli rossi. Non riuscì a trattenersi, spalancò le persiane socchiuse e saltò dentro la casa».

«Ma tu quella volta sei fuggito!» rise la ragazza.

«Sì, sono fuggito,» disse Jaromil «perché avevo paura di rifare lo stesso sogno; hai un'idea di che cosa sia trovarsi tutt'a un tratto in una situazione che hai già vissuto in sogno? È così terribile che ti viene voglia di fuggire!».

«Sì» annuì la rossa con aria felice.

«E così saltò dentro per raggiungerla, ma poi arrivò il marito e Xaver lo rinchiuse in un pesante armadio di quercia. Il marito è ancora lì nell'armadio, trasformato in scheletro. E Xaver ha portato quella donna lontano, così come ti porterò io».

«Sei il mio Xaver» sussurrò la rossa con gratitudine all'orecchio di Jaromil, e cominciò a improvvisare variazioni su quel nome cambiandolo in *Xaverino*, *Xaveruccio*, *Xaverolino*, e lo chiamò a lungo con tutti quei diminutivi e lo baciò a lungo, a lungo.

3

Tra le molte visite che Jaromil fece alla ragazza nella sua stanzetta del seminterrato vorremmo ricordare quella di un giorno in cui la rossa portava un vestito che aveva su tutto il davanti, dal collo fino all'orlo, una fila di grossi bottoni. Jaromil fece per sbottonarli e la ragazza scoppiò a ridere perché i bottoni servivano solo da guarnizione.

«Aspetta, mi spoglio da sola» disse, e sollevò il braccio per arrivare alla chiusura lampo sul dorso.

Jaromil era seccato di essersi mostrato così maldestro, e quando finalmente capì il principio della chiusura del vestito volle rapidamente riparare alla sua brutta figura.

«No, no, mi spoglio da sola, lasciami!» disse la ragazza, indietreggiando davanti a lui e ridendo.

Non poteva insistere oltre perché temeva di diventare ridicolo; al tempo stesso, però, era profondamente contrariato dal fatto che la ragazza volesse svestirsi da sola. Secondo lui ciò che distingueva la svestizione amorosa dalla svestizione quotidiana era proprio il fatto che la donna fosse svestita dall'amante.

Non era stata l'esperienza a far nascere in lui questa convinzione, ma la letteratura e le sue frasi suggestive: *sapeva svestire una donna*, oppure *le slacciò il reggiseno con un gesto esperto*. Non riusciva a immaginarsi l'amore fisico senza l'ouverture di un convulso e impaziente slacciare bottoni, aprire chiusure lampo, strappar via camicette.

«Non sei mica dal dottore per doverti spogliare da sola» protestò. La ragazza si era ormai tolta il vestito ed era in sottoveste.

«Dal dottore? Perché?».

«Eh, sì, mi sembra proprio come dal dottore».

«Già,» rise la ragazza «è veramente come dal dottore».

Si tolse il reggiseno e si mise davanti a Jaromil protendendo i suoi piccoli seni: «Signor dottore, ho delle fitte proprio qui vicino al cuore».

Jaromil la guardava senza capire e lei disse con tono di scusa: «Mi scusi, lei ha sicuramente l'abitudine di visitare i pazienti da sdraiati»; si stese sul divano e continuò: «Guardi un po', per cortesia, che cosa ho a questo benedetto cuore».

A Jaromil non restava che accettare il gioco; si chinò sul petto della ragazza e avvicinò l'orecchio al suo cuore; con il padiglione dell'orecchio toccava il soffice cuscinetto del seno e vi sentiva dentro un battito regolare. Pensò che forse proprio così il dottore toccava i seni della rossa quando l'auscultava dietro le porte chiuse e misteriose dell'ambulatorio. Sollevò il capo, guardò la ragazza nuda e provò di colpo una sensazione di cocente dolore, perché la vedeva così come la vedeva un altro uomo, il dottore. Posò in fretta le due mani sul petto della ragazza (le posò come Jaromil, non come il dottore) per mettere fine a quel gioco tormentoso.

«Ma cosa fa, signor dottore! Non può! Così non è più una visita medica!» protestava la ragazza e Jaromil fu preso dalla collera: vedeva l'espressione che aveva il viso della ragazza quando la toccavano mani estranee, sentiva le sue frivole proteste e gli venne voglia di mollarle uno schiaffo; ma in quel momento si accorse che era eccitato, così tolse alla ragazza le mutandine e si accoppiò con lei.

L'eccitazione era così grande che fece dileguare in fretta la rabbia gelosa, soprattutto quando Jaromil sentì i gemiti della ragazza (questo splendido omaggio) e le parole che dovevano appartenere ormai per sempre ai loro momenti intimi: «*Xaverino*, *Xaveruccio*, *Xaverolino!*».

Dopo si allungò tranquillo accanto alla ragazza, la baciò teneramente sulle spalle e si sentì bene. Solo che quel matto non sapeva accontentarsi di un bel *momento*; un bel momento per lui aveva senso solo se era il messaggero di una bella eternità; un bel momento caduto giù da un'eternità contaminata per lui era soltanto menzogna. Volle dunque assicurarsi che la loro eternità fosse incontaminata e chiese con tono più supplichevole che aggressivo: «Dimmi che quella storia della visita medica è stata soltanto uno stupido scherzo».

«Ma certo, no?» disse la ragazza; del resto, che cosa avrebbe dovuto rispondere a una domanda così stupida? Solo che quel *ma certo, no?* non soddisfece Jaromil, il quale continuò:

«Non sopporterei che ti toccassero altre mani che le mie. Non lo sopporterei», e carezzò i poveri piccoli seni della ragazza come se la sua felicità dipendesse dalla loro inviolabilità.

La ragazza si mise a ridere (del tutto innocentemente): «E che cosa devo fare se mi ammalo?».

Jaromil sapeva che era impossibile evitare completamente le visite mediche e che la sua posizione era indifendibile; ma sapeva altrettanto bene che se il seno della ragazza fosse stato sfiorato da mani che non erano le sue, tutto il suo mondo sarebbe crollato. Per questo ripeté:

«Ma io non lo sopporterei, capisci, non lo sopporterei».

«E allora che cosa devo fare se mi ammalo?».

Lui disse a voce bassa e con tono di rimprovero: «Puoi sempre trovare una dottoressa».

«E già, mica posso scegliere! Sai bene come stanno le cose» rispose la ragazza, questa volta con indignazione. «Ci assegnano ognuno a un dottore! Non lo sai come funziona la medicina socialista? Non puoi scegliere niente e devi soltanto obbedire! Prendi le visite ginecologiche, per esempio...».

Jaromil sentì che il cuore gli si fermava, ma continuò come se nulla fosse: «Perché, hai qualcosa che non va?».

«Ma no, è solo per la prevenzione. Contro il cancro. È obbligatorio».

«Taci. Non voglio sentire» disse Jaromil e le mise una mano sulla bocca; lo fece con un gesto così violento che quasi si spaventò di quel contatto, perché la ragazza poteva considerarlo come uno schiaffo e arrabbiarsi; ma gli occhi della rossa avevano uno sguardo umile, e così Jaromil non dovette moderare in alcun modo l'involontaria brutalità del suo gesto; se ne compiacque e disse:

«Sappi che se qualcuno ti tocca ancora una volta, io non ti toccherò mai più».

Teneva sempre la mano sulle labbra della ragazza; era la prima volta che toccava una donna con brutalità e lo trovava inebriante; poi le mise entrambe le mani sul collo come per strangolarla; sentiva sotto le dita la fragilità della sua gola e pensò che sarebbe bastato stringere le dita per soffocarla.

«Ti strangolerei, se qualcuno ti toccasse» disse, sempre con le mani intorno alla gola della ragazza; godeva nel sentire in quel contatto il possibile non essere della ragazza; gli sembrava che la rossa, almeno in quei momenti, gli appartenesse veramente, e si inebriava della sensazione di una felice potenza, una sensazione così bella che ricominciò a fare l'amore con la ragazza.

Durante l'atto d'amore la strinse più volte con brutalità, le mise una mano sul collo (gli passò per la mente che sarebbe stato bello strangolare l'amante durante l'amore) e le diede anche qualche morso.

Poi giacquero di nuovo l'uno accanto all'altra, ma l'atto d'amore forse era durato troppo poco, sicché non era riuscito ad assorbire l'amara collera del ragazzo; la rossa era stesa accanto a lui, non strangolata, viva, con il suo corpo nudo che andava alle visite ginecologiche.

«Non essere cattivo con me» gli disse accarezzandogli la mano.

«Ti ho già detto che un corpo che sia stato toccato da mani altrui mi disgusta».

La rossa capì che il ragazzo non scherzava; disse con foga: «Dio mio, ma era solo per ridere!».

«Ma quale ridere! Era la verità».

«Non è vero».

«Come no? Era la verità e so bene che non ci si

può fare nulla. Le visite ginecologiche sono obbligatorie e tu devi andarci. Non te lo rimprovero. Solo che un corpo che viene toccato da mani altrui mi disgusta. Non ci posso fare niente, è così».

«Ti giuro che non c'era niente di vero! Non sono mai stata malata, solo quando ero piccola. Non vado mai dal dottore. Ho avuto la chiamata per la visita ginecologica ma ho gettato via il biglietto. Non ci sono mai andata».

«Non ti credo».

Lei durò fatica a convincerlo.

«E se ti convocano un'altra volta?».

«Oh, non ti preoccupare, c'è una tale confusione, laggiù».

Le credeva, ma la sua amarezza non si lasciava calmare da argomenti pratici; non si trattava soltanto delle visite mediche; il vero problema era che lei gli sfuggiva, che non la possedeva fino in fondo.

«Ti voglio tanto bene» gli diceva, ma lui non poteva fidarsi di un momento così breve; voleva l'eternità; voleva almeno una piccola eternità della vita della rossa e sapeva di non averla: si ricordò che non era vergine quando l'aveva conosciuta.

«Non posso sopportare l'idea che qualcuno ti tocchi e che qualcuno ti abbia toccata».

«Nessun altro mi toccherà».

«Ma ti ha toccata. E questo mi disgusta».

Lei lo abbracciò.

Lui la respinse.

«Quanti uomini hai avuto?».

«Uno».

«Non dire bugie».

«Ti giuro che è stato uno soltanto».

«Lo amavi?».

Scosse la testa.

«E come hai potuto andare a letto con uno che non amavi?».

«Non tormentarmi».

«Rispondimi! Come hai potuto?».

«Non tormentarmi. Non lo amavo ed è stato terribile».

«Che cosa è stato terribile?».

«Non far domande».

«Perché non devo far domande?».

La ragazza scoppiò in lacrime e tra i singhiozzi gli raccontò che era stato un uomo anziano del suo paese, che era un essere ignobile, che l'aveva in sua completa balìa («non far domande, non mi chiedere nulla!»), che non ne tollerava neanche il ricordo («se mi vuoi bene non ricordarmelo mai più!»).

Pianse tanto che Jaromil finì per dimenticare la propria rabbia; le lacrime sono un eccellente mezzo per lavare le macchie.

Alla fine l'accarezzò: «Non piangere».

«Tu sei il mio Xaveruccio» gli disse lei. «Sei entrato dalla finestra e lo hai chiuso nell'armadio e lui diventerà uno scheletro e tu mi porterai lontano».

Si abbracciarono e si baciarono. La ragazza gli assicurò che non avrebbe mai sopportato altre mani sul proprio corpo, e lui le assicurò che le voleva bene. Cominciarono di nuovo a fare l'amore e lo fecero teneramente, con i corpi pieni di anima fino all'orlo.

«Tu sei il mio Xaveruccio» gli disse lei dopo, e lo accarezzò.

«Sì, ti porterò lontano, dove sarai al sicuro» disse lui, e sapeva dove l'avrebbe portata; aveva per lei una tenda sotto la vela azzurra della pace, una tenda sotto la quale gli uccelli volavano verso l'avvenire e i profumi scivolavano verso gli scioperanti di Marsiglia; aveva per lei una casa sulla quale vegliava l'angelo della sua infanzia.

«Sai una cosa, ti voglio presentare a mia madre» le disse, e aveva gli occhi pieni di lacrime.

4

La famiglia che occupava le stanze al pianterreno della villa andava orgogliosa del ventre prominente della madre; era in viaggio il terzo figlio, e il padre un giorno fermò la madre di Jaromil per dirle che era ingiusto che due persone occupassero lo stesso spazio di cinque; le suggerì di cedergli una delle tre stanze al primo piano. La madre gli rispose che era impossibile. L'inquilino ribatté che in tal caso sarebbe stato il comitato del popolo a controllare se i locali della villa erano equamente distribuiti. La mamma disse che il figlio si sarebbe sposato tra non molto e dunque al primo piano sarebbero stati presto in tre e forse, in poco tempo, anche in quattro.

Quando qualche giorno dopo Jaromil le annunciò che voleva presentarle la sua ragazza, la cosa arrivò proprio al momento giusto; gli inquilini avrebbero potuto almeno constatare che non si era inventata una scusa parlando del prossimo matrimonio del figlio.

Ma quando poi lui confessò che la mamma conosceva bene la ragazza per averla vista nel negozio dove andava a fare la spesa, lei non poté nascondere un'espressione di sgradevole sorpresa.

«Spero» disse Jaromil in tono aggressivo «che non ti secchi il fatto che lavora come commessa. Ti ho pur detto che è una donna che lavora, una ragazza come tante altre».

Ci vollero alcuni istanti perché la mamma potesse ammettere l'idea che quella ragazza stupida, antipatica e non bella fosse l'amore del figlio, ma alla fine si controllò: «Non arrabbiarti se sono rimasta sorpresa» disse, ed era pronta a sopportare tutto quello che il figlio le riservava.

Si arrivò dunque alle tre penose ore della visita; erano tesi tutti e tre, ma superarono la prova con successo.

«Allora, ti è piaciuta?» chiese Jaromil con impazienza alla madre quando si ritrovò solo con lei.

«Ma sì, mi è piaciuta molto, perché non avrebbe dovuto» rispose lei, ben sapendo che il tono della sua voce affermava il contrario di quanto diceva.

«Allora non ti è piaciuta?».

«Ma se ti ho detto che mi è piaciuta molto».

«No, lo capisco dal tuo tono che non ti è piaciuta. Non dici quello che pensi veramente».

Durante la visita la rossa aveva commesso una serie di gaffe (aveva teso per prima la mano alla madre, si era seduta per prima al tavolo, aveva portato la tazza di caffè alle labbra per prima), molte scorrettezze (aveva interrotto più volte la madre mentre parlava) e indelicatezze (aveva chiesto alla madre quanti anni aveva); quando la mamma cominciò a enumerare queste mancanze temette di apparire meschina al figlio (Jaromil condannava come piccoloborghese l'eccessivo attaccamento alle regole del galateo) e così aggiunse subito:

«Naturalmente non c'è nulla di irrimediabile. Basta che tu la inviti qui da noi un po' più spesso. Nel nostro ambiente si affinerà e si educherà».

Ma quando pensò che avrebbe dovuto vedere regolarmente quel corpo brutto, rosso e ostile, provò di nuovo un insopprimibile disgusto e disse con voce conciliante: «Non puoi certo fargliene una colpa, se è così com'è. Devi pensare all'ambiente in cui è cresciuta e dove lavora. Non vorrei essere una ragazza giovane in un posto del genere. Tutti si prendono delle libertà, devi essere a disposizione di tutti. Se il capo comincia a darti fastidio, non puoi dir di no. E infine, in un ambiente simile una relazione non è considerata una cosa seria».

Guardava il viso del figlio e lo vide imporporarsi; l'onda bruciante della gelosia aveva riempito il corpo di Jaromil e la mamma ebbe l'impressione di sentire dentro di sé il calore di quell'onda (come poteva essere altrimenti: era la stessa onda bruciante che aveva sentito dentro di sé quando le era stata presentata la rossa, così che possiamo ben dire che adesso stavano l'uno di fronte all'altra, madre e figlio, come due vasi comunicanti nei quali scorreva lo stesso acido). Il viso del figlio era di nuovo infantile e sottomesso; improvvisamente lei non aveva più davanti a sé un uomo estraneo e indipendente, ma il suo bambino adorato che soffriva, il bambino che un tempo veniva a cercare rifugio presso di lei e che lei consolava. Non riusciva a staccare gli occhi da quello splendido spettacolo.

Ma poi Jaromil se ne andò in camera sua e lei si sorprese (era sola da qualche istante, ormai) a darsi dei pugni in testa e a rimproverarsi a mezzavoce: «Smettila, smettila, non essere gelosa, smettila, non essere gelosa!».

Ciò nondimeno, quel che è fatto è fatto. La tenda di leggere vele azzurre, la tenda dell'armonia sulla quale vegliava l'angelo dell'infanzia, era a brandelli. Per la madre e il figlio cominciava l'epoca della gelosia.

Le parole della madre sulle relazioni che non vengono prese sul serio non smettevano di risuonare nella testa di Jaromil. Si immaginava le colleghe della rossa – le commesse del negozio – che le raccontavano storielle scabrose, si raffigurava quel breve contatto osceno tra il narratore e l'ascoltatore e soffriva maledettamente. Si immaginava il padrone del negozio che si strusciava contro il corpo della rossa, che le toccava impercettibilmente il seno o le dava una pacca sul sedere, e si macerava di rabbia pensando che a quei contatti *non si dava importanza*, mentre per lui significavano tutto. Un giorno che era andato a casa della ragazza si accorse che non si era chiusa a chiave nel gabinetto. Le fece una scenata; se l'era subito immaginata al gabinetto nel negozio, sorpresa da un estraneo mentre era seduta sul water.

Quando confidava alla rossa le sue gelosie, lei riusciva a calmarlo a forza di tenerezze e giuramenti; ma bastava che restasse un attimo solo nella sua stanzetta da bambino perché si rendesse conto tutt'a un tratto che nulla poteva garantirgli la sincerità delle parole di consolazione della rossa. Del resto, non era lui stesso a costringerla a mentire? Reagendo con tanta violenza all'idea di una stupida visita medica, non le aveva per sempre impedito di dire quello che pensava?

Erano ormai lontani i primissimi tempi felici del loro amore, quando le loro carezze erano gioiose e lui era pieno di gratitudine perché lei con una naturale sicurezza lo aveva portato fuori dal labirinto della verginità. Adesso sottoponeva a una crudele analisi tutto ciò per cui un tempo le era stato grato; rievocava in continuazione l'impudica carezza della sua mano che lo aveva così magnificamente eccitato la prima volta che era andato a casa sua; ora la esaminava con occhi sospettosi: non era possibile, si diceva, che avesse toccato in quel modo per la prima volta proprio lui, Jaromil; se aveva osato un gesto così impudico fin dalla prima volta, mezz'ora dopo averlo conosciuto, quel gesto per lei doveva essere del tutto insignificante e meccanico.

Era atroce. Certo, si era rassegnato all'idea che la ragazza avesse avuto un altro uomo prima di lui, ma solo perché le sue parole gli avevano offerto l'immagine di una relazione piena solo di amarezza e di dolore, nella quale lei non era stata altro che una vittima di cui abusare; quell'immagine risvegliava in lui la compassione, e la pietà diluiva un po' la sua gelosia. Ma se era stato durante quella relazione che la ragazza aveva imparato quella carezza impudica, allora non poteva essere stata una relazione completamente negativa. In quel gesto era inscritta troppa gioia, in quel gesto c'era tutta una piccola storia d'amore!

Era un argomento troppo delicato perché lui avesse il coraggio di parlarne, giacché il solo nominare l'ex amante della ragazza gli causava un enorme tormento. E tuttavia si sforzava di indagare per vie traverse sull'origine di quella prima carezza alla quale pensava senza tregua (e di cui rinnovava ogni volta l'esperienza, perché la rossa se ne compiaceva), e finì col calmarsi all'idea che un grande amore che arriva all'improvviso, come un lampo, libera di colpo la donna da tutti i pudori e le reticenze ed essa, proprio perché pura e innocente, si dà all'amante con la stessa sfacciataggine di una ragazza leggera; non solo: l'amore libera in lei tali risorse di ispirazione che il suo comportamento spontaneo può somigliare alle maniere esperte di una donna navigata. Il genio dell'amore supplisce in un attimo ad ogni esperienza. Questo ragionamento gli pareva bello e penetrante; alla sua luce la ragazza diveniva una santa dell'amore.

Poi un giorno un compagno di istituto gli disse: «Senti un po', ma chi era quella con cui ti ho visto ieri? Non è certo una bellezza!».

Rinnegò la ragazza come Pietro Cristo; disse che era una conoscente incontrata per caso; ne parlò con grande sufficienza. Ma come Pietro a Cristo, anche lui nell'anima restò fedele alla sua ragazza. Certo, limitò le passeggiate, ed era contento se nessuno lo vedeva con lei, ma al tempo stesso in cuor suo non era d'accordo con il collega e lo detestava. Inoltre si commuoveva all'idea che la sua ragazza portasse dei vestiti bruttini, di poco prezzo, e in questo scorgeva non solo il fascino di lei (il fascino della semplicità e della povertà), ma soprattutto il fascino del proprio amore: si diceva che non era difficile amare una persona che colpisce, perfetta, elegante: un amore del genere è solo un insignificante riflesso prodotto automaticamente dall'incontro casuale con la bellezza; il grande amore, invece, aspira a creare l'essere amato proprio da una creatura imperfetta, che del resto è una creatura molto più umana di quella perfetta.

Un giorno (verosimilmente dopo qualche spossante litigio) che una volta di più le stava dichiarando il suo amore, lei gli disse: «Del resto, non so che cosa ci trovi in me. Ci sono tante ragazze più belle».

Lui si infiammò di rabbia e le disse che l'amore non ha niente a che vedere con la bellezza. Le disse che in lei amava proprio quello che gli altri trovavano brutto; in preda a una sorta di estasi, cominciò addirittura a enumerare quelle caratteristiche; le disse che aveva dei miseri, piccoli seni con grossi capezzoli rugosi che ispiravano pietà più che entusiasmo; disse che era piena di lentiggini e aveva i capelli rossi ed era magra e che proprio per quello le voleva bene.

La rossa scoppiò a piangere, perché capiva bene i fatti (i poveri seni, i capelli rossi) e male l'idea.

Jaromil, invece, era entusiasta della sua idea; il pianto della ragazza che soffriva della propria bruttezza lo riscaldava nella sua solitudine e lo ispirava; pensava che avrebbe consacrato tutta la sua vita a farle dimenticare le lacrime e a convincerla del suo amore per lei. Ora, in quel grande slancio di emozione, il primo amante della rossa per lui era soltanto una delle bruttezze che amava in lei. Era veramente una straordinaria impresa della volontà e del pensiero; Jaromil se ne rendeva conto e cominciò a scrivere una poesia:

parlatemi di quella a cui penso senza tregua (questo verso si ripeteva come un Leit-motiv), *parlatemi di come va invecchiando* (di nuovo voleva possederla tutta intera, con tutta la sua eternità umana), *parlatemi di com'era nell'infanzia* (la voleva non soltanto con l'avvenire, ma anche con il passato), *fatemi bere l'acqua delle sue lacrime* (e soprattutto con la sua tristezza, che lo liberava della propria), *parlatemi degli amori che le hanno rubato la giovinezza; tutto ciò che hanno di lei palpato, in lei deriso, io in lei amerò*; (e un po' più avanti) *non c'è nulla nel suo corpo, nulla nella sua anima, neanche il marciume dei vecchi amori, che io non beva con ebbrezza...*

Jaromil era entusiasta di quello che aveva scritto perché gli sembrava di aver trovato, al posto della grande tenda azzurra dell'armonia, dello spazio artificiale dove tutte le contraddizioni sono abolite e la madre siede col figlio e la nuora alla tavola comune della pace, il nuovo focolare dell'assoluto, un assoluto più crudele e più autentico. Perché se non esiste l'assoluto della purezza e della pace, esiste un assoluto del sentimento infinito in cui tutto ciò che è impuro ed estraneo si dissolve come in una soluzione chimica.

Era entusiasta di quella poesia anche se sapeva che nessun giornale gliel'avrebbe pubblicata, dato che non aveva nulla in comune con la radiosa epoca del socialismo; l'aveva scritta per se stesso e per la rossa. Quando gliela lesse, lei si commosse fino alle lacrime ma insieme ebbe di nuovo paura perché si parlava delle sue bruttezze, del fatto che qualcuno l'aveva palpata, della vecchiaia che l'attendeva.

Il turbamento della ragazza non infastidiva Jaromil. Al contrario, desiderava vederlo e gustarlo, desiderava indugiarvi e confutarlo a lungo. Ma la ragazza non aveva nessuna intenzione di soffermarsi troppo a lungo sul tema della poesia e cambiò subito discorso.

Se lui riusciva a perdonarle i suoi seni insignificanti (per quelli, in effetti, non si era mai arrabbiato con lei) e il fatto che fossero stati toccati da mani altrui, c'era una cosa che non poteva perdonarle: la sua loquacità. Ecco, le aveva appena letto qualcosa in cui c'era tutto lui stesso, con la sua passione, il suo sentimento, il suo sangue, e un attimo dopo lei era già lì che chiacchierava allegramente di tutt'altro!

Sì, era pronto a far sparire tutti i suoi difetti nella soluzione del suo amore, che tutto perdonava, ma solo a una condizione: che lei stessa si adagiasse docilmente in quella soluzione, che non fosse mai altrove che in quel bagno d'amore, che da quel bagno non fuggisse neanche con un pensiero, che fosse completamente immersa sotto la superficie dei pensieri e delle parole di Jaromil, che fosse completamente immersa nel mondo di lui e che neanche con un pezzettino del corpo e dello spirito si trovasse mai in nessun altro mondo.

E lei invece è già lì che chiacchiera, e non solo chiacchiera, ma chiacchiera della sua famiglia, e la sua famiglia era la cosa che di lei a Jaromil piaceva di meno, giacché non sapeva bene come opporvisi (era una famiglia del tutto innocente e per di più una famiglia proletaria, cioè una famiglia della folla), ma voleva farlo perché era proprio pensando ad essa che la ragazza continuava a scappar via dalla vasca che lui le aveva preparato, riempiendola con il solvente del suo amore.

Dovette stare a sentire ancora una volta le solite storie su suo padre (un vecchio operaio di provincia, sfiancato dal lavoro), sui suoi fratelli e sorelle (quella non era una famiglia ma una conigliera, pensava Jaromil: due sorelle e quattro fratelli!), e soprattutto su uno dei fratelli (si chiamava Jan e doveva essere un tipo strano, prima del 1948 era stato l'autista di un ministro anticomunista); no, non era soltanto una famiglia, era soprattutto un ambiente estraneo e a lui odioso, di cui la ragazza portava ancora attaccate addosso le piume, piume che la allontanavano da lui e facevano sì che lei non fosse totalmente e assolutamente sua; e poi quel fratello Jan, anche lui non era soltanto un fratello, ma soprattutto un uomo che l'aveva vista da vicino per diciotto anni di fila, un uomo che di lei conosceva decine di piccoli segreti intimi, un uomo che usava lo stesso gabinetto (chissà quante volte lei si era dimenticata di chiudersi a chiave!), un uomo che certo aveva notato la sua trasformazione in donna, un uomo che sicuramente l'aveva vista nuda più di una volta...

Devi esser mia per morire sulla ruota di tortura, se lo vorrò, scriveva Keats, malato e geloso, alla sua Fanny, e Jaromil, che è di nuovo a casa, nella sua stanzetta da bambino, scrive versi per calmarsi. Pensa alla morte, a questo grande abbraccio in cui tutto si quieta; pensa alla morte degli uomini forti, dei grandi rivoluzionari, e si dice che vorrebbe comporre il testo di una marcia funebre da eseguire ai funerali dei comunisti.

La morte; anch'essa, in quell'epoca di gioia obbligatoria, apparteneva ai temi proibiti, ma Jaromil si disse che sarebbe stato capace (aveva già scritto dei bei versi sulla morte, a modo suo era uno specialista della bellezza della morte) di scoprire l'angolazione particolare da cui la morte avrebbe perso la solita ambiguità decadente; si sentiva capace di scrivere dei versi *socialisti* sulla morte;

pensa alla morte di un grande rivoluzionario: *come il sole che tramonta dietro la montagna, muore il combattente...*

e scrive una poesia che intitola *Epitaffio*: *Ah, se bisogna morire, che sia con te, amore mio, e solo tra le fiamme, mutato in calore e chiarore...*

5

La poesia lirica è un territorio in cui ogni affermazione diventa verità. Il poeta lirico ieri ha detto: *la vita è vana come il pianto*, oggi dice: *la vita è allegra come una risata*, e ha ragione ogni volta. Oggi dice: *tutto finisce e sprofonda nel silenzio*, domani dirà: *nulla finisce e tutto risuona eternamente*, e tutt'e due le cose sono vere. Il poeta lirico non deve dimostrare nulla; l'unica prova è l'intensità della sua emozione.

Il genio del lirismo è il genio dell'inesperienza. Il poeta sa poco del mondo, ma le parole che sgorgano da lui si dispongono in splendidi agglomerati, definitivi come il cristallo; il poeta è immaturo e ciò nonostante il suo verso ha in sé la definitività di una profezia, davanti alla quale lui stesso trasecola.

Ah, mio liquido amore, aveva letto un giorno la mamma nella prima poesia di Jaromil, e le era parso (quasi con vergogna) che suo figlio ne sapesse più di lei a proposito dell'amore; non sospettava nulla della cameriera Magda spiata dal buco della serratura, il liquido amore per lei rappresentava qualcosa di molto più generico, una misteriosa e alquanto incomprensibile categoria dell'amore di cui essa poteva solo indovinare vagamente il senso, come si indovina il senso degli oracoli della Sibilla.

Possiamo ridere dell'immaturità del poeta, ma essa ha anche di che stupirci: c'è nelle sue parole una gocciolina che è sgorgata dal cuore e che dona ai versi lo splendore della bellezza. Ma non è stata una reale esperienza di vita a spremere dal cuore quella gocciolina, noi pensiamo piuttosto che il poeta stesso di tanto in tanto si sprema il cuore, come una cuoca spreme il limone sull'insalata. Jaromil, a dire il vero, non si preoccupava molto della sorte degli operai marsigliesi in sciopero, ma quando scriveva una poesia sull'amore che provava per loro era realmente commosso e annaffiava generosamente di quell'emozione le proprie parole, che in questo modo diventavano verità grondante sangue.

Con le poesie il poeta lirico disegna il proprio autoritratto; ma poiché nessun ritratto è fedele, possiamo anche dire che con le poesie egli ritocca la propria immagine.

La ritocca? Sì, la rende più espressiva, perché l'imprecisione dei suoi lineamenti lo fa soffrire; si vede confuso, insignificante, ordinario; cerca una forma di se stesso; vuole che l'acido fotografico della poesia dia solidità ai suoi lineamenti.

E la rende più significativa perché la sua vita è povera di avvenimenti. Il mondo dei suoi sentimenti e dei suoi sogni, materializzato nei versi, ha spesso un'apparenza tumultuosa e supplisce all'intensità drammatica dell'azione che gli è negata.

Ma perché egli possa vestirsi del proprio ritratto e dietro di esso affrontare il mondo, bisogna che quel ritratto venga esposto e la poesia pubblicata. È vero che il «Rudé právo» aveva pubblicato qualche poesia di Jaromil, ma lui non era soddisfatto. Nelle lettere con cui accompagnava le poesie si rivolgeva familiarmente allo sconosciuto redattore del giornale, perché voleva spingerlo a rispondergli e a sollecitare un incontro; ma (era quasi umiliante!) anche se gli pubblicavano le poesie nessuno ci teneva a conoscerlo come essere vivente, ad accoglierlo tra di loro; il redattore non aveva mai risposto alle sue lettere.

E anche tra i compagni di istituto le sue poesie non suscitavano la reazione che lui si aspettava. Forse, se avesse fatto parte dell'élite dei poeti contemporanei che si esibivano su palchi e tribune e le cui fotografie facevano bella mostra sulle riviste, forse allora sì che avrebbe potuto diventare un'attrazione per gli studenti del suo corso. Ma due o tre poesie annegate nelle pagine di un quotidiano trattenevano l'attenzione solo per qualche minuto e facevano di Jaromil, agli occhi dei compagni che avevano davanti a sé una carriera politica o diplomatica, una creatura non stranamente interessante, ma interessantemente strana.

E Jaromil aveva un così sconfinato desiderio di gloria! La sognava come tutti i poeti: *O gloria, deità possente, lascia che il tuo grande nome mi ispiri e che i miei versi ti raggiungano*, implorava Victor Hugo; *sono un poeta, sono un grande poeta e un giorno sarò amato da tutto il mondo, bisogna che io me lo dica, che preghi in questo modo davanti al mio tumulo incompiuto*, si consolava Jiří Orten.

Il desiderio ossessivo di ammirazione non è solo un neo nel talento di un poeta lirico (come potremmo considerarlo, per esempio, nel caso di un matematico o di un architetto), ma fa parte della natura stessa del talento lirico, è il segno distintivo del vero poeta lirico: perché poeta lirico è chi offre all'universo il proprio autoritratto con il desiderio che il proprio viso, còlto sulla tela dei versi, sia amato e adorato.

La mia anima è un fiore esotico dall'odore singolare, nervoso. Ho un grande talento, forse anche del genio, scriveva nel suo diario Jiří Wolker, e Jaromil, scoraggiato dal silenzio del redattore del quotidiano, scelse alcune poesie e le inviò alla più famosa rivista letteraria dell'epoca. Che felicità! Dopo due settimane ricevette una risposta: i suoi versi erano stati giudicati interessanti ed era gentilmente pregato di passare in redazione. Si preparò a questa visita con la stessa cura con cui un tempo si preparava agli appuntamenti con le ragazze. Decise che si sarebbe presentato ai redattori nel senso più profondo della parola, e per questo tentò di chiarire prima di tutto a se stesso chi era veramente; chi era come poeta, chi era come uomo, qual era il suo programma, da dove veniva, che cosa aveva alle spalle, che cosa amava, che cosa odiava. Alla fine, prese carta e penna e si annotò i punti principali delle sue idee, delle sue posizioni, delle fasi della sua evoluzione. Riempì alcuni fogli e un bel giorno bussò a una porta ed entrò.

A un tavolo era seduto un ometto magro con gli occhiali che gli chiese che cosa desiderava. Jaromil disse il proprio nome. Il redattore gli chiese di nuovo che cosa desiderava. Jaromil ripeté (più distintamente e più forte) il proprio nome. Il redattore disse che era felice di conoscerlo, ma che sarebbe stato contento di sapere che cosa desiderava. Jaromil disse che aveva mandato dei suoi versi e che era stato invitato lì con una lettera. Il redattore disse che della poesia si occupava un suo collega che in quel momento era assente. Jaromil disse che era un peccato perché sarebbe stato felice di sapere quando sarebbero state pubblicate le sue poesie.

Il redattore perse la pazienza, si alzò dalla sedia, prese Jaromil sottobraccio e lo condusse davanti a un grande armadio. Lo aprì e indicò alte pile di fogli che giacevano sugli scaffali: «Caro compagno, ogni giorno riceviamo poesie da una media di venti nuovi autori. Quant'è all'anno?».

«Non so fare il conto a mente» rispose Jaromil imbarazzato quando il redattore lo invitò a rispondere.

«Fanno quattromilatrecentottanta nuovi poeti. Hai voglia di andare all'estero?».

«Perché no?» disse Jaromil.

«Allora continua a scrivere» disse il redattore. «Sono convinto che prima o poi cominceremo a esportare lirici. Gli altri paesi esportano tecnici, ingegneri, oppure grano o carbone; da noi, invece, la principale ricchezza sono i lirici. I lirici cechi andranno a fondare la poesia nei paesi in via di sviluppo. In cambio dei nostri lirici potremo acquistare strumenti di precisione e banane».

Qualche giorno più tardi, la mamma disse a Jaromil che era venuto a cercarlo il figlio del bidello: «Ha detto di passare a trovarlo alla polizia. E poi di dirti che si congratula per le poesie».

Jaromil diventò rosso dal piacere: «Veramente?».

«Sì. Mentre andava via ha detto proprio così: gli dica che mi congratulo per le poesie. Non dimentichi di riferirglielo».

«Sono molto felice, sì, molto felice» disse Jaromil con un'insistenza particolare. «Io quelle poesie le scrivo proprio per persone come lui. Non le scrivo mica per i redattori dei giornali. Il falegname fa i tavoli per la gente, mica per i falegnami».

E così un giorno entrò nel grande edificio della polizia, disse il proprio nome al portiere armato di pistola, aspettò qualche minuto nel corridoio e finalmente strinse la mano al vecchio amico d'infanzia che, sceso dal piano superiore, lo accolse con gioia. Poi andarono nel suo ufficio, e il figlio del bidello ripeté per la quarta volta: «Caro mio, non m'immaginavo di avere un compagno di scuola così famoso. Continuavo a dirmi: sarà lui, non sarà lui, e alla fine ho pensato che non è poi un nome così comune».

Poi portò Jaromil nel corridoio, verso un grande armadio su cui erano incollate alcune fotografie (poliziotti che si esercitavano coi cani, con le armi, col paracadute) e due circolari; in mezzo a tutta quella roba c'era un ritaglio di giornale con le poesie di Jaromil; il ritaglio era incorniciato da un tratto di matita rossa e sembrava dominare tutto l'armadio.

«Che ne dici?» chiese il figlio del bidello, e Jaromil non disse nulla ma era felice; era la prima volta che vedeva la sua poesia vivere di vita propria, indipendentemente da lui.

Il figlio del bidello lo prese sottobraccio e lo riportò nel suo ufficio. «Vedi, e tu magari neanche te lo immaginavi che i poliziotti leggessero le poesie» disse ridendo.

«Perché no?» rispose Jaromil, molto impressionato al pensiero che i suoi versi non li leggessero le vecchie zitelle, ma uomini che portavano la rivoltella appesa sul sedere. «Perché no, al giorno d'oggi i poliziotti non sono più i macellai della repubblica borghese».

«Tu sicuramente pensi che la poesia e i poliziotti non vadano d'accordo, e invece non è così» continuò il figlio del bidello seguendo la propria idea.

Anche Jaromil seguì la propria idea: «Del resto, oggi i poeti non sono più i poeti di una volta. Non sono delle signorinelle viziate».

E il figlio del bidello, sempre continuando il suo pensiero: «Appunto perché il nostro è un mestiere così duro (non puoi neanche immaginare fino a che punto), certe volte viene voglia di qualcosa di delicato. Altrimenti certe volte uno non potrebbe sopportare quello che è obbligato a fare qui dentro».

Poi lo invitò (doveva giusto smontare) a bere insieme una birra in un locale lì di fronte. «Caro mio, c'è proprio poco da divertirsi» continuò con un boccale da mezzo litro in mano. «Ricordi che cosa ti dicevo l'ultima volta a proposito di quell'ebreo? Be', è già dentro. Ed è un vero porco».

Naturalmente Jaromil era completamente all'oscuro del fatto che l'uomo bruno, il capo del circolo di giovani marxisti, fosse stato arrestato; sapeva vagamente che c'erano degli arresti, ma non sapeva che gli arrestati erano migliaia, che ce n'erano anche tra i comunisti, che venivano torturati e che le loro colpe erano per lo più inventate; per questo reagì alla notizia con una semplice sorpresa in cui non si esprimeva nessuna opinione, ma solo un po' di stupore e di compassione, sicché il figlio del bidello dovette dire energicamente: «In queste cose non c'è posto per nessun sentimentalismo».

Jaromil ebbe paura che il figlio del bidello gli sfuggisse nuovamente, che fosse di nuovo più avanti di lui. «Non ti meravigliare se mi fa pena. È normale. Ma tu hai ragione, il sentimentalismo ci potrebbe costar caro».

«Terribilmente caro» disse il figlio del bidello.

«Nessuno di noi vuole essere crudele» disse Jaromil.

«Certamente no» assentì il figlio del bidello.

«Ma commetteremmo la peggiore delle crudeltà se non avessimo il coraggio di essere crudeli con i crudeli» disse Jaromil.

«È proprio così» assentì il figlio del bidello. «Nessuna libertà ai nemici della libertà. È crudele, lo so, ma così deve essere».

«Così deve essere» approvò il figlio del bidello. «Ti potrei raccontare molte cose in proposito, ma non posso e non devo dirti niente. Compagno, si tratta di cose segretissime, neanche a mia moglie posso dire quello che faccio qui alla polizia».

«Lo so,» disse Jaromil «capisco» e di nuovo invidiò all'antico compagno di scuola quel mestiere virile, quei segreti e quella moglie, e il fatto che dovesse tenerle nascoste certe cose e che lei fosse costretta ad accettarlo; gli invidiò quella *vita reale* la cui bellezza crudele (e bella crudeltà) sopravanzava sempre Jaromil (non capiva affatto perché avessero arrestato il tipo bruno, sapeva soltanto che così doveva essere), gli invidiò la vita reale in cui lui (adesso, davanti al suo coetaneo e compagno di scuola, se ne rendeva nuovamente conto con amarezza) non era ancora entrato.

Mentre Jaromil continuava le sue invidiose riflessioni, il figlio del bidello lo guardò fisso negli occhi (le sue labbra si erano leggermente allargate in un sorriso idiota) e cominciò a recitare i versi che aveva appuntato sull'armadio; conosceva tutta la poesia a memoria e non sbagliò neanche una parola. Jaromil non sapeva che faccia fare (il compagno di scuola non gli toglieva un attimo gli occhi di dosso), arrossiva (sentiva tutto il ridicolo dell'ingenua recitazione del compagno), ma la sensazione di felice fierezza che provava era infinitamente più forte dell'imbarazzo: il figlio del bidello conosceva e amava i suoi versi! Le sue poesie erano dunque entrate nel mondo degli uomini e al suo posto, prima di lui, come sue messaggere, come le sue pattuglie avanzate! Gli salirono agli occhi lacrime di beato autocompiacimento, se ne vergognò e abbassò la testa.

Il figlio del bidello aveva finito di recitare e continuava a guardare fisso Jaromil; poi disse che in una bella villa nei dintorni di Praga si teneva per tutto l'anno un corso di addestramento per giovani poliziotti, e che ogni tanto si organizzavano dibattiti ai quali venivano invitate persone interessanti. «Una domenica vorremmo anche invitare dei poeti. Organizzare una grande serata di poesia».

Bevvero un'altra birra e Jaromil disse: «È molto bello che siano proprio i poliziotti a organizzare una serata di poesia».

«E perché non i poliziotti? Che c'è di strano?».

«Niente, naturalmente» disse Jaromil. «Forse polizia e poesia vanno molto più d'accordo di quanto alcuni non pensino».

«Perché non dovrebbero andare d'accordo?» chiese il figlio del bidello.

«Perché no?» disse Jaromil.

«Eh già, perché no?» disse il figlio del bidello, e dichiarò che gli sarebbe piaciuto vedere anche Jaromil tra i poeti invitati alla serata.

Jaromil protestò, ma finì con l'accettare di buon grado; se la letteratura esitava a tendere la propria mano fragile (malaticcia) ai suoi versi, gliela tendeva (rude e ferma) la vita stessa.

6

Fermiamoci ancora un attimo a guardare Jaromil seduto davanti a un boccale di birra col figlio del bidello; dietro di lui, in lontananza, si stende il mondo della sua infanzia e davanti a lui, nelle sembianze dell'ex compagno di scuola, il mondo dell'azione, un mondo estraneo che gli fa paura e che pure lui desidera disperatamente.

In questa immagine si esprime la situazione fondamentale dell'immaturità; il lirismo è uno dei modi per fronteggiare questa situazione: espulso dal recinto protettivo dell'infanzia, l'uomo sogna di entrare nel mondo, ma poiché al tempo stesso quel mondo gli fa paura, si crea coi propri versi un mondo artificiale, *sostitutivo.* Lascia che le sue poesie gli girino attorno come pianeti intorno al sole; diventa il centro di un piccolo universo in cui non c'è nulla di estraneo, in cui si sente a casa sua come un bambino nel corpo della madre, perché in esso tutto è creato con l'unica materia della sua anima. Lì può realizzare tutto quello che «fuori» è così difficile; lì può, come lo studente Wolker, marciare con le folle di proletari verso la rivoluzione e come il vergine Rimbaud frustare le sue «piccole amanti»; perché quelle folle e quelle amanti non sono fatte dell'ostile sostanza del mondo estraneo, ma della sostanza dei suoi sogni, sono dunque lui stesso e non distruggono l'unità dell'universo che si è costruito per sé.

Probabilmente conoscete la splendida poesia di Orten sul bambino che era felice all'interno del corpo materno e sente la propria nascita come una morte atroce, *una morte piena di luce e di volti spaventosi*, e vuole tornare indietro, indietro dentro la mamma, seguendo *il dolcissimo profumo.*

Nell'uomo non ancora maturo persiste a lungo la nostalgia per la sicurezza e l'unità dell'universo che lui riempiva da solo dentro il corpo della madre, e resta anche l'angoscia (o la rabbia) verso il mondo adulto della relatività, in cui egli si perde come una goccia in un mare di alterità. Per questo i giovani sono monisti appassionati, messaggeri dell'assoluto; per questo il poeta lirico ordisce l'universo privato dei versi; per questo il giovane rivoluzionario vuole un mondo totalmente nuovo, fatto di un unico pensiero chiaro; per questo i giovani non tollerano i compromessi, né in amore né in politica; lo studente in rivolta urla in faccia alla storia il suo *tutto o niente* e il ventenne Victor Hugo va su tutte le furie quando vede Adèle Foucher, la sua fidanzata, che passando su un marciapiede fangoso solleva la gonna mostrando la caviglia. *Mi sembra che il pudore sia più importante della gonna*, la rimprovera poi in una lettera severa, e la minaccia: *fai attenzione a quello che ti dico se non vuoi obbligarmi a prendere a schiaffi il primo insolente che oserà girarsi a guardarti!*

Il mondo degli adulti, sentendo questa patetica minaccia, scoppia a ridere. Il poeta è ferito dal tradimento della caviglia della fidanzata e dalle risate della folla, e da qui prende inizio il dramma della poesia lirica e del mondo.

Il mondo degli adulti sa bene che l'assoluto è solo un inganno, che niente di umano è grande o eterno, e che è del tutto normale che fratello e sorella dormano nella stessa stanza; ma Jaromil si tormenta! La rossa gli aveva annunciato che suo fratello sarebbe venuto a Praga e sarebbe stato da lei una settimana; l'aveva addirittura pregato di non andare a trovarla per quella settimana. Era decisamente troppo per Jaromil, che protestò ad alta voce: non poteva certo accettare di rinunciare alla sua ragazza per un'intera settimana a causa di un uomo qualsiasi (chiamò suo fratello un uomo qualsiasi con sdegnoso orgoglio).

«Che cos'hai da rimproverarmi?» replicò la ragazza. «Io sono più giovane di te e ci vediamo sempre a casa mia. Da te non si può mai venire!».

Jaromil sapeva che la rossa aveva ragione e la sua amarezza aumentò; avvertì nuovamente l'onta della propria non indipendenza e, accecato dalla rabbia, quello stesso giorno annunciò alla mamma (con una fermezza senza precedenti) che avrebbe invitato a casa la sua ragazza perché non aveva la possibilità di stare solo con lei da nessun'altra parte.

Come si somigliano, madre e figlio! Entrambi sono affatturati dalla nostalgia di un paradiso monista di unità e armonia: lui vuole *ritrovare* il dolcissimo profumo del ventre materno e lei vuole *essere* (di nuovo e per sempre) quel dolcissimo profumo. Man mano che il figlio cresceva, lei ha cercato di stendersi attorno a lui, e per sempre, come un etereo abbraccio; ha sposato tutte le sue opinioni, ha accettato l'arte moderna, ha abbracciato il comunismo, ha creduto nella gloria del figlio, si è indignata dell'ipocrisia dei professori che cambiano idea da un giorno all'altro; vuole essere sempre intorno a lui come il cielo, vuole essere sempre della stessa sostanza di cui è fatto lui.

Ma come potrebbe lei, apostolo dell'armoniosa unità, accettare la sostanza estranea di un'altra donna?

Jaromil, leggendo il dissenso sul suo viso, si intestardì. Sì, vuole tornare nel dolcissimo profumo, cerca l'antico universo materno, ma già da tempo non lo cerca più in sua madre; è proprio la madre la persona che più lo ostacola nella ricerca della madre perduta.

Lei capì che il figlio non avrebbe ceduto e si sottomise; la rossa si ritrovò per la prima volta sola con Jaromil nella stanza di lui, e la cosa sarebbe stata sicuramente molto bella se tutti e due non fossero stati così nervosi; la mamma era andata al cinema, è vero, ma in realtà era sempre lì con loro; avevano l'impressione che li ascoltasse; parlavano a voce molto più bassa del solito; quando Jaromil provò ad abbracciare la rossa trovò il suo corpo freddo e capì che era meglio non insistere; e così, invece di approfittare di tutti i piaceri di quella giornata, parlarono con imbarazzo di cose qualunque senza mai smettere di seguire i movimenti della lancetta dell'orologio a muro che annunciava loro il prossimo ritorno della madre; perché era impossibile uscire dalla stanza di Jaromil senza passare per quella di lei, e la rossa non voleva incontrarla per nulla; così se ne andò una buona mezz'ora prima del suo ritorno, lasciando Jaromil di cattivissimo umore.

Ma invece di scoraggiarlo, l'insuccesso lo rese ancora più deciso. Capì che la sua posizione nella casa in cui viveva era intollerabile; quella non era casa sua, era la casa della madre. Questa constatazione risvegliò in lui una testarda resistenza. Invitò di nuovo la rossa, e questa volta la accolse con una sfilza di chiacchiere futili per mezzo delle quali voleva vincere l'angoscia che l'aveva paralizzato la volta precedente. Aveva addirittura una bottiglia di vino sul tavolo, e poiché nessuno dei due era abituato all'alcool si trovarono ben presto in una disposizione di spirito in cui riuscirono a dimenticare l'ombra onnipresente della madre.

Per tutta una settimana la mamma tornò a casa la sera tardi, così come Jaromil desiderava, anzi addirittura più di quanto Jaromil desiderasse; restava fuori anche quando Jaromil non glielo chiedeva. Non si trattava né di buona volontà né di una concessione saggiamente ponderata: era una dimostrazione. Rientrando tardi, la madre voleva denunciare in modo esemplare la brutalità del figlio, voleva dimostrare che il figlio si comportava come se fosse lui il padrone di una casa dove lei era solo tollerata e non aveva neanche il diritto di sedersi nella sua stanza con un libro quando tornava stanca dal lavoro.

Durante i lunghi pomeriggi e le lunghe serate in cui restava fuori, non aveva purtroppo un solo uomo a cui far visita, giacché il collega che un tempo le aveva fatto la corte si era ormai stancato dei suoi vani tentativi; così andava al cinema, a teatro, tentava (con poco successo) di riallacciare i rapporti con qualche amica ormai quasi dimenticata, ed entrava con perverso piacere nei sentimenti amari di una donna che, dopo aver perso il marito, viene cacciata dalla propria casa dal figlio. Era seduta in una sala buia e lontano da lei, sullo schermo, due persone sconosciute si baciavano e sul suo viso scorrevano le lacrime.

Un giorno tornò a casa un po' più presto del solito, pronta a mostrare un'espressione offesa e a non rispondere al saluto del figlio. Entrando nella sua stanza non fece neanche in tempo a chiudere la porta che il sangue le montò alla testa; dalla stanza di Jaromil, pochi metri più in là, giungeva il respiro affrettato del figlio, cui si mischiavano gemiti femminili.

Restò come inchiodata a terra, non riusciva a muoversi eppure capiva che non poteva restare lì, immobile, ad ascoltare quei gemiti d'amore, perché aveva l'impressione di essere accanto a loro, di guardarli (e in quel momento li vedeva davvero con gli occhi del pensiero, chiaramente e distintamente) e questo era assolutamente insopportabile. Fu presa da un accesso di collera irragionevole, tanto più violenta in quanto ne vedeva bene l'impotenza: non poteva né battere i piedi, né urlare, né rompere un mobile, né entrare in camera di Jaromil e picchiarli, non poteva fare niente altro che stare lì immobile a sentirli.

E ad un tratto quel poco di lucidità che le era rimasto si mischiò a quell'accesso di collera cieca in un'ispirazione improvvisa e frenetica: quando la rossa prese di nuovo a gemere nella stanza vicina, gridò con una voce piena di ansiosi timori: «Jaromil, Dio mio, che cosa ha la signorina?».

I sospiri nella stanza vicina cessarono di colpo e la mamma corse verso l'armadietto delle medicine; prese una bottiglietta e di corsa tornò alla porta della camera di Jaromil; afferrò la maniglia; la porta era chiusa a chiave. «Dio mio, non mi fate spaventare, che cosa succede? La signorina sta male?».

Jaromil stringeva tra le braccia il corpo della rossa che tremava come una foglia; disse: «No, no, non è niente...».

«Ha i crampi?».

«Sì» rispose Jaromil.

«Apri, le ho portato delle gocce» disse la mamma, e girò di nuovo la maniglia della porta chiusa.

«Aspetta» disse il figlio e si alzò rapidamente dal letto.

«È terribile, dei dolori così forti» diceva la mamma dietro la porta.

«Un attimo» disse Jaromil e in gran fretta infilò la camicia e i pantaloni; gettò la coperta sulla ragazza.

«Cos'è, lo stomaco?» chiese la mamma da dietro la porta.

«Sì» rispose Jaromil, e socchiuse appena per prendere il flaconcino delle gocce.

«Potresti anche farmi entrare» disse la mamma. Una strana frenesia la spingeva; non si lasciò ricacciare indietro ed entrò nella stanza; la prima cosa che vide fu il reggiseno della ragazza gettato su una sedia e altri capi di biancheria femminile; poi vide la ragazza; era tutta rannicchiata sotto la coperta ed era veramente pallida come se avesse i crampi allo stomaco.

Adesso non poteva più tornare indietro; si sedette accanto alla rossa: «Che cosa le è successo? Arrivo a casa e sento dei lamenti terribili, povera piccola...»; le versò venti gocce su una zolletta di zucchero: «Ma io li conosco bene questi attacchi, prenda queste e si sentirà subito meglio...» e le avvicinò la zolletta alle labbra; la ragazza aprì obbedientemente la bocca e la tese verso lo zucchero come, un attimo prima, la tendeva verso le labbra di Jaromil.

Se era stato un ebbro furore a spingere la madre nella stanza del figlio, adesso in lei restava solo l'ebbrezza: guardava quella piccola bocca che si apriva teneramente e fu di colpo presa da una terribile voglia di strappare via la coperta dal corpo della rossa e di averla nuda davanti a sé; di rompere l'ostile intimità del piccolo mondo formato dalla rossa e da Jaromil; di toccare quello che lui toccava; di proclamarlo suo; di occuparlo; di prendere entrambi quei corpi nel suo abbraccio etereo; di insinuarsi tra le loro nudità così fragilmente occultate (non le erano sfuggite, sul pavimento, le mutande di Jaromil); di entrare fra loro con sfrontata innocenza, come se si fosse veramente trattato di un attacco di mal di stomaco; di essere con loro come era stata con Jaromil quando lo faceva bere dal suo seno; di accedere, attraverso la passerella di quell'ambigua innocenza, ai loro giochi e alle loro carezze; di essere come il cielo intorno ai loro corpi nudi, di essere con loro...

Poi ebbe paura della propria eccitazione. Consigliò alla ragazza di respirare profondamente e si ritirò in fretta in camera sua.

7

Intorno al pulmino chiuso, fermo davanti all'edificio della polizia, i poeti aspettavano l'arrivo dell'autista. Con i poeti c'erano anche due uomini della polizia, organizzatori del dibattito, e naturalmente anche Jaromil; egli conosceva di vista alcuni poeti (per esempio il sessantenne che qualche tempo prima aveva letto la poesia sulla giovinezza all'assemblea della facoltà), ma non osava rivolgere la parola a nessuno. I suoi timori erano un po' placati dal fatto che finalmente, dieci giorni prima, una rivista letteraria aveva pubblicato cinque sue poesie; in ciò vedeva la conferma ufficiale del suo diritto di definirsi poeta; per essere pronto ad ogni eventualità, aveva la rivista ripiegata nella tasca interna della giacca e presentava così uno strano aspetto: da una parte un petto piatto e maschio, dall'altra prominente e femminile.

Poi arrivò l'autista e i poeti (compreso Jaromil erano undici) salirono sul pulmino. Dopo un'ora di viaggio il pulmino si fermò in un ameno paesaggio di vacanze, i poeti scesero, gli organizzatori mostrarono loro il fiume, il giardino, la villa, fecero visitare tutto l'edificio, le aule, il salone (dove tra pochi istanti avrebbe avuto inizio la serata), li costrinsero a dare un'occhiata alle stanze a tre letti in cui erano ospitati i borsisti (sorpresi nelle loro occupazioni, quelli scattarono sull'attenti davanti ai poeti con la stessa disciplinata prontezza, frutto di un lungo addestramento, che avrebbero dimostrato davanti a una ronda venuta a controllare l'ordine delle stanze) e finalmente li condussero nell'ufficio del capo. Qui li attendevano un vassoio di tartine, due bottiglie di vino, il capo in uniforme e, come se non bastasse, una ragazza straordinariamente bella. Quando ebbero stretto uno dopo l'altro la mano del capo, biascicando il proprio nome, il capo disse, indicando la ragazza: «È la direttrice del nostro circolo cinematografico» e spiegò agli undici poeti (che uno dopo l'altro strinsero la mano della ragazza) che la polizia popolare aveva un suo club in cui organizzava una vasta gamma di attività culturali; avevano un gruppo filodrammatico, un coro, e avevano fondato anche un circolo cinematografico diretto da quella ragazza, studentessa del centro sperimentale di cinematografia, che tanto gentilmente si prestava a dare una mano ai giovani poliziotti; del resto lì poteva usufruire di ottime condizioni: un'eccellente macchina da presa, un ottimo parco di luci e soprattutto dei giovanotti entusiasti, anche se il capo non avrebbe saputo dire se si interessavano più al cinema o all'animatrice del gruppo.

Dopo aver stretto la mano a tutti, la cineasta fece un cenno a due giovanotti che stavano in piedi accanto ad alcuni grossi riflettori, così che il capo e i poeti dovettero masticare le tartine sotto una luce accecante. La conversazione, che il capo si sforzava di rendere il più possibile naturale, era interrotta dalle istruzioni impartite dalla ragazza, seguite dagli spostamenti delle luci e poi dal sommesso ronzio della macchina da presa. Infine il capo ringraziò i poeti di essere venuti, guardò l'orologio e disse che il pubblico stava aspettando con impazienza.

«Bene, compagni poeti, vi prego, prendete posto» disse uno degli organizzatori, e lesse i loro nomi su un foglio; i poeti si misero in fila e a un cenno dell'organizzatore salirono sul podio; lì c'era un lungo tavolo dove ogni poeta aveva una sedia e un posto contrassegnato da un biglietto col suo nome. I poeti si sedettero e la sala (non era rimasto neanche un posto libero) risuonò di applausi.

Era la prima volta che Jaromil sfilava sotto gli occhi della folla; fu invaso da una sensazione di ebbrezza che non lo abbandonò più fino alla fine della serata. Del resto, tutto andava a meraviglia; quando i poeti si furono tutti seduti sulle sedie a loro destinate, uno degli organizzatori si avvicinò al microfono installato all'estremità del tavolo, diede il benvenuto agli undici poeti e li presentò. Ogni volta che pronunciava un nome, il poeta chiamato si alzava in piedi, salutava, e la sala applaudiva. Anche Jaromil si alzò, salutò e fu così stupito dall'applauso che solo dopo qualche istante notò il figlio del bidello che, seduto in prima fila, gli faceva segni di saluto; gli rispose con un cenno della testa, e quel gesto compiuto sul podio, sotto gli occhi di tutti, gli fece gustare il fascino di una fittizia naturalezza; per cui durante la serata fece numerosi altri cenni all'indirizzo del vecchio compagno di scuola, come chi sulla scena si sente completamente a suo agio, di casa.

I poeti erano seduti in ordine alfabetico e Jaromil si trovò accanto al sessantenne: «Ragazzo mio, è una vera sorpresa, non immaginavo che si trattasse di lei! Proprio poco tempo fa le hanno pubblicato delle poesie su una rivista!». Jaromil sorrise educatamente e il poeta continuò: «Ho tenuto a mente il suo nome, sono poesie splendide, mi hanno dato una grande gioia!», ma a questo punto l'organizzatore riprese la parola e invitò i poeti a venire al microfono in ordine alfabetico e a recitare qualche loro recente composizione.

E così i poeti andavano al microfono, leggevano, raccoglievano gli applausi e ritornavano al proprio posto. Jaromil attendeva il suo turno con ansia; aveva paura di mettersi a balbettare, di non riuscire a prendere il tono giusto, aveva paura di tutto; ma poi si alzò e si avviò come abbagliato; non ebbe il tempo di pensare a nulla. Cominciò a leggere, e subito dopo i primi versi si sentì sicuro di sé. E difatti, gli applausi che seguirono la sua prima poesia furono i più lunghi che fossero risuonati nella sala fino a quel momento.

Gli applausi incoraggiarono Jaromil, che lesse la sua seconda poesia con sicurezza ancora maggiore e non si sentì affatto a disagio quando accanto a lui si accesero due grossi riflettori, inondandolo di luce, mentre la macchina da presa si metteva a ronzare a una decina di metri di distanza. Fece finta di non accorgersene, non ebbe alcuna esitazione nel declamare, arrivò addirittura ad alzare gli occhi dal foglio e a guardare non solo lo spazio indistinto della sala, ma anche un punto ben distinto dove (a qualche passo dalla macchina da presa) era la bella cineasta. Poi ci fu ancora un applauso, e Jaromil lesse altre due poesie; sentiva il ronzio della macchina da presa, vedeva il viso della cineasta; poi si inchinò e tornò al suo posto; in quel momento il sessantenne si alzò dalla sua sedia e, gettando solennemente la testa all'indietro, aprì le braccia e le richiuse sulle spalle di Jaromil: «Amico mio, lei è un poeta, lei è un poeta!», e siccome gli applausi non cessavano si voltò anche lui verso la sala, fece un cenno di saluto e si inchinò.

Quando l'undicesimo poeta ebbe finito di recitare le sue poesie, l'organizzatore tornò sul podio, ringraziò tutti i poeti e annunciò che, dopo una breve pausa, coloro che erano interessati a un dibattito potevano tornare in quella stessa sala per discutere coi poeti. «La discussione non è obbligatoria; sono invitate a parteciparvi solo le persone interessate».

Jaromil era inebriato; tutti gli stringevano la mano e facevano ressa attorno a lui; uno dei poeti si presentò come redattore di una casa editrice, si meravigliò che Jaromil non avesse ancora pubblicato una raccolta di poesie e gliene chiese una; un altro lo invitò cordialmente a partecipare con lui a un'assemblea organizzata dall'unione degli studenti; naturalmente lo raggiunse anche il figlio del bidello, che poi non si staccò più da Jaromil per un solo istante, mostrando chiaramente a tutti che lo conosceva fin dall'infanzia; poi si avvicinò il capo in persona e disse: «Ho proprio l'impressione che oggi l'alloro della vittoria vada al più giovane!».

Infine il capo si rivolse agli altri poeti e comunicò che con suo grande dispiacere non poteva partecipare alla discussione, dovendo presenziare alla festa da ballo organizzata dai borsisti nella sala attigua subito dopo la fine del recital di poesie. Per l'occasione, aggiunse con un sorriso goloso, erano venute molte ragazze dai paesi vicini, perché gli uomini della polizia avevano fama di dongiovanni. «Bene, compagni, vi ringrazio per i vostri bei versi e spero che questa non sia l'ultima volta che ci vediamo!». Poi strinse la mano a tutti e se ne andò nella sala vicina da cui giungeva, invitando alla danza, la musica di un'orchestrina.

Nella sala dove qualche istante prima risuonavano frenetici applausi, il piccolo gruppo eccitato di poeti si ritrovò solo ai piedi del podio; uno degli organizzatori montò sul podio e annunciò: «Cari compagni, la pausa è terminata e do nuovamente la parola ai nostri ospiti. Chiedo a quelli che vogliono partecipare al dibattito con i compagni poeti di prendere posto».

I poeti sedettero di nuovo ai loro posti e di fronte a loro, in basso, nella prima fila della sala ormai vuota, sedettero una decina di persone: C'erano il figlio del bidello, i due organizzatori che avevano accompagnato i poeti nel pulmino, un anziano signore con una gamba di legno e una stampella, e altra gente di minor rilievo, tra cui anche due donne: una era sulla cinquantina (probabilmente la dattilografa della segreteria) e l'altra era la cineasta, che ormai aveva finito di girare e adesso fissava i suoi grandi occhi tranquilli sui poeti; la presenza di quella bella donna era tanto più significativa e stimolante per i poeti, quanto più rumorosa e tentatrice giungeva dalla sala vicina, attraverso le pareti, la musica dell'orchestra mischiata al chiasso crescente delle danze.

Le due file sedute una di fronte all'altra erano quasi uguali per numero e facevano pensare a due squadre di calcio; Jaromil si disse che il silenzio che era sceso era il silenzio che precede lo scontro diretto; e siccome quel silenzio durava ormai da mezzo minuto, gli parve che la squadra dei poeti avesse perso i primi punti.

Ma Jaromil sottovalutava i suoi colleghi; alcuni di loro, durante l'anno, avevano preso parte a un centinaio di dibattiti di ogni tipo, e dibattere era diventato la loro principale attività, la loro specializzazione e la loro arte. Ricordiamo questo dettaglio storico: era l'epoca dei dibattiti e delle assemblee; le più disparate associazioni, i club aziendali, i comitati di partito e giovanili organizzavano serate a cui erano invitati pittori, poeti, astronomi, economisti; gli organizzatori di queste serate venivano adeguatamente apprezzati e ricompensati per le loro iniziative, giacché l'epoca esigeva attività rivoluzionarie e queste, non potendosi svolgere sulle barricate, dovevano fiorire in incontri e dibattiti. E anche i pittori, i poeti, gli astronomi e gli economisti partecipavano volentieri a quei dibattiti, giacché in quel modo potevano dimostrare di non essere degli specialisti limitati, ma specialisti rivoluzionari e integrati col popolo.

I poeti conoscevano dunque benissimo il genere di domande che arrivavano dal pubblico, sapevano benissimo che esse si ripetevano immancabilmente, con la schiacciante regolarità della statistica. Sapevano che qualcuno avrebbe sicuramente chiesto: Come hai cominciato a scrivere, compagno? Sapevano che un altro avrebbe chiesto: A quanti anni hai scritto la prima poesia? Sapevano che qualcuno avrebbe domandato quale fosse il loro autore preferito, e che bisognava anche aspettarsi che qualcuno, desideroso di far mostra della propria cultura marxista, chiedesse a uno di loro: Compagno, come definiresti il realismo socialista? E sapevano che, in aggiunta alle domande, avrebbero ricevuto esortazioni a scrivere più poesie 1) sulla professione di quelli con i quali aveva luogo la discussione, 2) sulla gioventù, 3) su come era dura la vita sotto il capitalismo, 4) sull'amore.

Il mezzo minuto di silenzio introduttivo non era dunque provocato dall'imbarazzo, si trattava piuttosto di pigrizia da parte dei poeti che conoscevano ormai fin troppo bene la routine; oppure si trattava di cattiva coordinazione, giacché i poeti non si erano ancora mai esibiti in quella formazione e ognuno voleva lasciare all'altro il privilegio del calcio d'inizio. Alla fine prese la parola il poeta sessantenne;

parlò con enfasi e sicurezza e dopo dieci minuti di improvvisazione invitò la fila di fronte a porre senza paura qualsiasi tipo di domanda. E così i poeti poterono finalmente far mostra della loro eloquenza e delle loro capacità di improvvisazione in un affiatamento che da quell'istante si rivelò perfetto: sapevano avvicendarsi, completarsi l'un l'altro con arguzia, alternare prontamente una risposta seria a una battuta di spirito. Naturalmente vennero poste tutte le domande fondamentali, cui seguirono tutte le risposte fondamentali (chi non avrebbe ascoltato con interesse il sessantenne rispondere, alla domanda su come e quando aveva cominciato a scrivere, che non sarebbe mai diventato poeta se non fosse stato per la gatta Míca, perché quella gatta aveva ispirato la sua prima poesia quando aveva cinque anni; quindi recitò la poesia in questione, e poiché la fila di fronte non sapeva se prenderla sul serio o per scherzo si affrettò a ridere per primo, dopo di che tutti, poeti e pubblico, risero a lungo e di gusto).

E naturalmente si arrivò anche alle esortazioni. Fu lo stesso ex compagno di scuola di Jaromil che si alzò e parlò a profusione. Sì, la serata poetica era stata eccellente e tutte le poesie erano di prim'ordine. Ma qualcuno aveva pensato che delle trentatré poesie che avevano sentito (calcolando che ogni poeta avesse recitato in media tre poesie) non ce n'era una che parlasse, sia pure alla lontana, del corpo di polizia? Eppure, si poteva forse affermare che la polizia avesse nella vita del paese un posto inferiore a un trentatreesimo?

Poi si alzò la cinquantenne e disse che era perfettamente d'accordo con quanto aveva detto l'ex compagno di scuola di Jaromil, ma che la sua domanda era completamente diversa: perché si scriveva così poco sull'amore al giorno d'oggi? Nella fila degli interroganti risuonò una risata soffocata e la cinquantenne continuò: «Anche nei regimi socialisti le persone si amano e leggono con piacere qualcosa sull'amore».

Il poeta sessantenne si alzò, chinò la testa e disse che la compagna aveva ragioni da vendere. Perché vergognarsi dell'amore nel regime socialista? C'è forse qualcosa di male nell'amore? Lui era un uomo anziano, ma non si vergognava di confessare che quando vedeva delle donne con vestitini estivi sotto i quali si indovinavano giovani corpi affascinanti non poteva fare a meno di voltarsi. Dalla fila degli undici interroganti risuonò la complice risata dei peccatori, così che il poeta, incoraggiato, continuò: Che cosa doveva offrire a quelle donne giovani e belle? Un bouquet con in mezzo un martello? E quando le invitava a casa sua, doveva mettere una falce nel vaso dei fiori? Niente affatto, offriva loro delle rose; la poesia d'amore è come le rose che offriamo alle donne.

Sì, sì, disse la cinquantenne, approvando con fervore le parole del poeta, e questi, sempre più incoraggiato, estrasse dalla tasca interna della giacca un foglio e si mise a recitare una lunga poesia d'amore.

Sì, sì, è magnifica si sdilinquiva la cinquantenne, ma poi si alzò uno degli organizzatori e disse che quei versi erano sicuramente belli ma che anche quando una poesia parla d'amore, si deve capire che a scriverla è stato un poeta socialista.

E da che cosa lo si dovrebbe capire, chiese la cinquantenne, ancora affascinata dalla testa pateticamente inclinata del vecchio poeta e dalla sua poesia.

Per tutto quel tempo Jaromil era rimasto zitto, benché ormai tutti avessero già preso la parola, ma sapeva che prima o poi avrebbe dovuto intervenire anche lui; si disse che quello era il momento giusto; era una questione alla quale rifletteva ormai da tempo; sì: fin da quando frequentava il pittore e ascoltava docilmente i suoi discorsi sull'arte moderna e il mondo nuovo. Ma, ahimè! È di nuovo il pittore che si esprime attraverso la bocca di Jaromil, sono di nuovo le sue parole e la sua voce che escono dalle labbra di Jaromil!

Che cosa diceva? Che l'amore nella vecchia società era a tal punto deformato dagli interessi finanziari, dalle considerazioni sociali, dai pregiudizi, che non aveva mai potuto essere vero amore, era stato solo l'ombra di se stesso. Solo la nuova epoca, che spazza via il potere del denaro e dei pregiudizi, permetterà all'uomo di essere uomo fino in fondo e renderà l'amore più grande di quanto non sia mai stato. La poesia d'amore socialista è l'espressione di questo grande sentimento liberato.

Jaromil era soddisfatto di quello che diceva, e vedeva i grandi occhi della cineasta, due occhi neri che, immobili, lo fissavano; gli parve che le parole «grande amore», «sentimento liberato» navigassero come un veliero dalle sue labbra al porto di quei grandi occhi.

Ma quando ebbe finito, uno dei poeti sorrise sarcasticamente e disse: «Credi veramente che nelle tue poesie il sentimento amoroso sia più potente che in quelle di Heinrich Heine? O forse gli amori di Victor Hugo sono troppo piccoli per te? In Mácha o in Neruda[1] l'amore era forse storpiato dal denaro e dai pregiudizi?».

Questo non doveva succedere; Jaromil non sapeva cosa rispondere; arrossì e vide davanti a sé i due grandi occhi neri testimoni della sua sconfitta.

La cinquantenne accolse con soddisfazione la domanda sarcastica del collega di Jaromil e disse: «Che cosa volete cambiare nell'amore, compagni? L'amore sarà sempre lo stesso, fino alla fine dei secoli».

L'organizzatore intervenne di nuovo: «Questo no, compagna, questo proprio no!».

1. Karel Hynek Mácha e Jan Neruda, poeti cechi dell'Ottocento.

«No, non era questo che volevo dire,» disse in fretta il poeta «ma la differenza tra la poesia d'amore di ieri e quella di oggi non dipende certo dalla grandezza dei sentimenti».

«E allora da che cosa?».

«Dal fatto che nelle epoche passate l'amore, anche il più grande, per l'uomo era sempre una sorta di fuga dalla vita sociale, che allora era disgustosa. Mentre nell'uomo d'oggi l'amore è indissolubilmente legato ai suoi doveri sociali, al suo lavoro, alla sua lotta: è in questo che consiste la sua *nuova* bellezza».

La fila di fronte espresse il suo accordo con il parere del collega di Jaromil, ma Jaromil scoppiò in una risata cattiva: «Questo tipo di bellezza, amico, non ha niente di nuovo. Forse che i classici non facevano una vita in cui l'amore era in armonia con la loro lotta sociale? Gli amanti della famosa poesia di Shelley sono entrambi rivoluzionari e muoiono sulle barricate. È questo che intendi per amore isolato dalla vita sociale?».

La cosa peggiore era che il collega di Jaromil, esattamente come Jaromil qualche minuto prima, non sapeva come rispondere alle obiezioni del collega, era alle strette, il che rischiava di dare l'impressione (impressione inammissibile) che non ci fosse differenza tra il passato e il presente e che non ci fosse nessun mondo nuovo. Da parte sua, la cinquantenne si alzò di nuovo e con un sorriso inquisitore domandò: «Allora, volete spiegarci in che cosa consiste la differenza tra l'amore di oggi e quello di ieri?».

In quel momento decisivo, in cui tutti non sapevano più che pesci pigliare, intervenne l'uomo con la gamba di legno e la stampella; per tutto il tempo aveva seguito il dibattito con attenzione, anche se con evidente impazienza; questa volta si alzò e, appoggiandosi pesantemente a una sedia, disse: «Cari compagni, permettetemi di presentarmi» e le persone della sua fila cominciarono a protestare dicendo che non era il caso, che lo conoscevano tutti bene. «Non è a voi che mi presento, ma ai compagni che abbiamo invitato al dibattito», e poiché sapeva che il suo nome non avrebbe detto nulla ai poeti raccontò brevemente la sua biografia: lavorava come custode in quella villa da quasi trent'anni; ci lavorava già ai tempi dell'industriale Kočvara, che la usava come residenza estiva; era lì anche durante la guerra, quando l'industriale era stato arrestato e la villa era stata usata dalla Gestapo come casa di vacanze; dopo la guerra la villa era stata confiscata dal partito socialista e adesso ci si era installata la polizia. «Ebbene, dopo tutto quello che ho visto, posso dire che nessun governo si occupa tanto dei lavoratori come quello comunista». Certo, neanche al giorno d'oggi tutto è perfetto: «Sia al tempo dell'industriale Kočvara, sia sotto la Gestapo, sia sotto i socialisti, la fermata dell'autobus è sempre stata di fronte alla villa». Sì, era molto comodo, c'erano solo una decina di passi tra la fermata e il suo alloggio nel sotterraneo della villa. Ma ecco che avevano spostato la fermata duecento metri più in là! Aveva già protestato dovunque si poteva protestare. Tutto inutile! «Ditemi,» continuò picchiando la stampella per terra «perché proprio oggi che la villa appartiene ai lavoratori la fermata dell'autobus deve essere così lontana?».

Le persone della prima fila replicarono (in parte con impazienza, in parte con un certo divertimento) che gli avevano spiegato già cento volte che adesso l'autobus si fermava davanti alla fabbrica che era stata costruita nel frattempo.

L'uomo dalla gamba di legno rispose che lo sapeva benissimo, e infatti aveva proposto che l'autobus facesse due fermate.

Le persone della sua fila gli risposero che sarebbe stato assurdo far fermare l'autobus ogni duecento metri.

La parola «assurdo» offese l'uomo dalla gamba di legno; disse che nessuno aveva il diritto di usare con lui quella parola; picchiava per terra la sua stampella, sempre più rosso in faccia. E poi non era vero che fosse impossibile mettere le fermate a duecento metri l'una dall'altra. Sapeva per certo che su altre linee gli autobus si fermavano a distanze altrettanto ravvicinate.

Uno degli organizzatori si alzò e citò parola per parola all'uomo dalla gamba di legno (evidentemente l'aveva già fatto molte volte) il regolamento della società cecoslovacca delle linee filotranviarie, secondo il quale erano espressamente proibite le fermate a distanze così ravvicinate.

L'uomo dalla gamba di legno rispose che aveva proposto una soluzione di compromesso; si poteva mettere la fermata esattamente a metà strada tra la villa e la fabbrica.

Ma allora, gli fecero osservare, la fermata sarebbe stata lontana sia per i poliziotti sia per gli operai della fabbrica.

La discussione durava ormai da venti minuti e i poeti tentavano invano di intervenire; il pubblico si appassionava a un tema che conosceva a fondo e non lasciava che i poeti prendessero la parola. Quando l'uomo dalla gamba di legno, scoraggiato dalla resistenza dei compagni di lavoro, tornò a sedersi con aria offesa, scese un silenzio che presto fu riempito dalla musica dell'orchestrina proveniente dalla sala attigua.

Poi, per qualche minuto, nessuno disse nulla, finché uno degli organizzatori si alzò e ringraziò i poeti per la visita e l'interessante discussione. A nome degli ospiti si alzò il sessantenne e disse che la discussione (come sempre, del resto) era stata sicuramente molto più proficua per loro, per i poeti, e che erano loro a ringraziare.

Dalla sala vicina giungeva la voce dei cantanti; il pubblico del dibattito fece capannello intorno all'uomo con la gamba di legno per calmare la sua rabbia, e i poeti restarono soli. Dopo un istante furono raggiunti dal figlio del bidello e dai due organizzatori che li accompagnarono al pulmino.

8

Nel pulmino che verso l'imbrunire li riportò a Praga c'era anche la bella cineasta. I poeti la circondavano, e ognuno faceva di tutto per attirarne l'attenzione. Jaromil per sua sfortuna era capitato in un posto troppo lontano da quello della donna e così non poteva prendere parte al gioco; pensava alla sua rossa e capiva, con definitiva chiarezza, che era irrimediabilmente brutta.

Poi il pulmino si fermò nel centro di Praga e alcuni poeti decisero di andare a finire la serata in un locale. Jaromil e la cineasta andarono con loro; sedettero a un lungo tavolo, parlarono, bevvero, poi uscirono dal locale e la cineasta propose di andare tutti a casa sua. Ma ormai di poeti ne restava solo un pugno: Jaromil, il sessantenne e il redattore della casa editrice. Si accomodarono nelle poltrone di una bella stanza al primo piano di una villa moderna, dove la giovane donna viveva in subaffitto, e continuarono a bere.

Il vecchio poeta si dedicava alla cineasta con un ardore che non temeva concorrenti. Seduto accanto a lei, faceva l'elogio della sua bellezza, le recitava poesie, improvvisava odi in onore del suo fascino, a tratti si inginocchiava ai suoi piedi e le prendeva le mani. Quasi con lo stesso ardore il redattore della casa editrice si dedicava invece a Jaromil; non faceva certo l'elogio della sua bellezza, ma ripeteva senza fine: *sei un poeta, sei un poeta!* (Notiamo a questo punto che quando un poeta dice di un'altra persona che è un poeta non è come quando noi chiamiamo ingegnere un ingegnere o contadino un contadino, perché contadino è chiunque coltivi la terra, mentre poeta non è chi scrive versi ma chi – ricordiamoci di questa parola! – è *eletto* a scriverli, e solo un poeta può riconoscere con certezza in un altro poeta questo contatto della grazia, giacché – ricordiamoci di quella lettera di Rimbaud – *tutti i poeti sono fratelli*, e solo un fratello può riconoscere nel fratello il segno misterioso della razza).

La cineasta, davanti alla quale era inginocchiato il sessantenne e le cui mani erano preda delle assidue carezze di quest'ultimo, non staccava gli occhi da Jaromil. Jaromil non tardò ad accorgersene: incantato da quello sguardo, cominciò a fissarla a sua volta con la stessa insistenza. Che splendido triangolo! Il vecchio poeta contemplava la cineasta, il redattore Jaromil, Jaromil e la cineasta si contemplavano l'un l'altro.

Questa geometria degli sguardi fu interrotta solo una volta, per pochi secondi, quando il redattore prese Jaromil per un braccio e lo condusse su un balcone attiguo alla stanza; gli propose di orinare insieme nel cortile, dalla ringhiera. Jaromil lo accontentò volentieri, perché voleva che il redattore non dimenticasse la sua promessa di pubblicargli un volumetto di poesie.

Quando i due rientrarono nella stanza, il vecchio poeta, che era in ginocchio, si rialzò e disse che era ora di andare; vedeva benissimo che non era lui l'oggetto dei desideri della ragazza. Poi invitò il redattore (che era molto meno perspicace e compiacente) a lasciare finalmente soli quelli che desideravano esserlo e meritavano d'esserlo giacché, così disse il vecchio poeta, erano il principe e la principessa di quella serata.

Ormai anche il redattore l'aveva capita ed era pronto ad andarsene, già il vecchio poeta lo prendeva sottobraccio e lo conduceva verso la porta, e Jaromil si rendeva conto che sarebbe rimasto solo con la ragazza, che era seduta in una larga poltrona, le gambe incrociate sotto di sé, i capelli neri sciolti sulle spalle e gli occhi immobili fissi su di lui...

La storia di due esseri che stanno per divenire amanti è così eterna, che possiamo quasi dimenticare l'epoca in cui si svolge. Come è piacevole raccontare queste storie senza tempo! Come sarebbe delizioso dimenticarsi di colei che ha succhiato la linfa delle nostre brevi vite per asservirla ai suoi inutili fini, come sarebbe bello dimenticarsi della Storia!

Ma il suo fantasma bussa alla porta ed entra nel racconto. Non sotto le sembianze della polizia segreta, né sotto quelle di un improvviso rivolgimento; la Storia non avanza toccando solo le vette drammatiche della vita, ma impregna di sé, come acqua sporca, anche la vita quotidiana; la Storia entra nel nostro racconto sotto forma di un paio di mutande.

Nel paese di Jaromil, all'epoca di cui parliamo, l'eleganza era tenuta in conto di delitto politico; i vestiti che si portavano allora (del resto la guerra era finita da poco e ce n'era ancora penuria) erano molto brutti; e l'eleganza in fatto di biancheria intima era considerata da quell'epoca austera un vero e proprio lusso colpevole! Gli uomini che non sopportavano la bruttezza delle mutande in vendita a quel tempo (larghe brache che arrivavano fino alle ginocchia ed erano dotate di un comico spacco sul ventre) le sostituivano con short di tela destinati alla pratica dello sport, cioè agli stadi e alle palestre. Era una cosa molto strana: allora, in Boemia, gli uomini entravano nei letti delle amanti in tenuta da calciatori, andavano dalle loro amanti come si va allo stadio, ma dal punto di vista dell'eleganza non era tanto male: gli short non erano privi di un certo decoro sportivo e in più avevano colori allegri: blu, verde, giallo, rosso.

Jaromil non si occupava del proprio abbigliamento, era sua madre a prendersene cura; era lei a sceglergli i vestiti e la biancheria, preoccupandosi che non prendesse freddo e che portasse mutande sufficientemente calde. Sapeva esattamente quante mutande erano allineate nell'armadio della biancheria, e le bastava darvi un'occhiata per sapere quali portava quel giorno Jaromil. Quando si accorgeva che nell'armadio non mancava nessun paio di mutande andava subito su tutte le furie, non le piaceva che Jaromil portasse i calzoncini da ginnastica perché riteneva che i calzoncini da ginnastica non fossero mutande e fossero destinati, appunto, alla ginnastica. Se Jaromil protestava che le mutande erano brutte lei gli rispondeva, con una segreta irritazione, che non doveva certo mostrarsi alla gente in mutande. E Jaromil, quando andava dalla rossa, sottraeva ogni volta di nascosto un paio di mutande dall'armadio, lo nascondeva nel cassetto del suo scrittoio e indossava clandestinamente i calzoncini da ginnastica.

Ma quel giorno non aveva idea di che cosa gli avrebbe riservato la serata e portava un paio di mutande atrocemente brutte, spesse, sformate, color grigio sporco!

Voi direte che si trattava di una difficoltà facilmente sormontabile, che Jaromil poteva spegnere la luce per non farsi vedere. Ma nella stanza era accesa una piccola lampada con l'abat-jour rosa che sembrava aspettare con impazienza di illuminare le carezze dei due amanti, e Jaromil non riusciva a trovare le parole con cui indurre la ragazza a spegnerla.

Oppure obiettereste forse che Jaromil poteva togliersi le orribili mutande insieme coi pantaloni. Ma Jaromil non riusciva neanche a immaginare di potersi sfilare pantaloni e mutande in un colpo solo, perché non si era mai svestito a quel modo; un così brusco salto nella nudità lo spaventava; si spogliava sempre per gradi, e restava a lungo ad accarezzare la sua rossa indossando ancora le mutande, mutande che si toglieva solo sotto il manto dell'eccitazione.

Restò dunque immobile, terrorizzato, di fronte ai due grandi occhi neri, e dichiarò che doveva andarsene anche lui.

Il vecchio poeta quasi si arrabbiò; gli disse che non poteva offendere a quel modo una donna, e a bassa voce gli dipinse le voluttà che lo attendevano; ma le sue parole non fecero che convincere ancora di più Jaromil dell'insostenibile bruttezza delle sue mutande. Vedeva quegli splendidi occhi neri e indietreggiava verso la porta col cuore in pezzi.

Appena uscì in strada, fu assalito da lacrimosi rimpianti; non riusciva a liberarsi dell'immagine di quella splendida donna. E il vecchio poeta (avevano lasciato il redattore a una fermata del tram e ora camminavano insieme da soli per le strade buie) lo tormentava continuando a rimproverarlo di aver offeso una signora e di essersi comportato da stupido.

Jaromil disse al poeta che non era stata sua intenzione offendere una signora, ma che lui era innamorato della sua ragazza e che anche lei lo amava alla follia.

Lei è un ingenuo, gli disse il vecchio poeta. Eppure è un poeta, un amante della vita, non farà certo del male alla sua ragazza andando a letto con un'altra; la vita è breve e le occasioni perdute non si ripresentano più.

Era una tortura sentire quelle parole. Jaromil rispose al vecchio poeta che secondo lui un solo grande amore in cui mettiamo tutto ciò che abbiamo in noi vale più di mille amori effimeri; che lui nella sua ragazza possedeva tutte le donne; che era così diversa dalle altre, e l'amore che lui le portava così grande, che con lei avrebbe potuto vivere più avventure inattese che Don Giovanni con mille e una donna.

Il vecchio poeta si fermò; le parole di Jaromil lo avevano evidentemente toccato. «Forse ha ragione» disse. «Solo che io sono vecchio e appartengo al vecchio mondo. Le confesserò che, sebbene sia sposato, mi sarebbe piaciuto alla follia restare con quella donna al suo posto».

Poiché Jaromil continuava nelle sue riflessioni sulla grandezza dell'amore monogamico, il vecchio poeta chinò la testa: «Ah, forse ha ragione, amico mio, ha sicuramente ragione. Non l'ho sognato anch'io il grande amore? L'amore unico? L'amore infinito come l'universo? Solo che io ho sciupato quel sogno, amico mio, perché in quel vecchio mondo, nel mondo dei soldi e delle puttane, il grande amore era condannato».

Erano tutti e due ubriachi e il vecchio poeta passò un braccio attorno alle spalle del giovane e si fermò insieme con lui in mezzo alle rotaie del tram. Levò l'altro braccio in aria e gridò: «Morte al vecchio mondo! Viva il grande amore!».

Jaromil trovava tutto ciò magnifico, molto bohémien e poetico, e così gridarono tutti e due, a lungo e con entusiasmo, nelle buie strade di Praga: «Morte al vecchio mondo! Viva il grande amore!».

Poi d'un tratto il vecchio poeta si inginocchiò davanti a Jaromil e gli baciò una mano: «Amico mio, rendo omaggio alla tua giovinezza! La mia vecchiaia si inginocchia davanti alla tua giovinezza, perché solo la giovinezza salverà il mondo!». Tacque per un istante e poi, sfiorando con la sua testa nuda le ginocchia di Jaromil, aggiunse molto malinconicamente: «E mi inchino di fronte al tuo grande amore».

Finalmente si separarono e Jaromil si ritrovò a casa, nella sua stanza. E davanti agli occhi gli tornò l'immagine della bella donna che si era lasciato sfuggire. Spinto da un impulso di autopunizione andò a guardarsi allo specchio. Si tolse i pantaloni per vedersi con quelle sue mutande orribili, sformate; contemplò a lungo e con odio la sua ridicola bruttezza.

Poi capì che non era a se stesso che pensava con odio. Pensava con odio a sua madre; a sua madre che gli assegnava la biancheria, a sua madre da cui doveva nascondersi per potersi mettere i calzoncini da ginnastica e ai cui occhi doveva occultare le mutande nel cassetto; pensava a sua madre che era al corrente di ogni sua camicia, di ogni suo calzino. Pensava con odio a sua madre che lo teneva legato a un capo di una lunga corda invisibile che gli segava il collo.

9

Da quella sera fu ancora più crudele con la ragazzina dai capelli rossi; naturalmente era una crudeltà che si nascondeva sotto il manto solenne dell'amore: Come, lei non capiva quello che aveva per la testa in quel momento? Come, non capiva in che stato d'animo si trovava? Gli era a tal punto estranea da non immaginare quello che succedeva dentro di lui? Se lo avesse amato veramente, così come l'amava lui, avrebbe almeno dovuto indovinarlo! Come, si interessava a cose che per lui non avevano alcun interesse? Come, gli parlava in continuazione di suo fratello, e poi di un altro fratello e poi di una sorella e poi di un'altra sorella? Non sentiva dunque che Jaromil aveva grosse preoccupazioni, che aveva bisogno della sua partecipazione e della sua comprensione e non sapeva che farsene delle sue eterne chiacchiere egocentriche?

Naturalmente la ragazzina si difendeva. Perché, per esempio, non poteva parlargli della sua famiglia? Forse che Jaromil non parlava della sua? Forse che sua madre era peggiore di quella di Jaromil? E gli ricordò (era la prima volta che lo faceva) che la madre di lui aveva fatto irruzione nella stanza di Jaromil e le aveva ficcato in bocca una zolletta di zucchero con le gocce.

Jaromil odiava e amava sua madre; davanti alla rossa ne prese subito le difese: c'era qualcosa di male nel fatto che avesse voluto curarla? questo dimostrava soltanto che le voleva molto bene, che la trattava come una persona di famiglia!

La rossa si mise a ridere: la madre di Jaromil non era poi tanto stupida da confondere dei gemiti d'amore coi lamenti di chi ha i crampi allo stomaco! Jaromil si offese e restò zitto e la ragazza dovette chiedergli perdono.

Un giorno che passeggiavano e la rossa lo teneva sottobraccio e tutti e due tacevano ostinatamente (quando non si facevano dei rimproveri tacevano, e quando non tacevano si facevano dei rimproveri), Jaromil scorse due belle donne che venivano verso di loro. Una era giovane, l'altra più anziana; la giovane era più elegante e graziosa, ma (strano a dirsi) anche quella più anziana era molto elegante e sorprendentemente carina. Jaromil conosceva quelle due donne: la giovane era la cineasta e la più anziana sua madre.

Arrossì e salutò. Le due donne risposero al saluto (la mamma con ostentata allegria); per Jaromil, essere visto con quella ragazza bruttina fu come se la bella cineasta l'avesse sorpreso con addosso le sue orribili mutande.

A casa chiese alla mamma come mai conosceva la cineasta. E la mamma gli rispose con tono civettuolo e capriccioso che la conosceva da un po' di tempo. Jaromil continuò a interrogarla, ma la mamma se la cavava con risposte generiche; era come quando uno interroga l'amante su un dettaglio intimo e quella, per eccitare la sua curiosità, indugia a rispondergli; alla fine glielo disse: quella simpatica ragazza era venuta a trovarla un paio di settimane prima. Ammirava molto Jaromil come poeta e voleva girare un cortometraggio su di lui; sarebbe stato un filmino da dilettanti girato sotto l'egida del club della polizia, ma anche così avrebbe potuto contare su un pubblico abbastanza numeroso.

«Perché è venuta da te? Perché non si è rivolta direttamente a me?» si meravigliava Jaromil.

Perché, pareva, non voleva disturbarlo e voleva sapere il più possibile sul suo conto. D'altra parte, chi può sapere più cose di una madre sul conto del proprio figlio? E poi quella giovane donna era così gentile che aveva chiesto alla madre di collaborare alla sceneggiatura; sì, avevano concepito insieme un copione sul giovane poeta.

«Perché non mi avete detto nulla?» chiese Jaromil, a cui l'alleanza tra sua madre e la cineasta risultava istintivamente sgradevole.

«È stata una vera sfortuna che ti abbiamo incontrato; avremmo voluto farti una sorpresa. Un bel giorno saresti tornato a casa e avresti trovato gli operatori con la macchina da presa, pronti a riprenderti».

Che cosa poteva fare Jaromil? Un giorno tornò a casa e strinse la mano alla giovane in casa della quale si era trattenuto qualche settimana prima, sentendosi altrettanto miserevole di quella famosa sera, anche se questa volta sotto i pantaloni portava un paio di calzoncini da ginnastica rossi (dal giorno della serata poetica dai poliziotti non aveva mai più messo le orribili mutande). Solo che quando si trovava faccia a faccia con la cineasta c'era sempre qualcuno a fare la parte delle mutande: quando l'aveva incontrata per strada con sua madre gli era parso di vedere gli odiosi mutandoni arrotolati intorno ai capelli rossi della sua ragazza, e questa volta a sostituire il grottesco indumento erano le frasi civettuole e le chiacchiere isteriche della madre.

La cineasta annunciò (nessuno aveva chiesto il parere di Jaromil) che quel giorno avrebbero filmato il materiale documentario: le fotografie dell'infanzia, che sarebbero state commentate dalla mamma, giacché, come gli comunicarono di sfuggita, tutto il film era stato concepito come un racconto della madre sul figlio poeta. Avrebbe voluto chiedere che cosa la mamma aveva intenzione di raccontare, ma aveva paura di sentire la risposta; arrossì. Nella stanza, oltre a lui e alle due donne, c'erano tre uomini con una macchina da presa e due grossi riflettori; gli parve che lo osservassero e sorridessero malignamente; non ebbe il coraggio di aprire bocca.

«Ha delle foto splendide di quando era piccolo. Vorrei usarle tutte» disse la cineasta sfogliando l'album di famiglia.

«Ma renderanno sullo schermo?» chiese la mamma da intenditrice, e la cineasta le assicurò che non c'era nulla da temere; poi spiegò a Jaromil che la prima sequenza del film sarebbe stata un puro montaggio delle sue foto, sulla base delle quali la mamma, senza comparire sullo schermo, avrebbe raccontato i suoi ricordi. Solo dopo si sarebbe vista la mamma da sola e poi finalmente il poeta; il poeta nella casa natale, il poeta mentre scriveva, il poeta in giardino tra i fiori, e alla fine il poeta in mezzo alla natura, nei luoghi che più aveva cari; là, nel suo angolo preferito, all'aperto, avrebbe recitato la poesia con la quale sarebbe terminato il film. («E qual è il luogo che ho più caro?» chiese Jaromil con aria ottusamente cocciuta; venne a sapere che il luogo che aveva più caro era un romantico paesaggio nei dintorni di Praga, dove il suolo è ondulato e qua e là si ergono blocchi rocciosi. «Come sarebbe? Non mi piace affatto» replicò, ma nessuno lo prese sul serio).

Jaromil trovava il copione terribilmente brutto e disse che avrebbe voluto lavorarci un po' anche lui; fece osservare che c'erano molte cose convenzionali (mostrare la foto di un bambino di un anno era veramente ridicolo!); sostenne che c'erano problemi molto più interessanti che sarebbe stato sicuramente utile affrontare; le due donne gli chiesero a che cosa pensava e lui rispose che così, su due piedi, non avrebbe saputo dirlo, ma che proprio per questo avrebbe preferito che le riprese cominciassero un po' più tardi.

Voleva a ogni costo ritardare le riprese, ma non ci riuscì. La mamma lo abbracciò e disse alla sua bruna collaboratrice: «Ah, lui è il mio eterno ragazzo insoddisfatto! Non è mai contento di nulla...», poi si chinò teneramente sul suo viso: «Vero che è così?». Jaromil non rispose e lei ripeté: «Vero che sei il mio eterno ragazzo insoddisfatto, vero che lo sei?».

La cineasta disse che in un autore l'insoddisfazione è una virtù, solo che in questo caso l'autore non era lui, ma loro due ed erano pronte ad assumersi tutti i rischi; Jaromil doveva soltanto lasciare che realizzassero il film come volevano, esattamente come loro gli lasciavano scrivere le sue poesie nel modo che a lui pareva meglio.

E la mamma aggiunse che Jaromil non doveva temere che il film gli avrebbe fatto torto perché tutte e due, la mamma e la cineasta, ci lavoravano con le migliori intenzioni nei suoi confronti; lo disse in tono estremamente civettuolo e non era chiaro se quella civetteria fosse rivolta più a lui o alla nuova amica.

In ogni caso, civettava. Jaromil non l'aveva mai vista così; la mattina era andata dal parrucchiere e si era fatta fare un'acconciatura vistosamente giovanile; parlava a voce più alta del solito, continuava a ridere, ricorreva a tutte le espressioni spiritose che aveva imparato durante la sua vita e recitava con grande diletto la parte della padrona di casa, portando tazzine di caffè agli uomini che armeggiavano intorno alle luci. Trattava la ragazza dagli occhi neri con l'ostentata familiarità di un'amica (ponendosi così come età al suo livello) e al tempo stesso continuava ad abbracciare con indulgenza Jaromil chiamandolo il mio ragazzo insoddisfatto (e facendolo così tornare alla verginità, all'infanzia, alla culla). (Ah, che delizioso spettacolo: una di fronte all'altro, si spingono a vicenda: lei lo spinge verso la culla, lui la spinge verso la tomba; ah, che delizioso spettacolo...).

Jaromil si rassegnò; vedeva che le due donne erano ormai lanciate come locomotive e che lui non era assolutamente in grado di far fronte alla loro sfrenata loquela; vedeva i tre uomini che armeggiavano intorno alla macchina da presa e alle luci e gli pareva che fossero un pubblico ostile pronto a fischiare a ogni suo passo falso; per questo parlava quasi in un sussurro, mentre le due donne gli rispondevano a voce alta, per farsi sentire dal pubblico, giacché la presenza del pubblico costituiva un vantaggio per loro e uno svantaggio per Jaromil. Disse che avrebbe fatto come volevano loro e si mosse per andarsene; ma loro obiettarono (di nuovo in tono civettuolo) che doveva rimanere, che avrebbero molto gradito che lui seguisse il loro lavoro; così Jaromil per il resto del tempo stette a guardare il cameraman che riprendeva una per volta le foto dell'album, e ogni tanto ritornava nella sua stanza, dove faceva finta di leggere o di lavorare; nella sua mente si succedevano riflessioni confuse; si sforzava di trovare qualcosa di vantaggioso in quella situazione tanto negativa per lui e gli venne in mente che forse la cineasta si era inventata tutta quella storia del film per avere l'occasione di rivederlo; si diceva che sua madre era solo un ostacolo che bisognava cercare pazientemente di aggirare; cercava di calmarsi e di riflettere per trovare il modo di utilizzare a proprio vantaggio quel ridicolo film, cioè di riparare allo smacco che lo tormentava dalla notte in cui aveva scioccamente lasciato la casa della cineasta; si sforzava di superare la vergogna e di tanto in tanto andava a vedere come procedevano le riprese perché si ripetesse almeno una volta quella reciproca contemplazione, quel lungo sguardo immobile che tanto lo aveva incantato quella sera a casa della cineasta; ma oggi la ragazza era occupata da problemi pratici e completamente assorbita dal suo lavoro, così che i loro sguardi si incontravano solo raramente e di sfuggita; rinunciò dunque ai suoi tentativi, deciso a proporre alla cineasta di riaccompagnarla a casa alla fine della seduta.

Quando i tre uomini stavano già caricando nel loro furgoncino la macchina da presa e i riflettori, uscì dalla sua stanza. E a quel punto sentì la madre che diceva alla cineasta: «Vieni, ti accompagno. Magari possiamo andare a bere qualcosa insieme».

Durante quel pomeriggio di lavoro, mentre lui se ne stava chiuso in camera sua, le due donne avevano cominciato a darsi del tu! Quando se ne rese conto, fu come se qualcuno gli avesse soffiato la sua donna di sotto il naso. Salutò molto freddamente la cineasta e quando le due donne uscirono uscì anche lui e si diresse con passi rapidi e rabbiosi verso la casa della rossa; non era ancora rientrata; andò su e giù per la strada per quasi mezz'ora, di umore sempre più nero, finché la vide arrivare; sul volto della ragazza era dipinta una felice sorpresa, su quello di lui un crudele rimprovero; come mai non era a casa? come non le era venuto in mente che lui sarebbe potuto arrivare da un momento all'altro? dove era andata per tornare così tardi?

Lei non fece in tempo a chiudere la porta che lui le strappò di dosso il vestito; poi fece l'amore con lei, immaginando di avere sotto di sé la donna dagli occhi neri; sentiva i gemiti della rossa ma vedeva due occhi neri, si immaginava che quei sospiri appartenessero a quegli occhi ed era così eccitato che la amò più volte di seguito, ma mai per più di qualche secondo. Per la rossa la cosa era tanto insolita che scoppiò a ridere; quel giorno, però, Jaromil era particolarmente sensibile all'irrisione e non colse l'amichevole indulgenza che c'era nella risata della ragazza; si sentì offeso e le diede un paio di ceffoni; lei scoppiò a piangere e questo lo estasiò infinitamente; lei piangeva e lui la colpì ancora diverse volte; il pianto della ragazza che piange per colpa nostra è la redenzione; è Gesù Cristo che muore sulla croce per noi; per un po' Jaromil godette delle lacrime della ragazza, poi la baciò sugli occhi, la consolò, e quando se ne andò era almeno un po' più calmo.

Due giorni dopo le riprese ricominciarono; arrivò di nuovo il furgoncino, ne uscirono i tre uomini (il pubblico maligno) e poi la bella ragazza i cui sospiri Jaromil aveva creduto di sentire qualche sera prima a casa della rossa; naturalmente c'era anche la mamma, sempre più giovane, simile a uno strumento musicale che suona, strepita, ride e fugge via dall'orchestra per esibirsi in un assolo.

Questa volta l'occhio della macchina da presa sarebbe stato puntato direttamente su Jaromil; bisognava mostrarlo nel suo ambiente familiare, al suo tavolo di lavoro, nel giardino (perché, a quanto pareva, Jaromil amava il giardino, amava le aiuole, l'erba, i fiori); bisognava mostrarlo insieme con la madre che, ricordiamolo, aveva già registrato prima un lungo commento parlato a proposito del figlio; la cineasta li fece sedere su una panchina del giardino e costrinse Jaromil a parlare con la madre con la massima naturalezza; le esercitazioni di naturalezza duravano ormai da un'ora e la mamma non aveva perso il suo buonumore; non taceva un attimo (nel film non si sarebbe dovuto sentire quello che si dicevano; la loro conversazione muta avrebbe avuto come sonoro il commento materno); e quando constatò che l'espressione di Jaromil non era abbastanza sorridente, cominciò a spiegargli che non era tanto facile essere la madre di un ragazzo come lui, un ragazzo così timido e solitario e che ha sempre vergogna di tutto.

Poi lo fecero montare sul furgoncino e lo portarono nel luogo romantico nei dintorni di Praga dove, la madre ne era certa, Jaromil era stato concepito. Lei era troppo pudica per aver mai osato dire a chicchessia il motivo che le rendeva così caro quel paesaggio; non voleva dirlo, ma al tempo stesso voleva, e adesso raccontava davanti a tutti, con ambiguità convulsa, che quel paesaggio era sempre stato per lei un paesaggio d'amore, un paesaggio sensuale. «Guardate com'è ondulata la terra, come assomiglia a una donna, alle sue curve, alle sue forme materne! Guardate queste rocce, questi massi erratici che si ergono solitari! Non c'è qualcosa di virile in queste rocce a strapiombo, così alte e ripide? Non è il paesaggio dell'uomo e della donna? Non è un paesaggio erotico?».

La mente di Jaromil era attraversata da pensieri di rivolta; avrebbe voluto dir loro che quel film era una cretinaggine; sentiva montare dentro di sé l'orgoglio di chi sa che cosa sia il buon gusto; forse sarebbe stato anche capace di fare una breve scenata destinata al fallimento, o almeno di fuggire via come aveva fatto quella volta allo stabilimento balneare sulla Vltava, ma adesso non poteva; c'erano gli occhi neri della cineasta e di fronte a loro era impotente; aveva paura di perderli una seconda volta; quegli occhi gli sbarravano la strada della fuga.

Infine lo piazzarono contro una grossa roccia, davanti alla quale avrebbe dovuto recitare la sua poesia preferita. La mamma era al colmo dell'eccitazione. Da quanto tempo non era più venuta in questi posti! Proprio lì dove aveva fatto l'amore con un giovane ingegnere, una domenica mattina di tanti anni prima, proprio in quel punto c'era adesso suo figlio; sembrava che fosse cresciuto lì, dopo tanti anni, come un fungo (ah, sì, come se i bambini venissero al mondo come funghi lì dove i genitori hanno sparso il loro seme!); la mamma era rapita alla vista di quello strano, splendido, impossibile fungo che con voce tremante recitava versi dove diceva di voler morire tra le fiamme.

Jaromil sentiva che stava recitando molto male, ma non poteva fare altrimenti; in cuor suo si ripeteva che non era tremarella, che quella sera nella villa dei poliziotti la sua recitazione era stata splendida, magistrale; ma questa volta non ci riusciva; piantato contro un'assurda roccia in un assurdo paesaggio, col terrore che potesse passare da lì qualche praghese venuto a far correre il cane o a passeggiare con la ragazza (guarda un po', erano esattamente gli stessi timori che aveva avuto sua madre venti anni prima!), era del tutto incapace di concentrarsi, e pronunciava le parole con difficoltà e senza alcuna naturalezza.

Lo obbligarono a leggere e a rileggere molte volte la poesia e alla fine si rassegnarono: «Il mio eterno fifone» sospirò la mamma. «Anche al liceo aveva paura di ogni esame; quante volte l'ho dovuto letteralmente spingere a scuola con la forza perché aveva paura!».

La cineasta disse che la poesia avrebbe potuto essere doppiata da un attore e che bastava che Jaromil stesse davanti alla roccia e aprisse la bocca facendo finta di parlare.

Così fece.

«Dio santo!» gli gridò la cineasta, ormai con una certa impazienza. «Deve muovere le labbra esattamente come se recitasse la poesia, non in un modo qualsiasi! L'attore dovrà doppiare seguendo i movimenti delle sue labbra!».

E così Jaromil se ne stava in piedi davanti alla roccia e apriva la bocca (docilmente e correttamente) e la macchina da presa, finalmente, cominciò a ronzare.

10

Ancora due giorni prima era all'aperto davanti alla macchina da presa, con addosso un soprabito leggero, e oggi aveva dovuto mettersi cappotto, sciarpa e berretto; nevicava. Avevano appuntamento alle sei davanti alla casa di lei. Ma erano ormai le sei e un quarto e la rossa non era ancora arrivata.

Un ritardo di qualche minuto non è certo una cosa grave; ma Jaromil, dopo tutte le umiliazioni subite negli ultimi giorni, non poteva più sopportare il minimo affronto; era costretto a camminare su e giù davanti alla casa in una strada piena di gente dove qualsiasi passante poteva vedere che stava aspettando qualcuno che non aveva fretta di raggiungerlo, il che rendeva la sua umiliazione di dominio pubblico.

Non osava guardare l'orologio per paura che quel gesto troppo eloquente lo denunciasse agli occhi di tutta la strada come un amante che attende invano; tirò un poco la manica del cappotto e la fece scivolare sotto il cinturino dell'orologio per poter controllare discretamente l'ora; quando si accorse che erano già le sei e venti, divenne quasi pazzo di rabbia: come, lui arrivava sempre agli appuntamenti in anticipo e lei, che era più brutta e più stupida, si permetteva simili ritardi?

Finalmente lei arrivò e vide il volto impietrito di Jaromil. Entrarono nella stanza, si sedettero, e la ragazza cominciò a scusarsi: era stata da un'amica. Era la cosa peggiore che potesse dire. Nulla, naturalmente, avrebbe potuto giustificarla, ma meno che mai un'amica che agli occhi di Jaromil rappresentava l'essenza stessa della nullità. Disse alla rossa che capiva benissimo l'importanza dei suoi passatempi con l'amica, tanto bene che le proponeva di ritornarci subito.

La ragazza capì che le cose si mettevano male; disse che con l'amica aveva dovuto parlare di una questione molto importante; l'amica stava per lasciare il suo amante; era una cosa, disse, molto triste, la ragazza aveva pianto e la rossa aveva dovuto consolarla, e non aveva potuto andarsene prima che si fosse calmata.

Jaromil disse che era molto generoso da parte sua aver asciugato le lacrime dell'amica. Ma chi avrebbe asciugato le lacrime della piccola rossa, quando Jaromil l'avrebbe lasciata, visto che non intendeva continuare a vedersi con una ragazza per la quale le stupide lacrime di una stupida amica contavano più di lui?

La ragazza capiva che le cose si mettevano di male in peggio; disse a Jaromil che gli chiedeva scusa, che le dispiaceva molto, che gli chiedeva perdono.

Ma era troppo poco per l'insaziabilità della sua umiliazione; le disse che quelle scuse non cambiavano nulla della sua certezza: ciò che la rossa chiamava amore non era affatto amore; no, disse rifiutando in anticipo qualsiasi obiezione, non era per meschineria che traeva conclusioni estreme da un episodio apparentemente banale; erano proprio quei dettagli a rivelare la vera essenza dei sentimenti della rossa nei suoi confronti; l'inammissibile leggerezza, la disinvolta indifferenza con cui lei trattava Jaromil come se lui fosse stato una sua amica, un cliente del negozio, un passante incontrato per strada! Che non avesse più l'impudenza di dirgli che lo amava! La sua era solo una misera imitazione dell'amore!

La ragazza vedeva che peggio di così non poteva proprio andare. Tentò di interrompere con un bacio la rabbiosa tristezza di Jaromil; lui la respinse quasi con brutalità; lei ne approfittò per inginocchiarsi davanti a lui e affondargli il viso in grembo; Jaromil esitò per un attimo, poi la rialzò e la pregò freddamente di non toccarlo.

L'odio che gli montava alla testa come alcool era bello e lo affascinava; tanto più lo affascinava in quanto gli tornava di rimbalzo dalla ragazza e feriva anche lui; era un furore autodistruttivo, perché Jaromil sapeva che respingendo la ragazza rossa respingeva l'unica donna che avesse; sentiva che la sua ira era ingiustificata, che era ingiusto verso la ragazza, ma forse proprio per questo era ancora più crudele, giacché ciò che lo attirava era l'abisso: l'abisso della solitudine, l'abisso dell'autocondanna; sapeva di non poter essere felice senza la ragazza (sarebbe stato solo) né contento di sé (avrebbe avuto coscienza di essere stato ingiusto), ma il saperlo non poteva nulla contro lo splendido inebriamento della rabbia. Annunciò alla rossa che quello che aveva detto non valeva soltanto per quel momento, ma per sempre: non voleva più essere toccato dalle sue mani.

Non era la prima volta che la ragazza affrontava la rabbia e la gelosia di Jaromil, ma questa volta avvertiva nella sua voce un'ostinazione quasi frenetica; sentiva che Jaromil sarebbe stato capace di qualsiasi cosa pur di placare il suo incomprensibile furore. Così, quasi all'ultimo momento, quasi sull'orlo dell'abisso, gli disse: «Ti prego, non arrabbiarti. Non arrabbiarti, ti ho mentito. Non sono stata dalla mia amica».

Quelle parole lo sconcertarono: «Dove sei stata, allora?» le chiese.

«Adesso ti arrabbierai, tu non gli vuoi bene, ma non è colpa mia, bisognava che lo vedessi».

«Ma chi?».

«Mio fratello. Quello che ha abitato qui da me».

Si indispettì: «Ma che cosa avete da dirvi in continuazione?».

«Non arrabbiarti, lui non significa assolutamente niente per me, rispetto a te non conta nulla, ma devi capirmi, è pur sempre mio fratello, siamo cresciuti insieme per quindici anni. Adesso parte. Per molto tempo. Dovevo salutarlo».

Quegli addii sentimentali con il fratello lo disgustavano: «E dove andrà mai questo fratello per fargli dei saluti così lunghi da dimenticare il resto? Va in missione per una settimana? O va a passare la domenica in campagna?».

No, non andava né in campagna né in missione, era una cosa molto più grave e lei non poteva dire nulla a Jaromil perché sapeva che si sarebbe infuriato.

«Ed è questo che tu chiami amore? Tenermi nascosta una cosa che non approvo? Avere dei segreti con me?».

Sì, la ragazza sapeva benissimo che l'amore significa dirsi tutto, ma lui doveva capirla: aveva paura, aveva semplicemente paura...

«Ma di che cosa si tratta perché tu abbia paura? Dov'è che va tuo fratello, che hai paura di dirlo?».

Possibile che Jaromil non intuisse? Possibile che non indovinasse di che cosa si trattava?

No, Jaromil non riusciva a indovinare (e a questo punto, ormai, la collera cominciava a zoppicare dietro la curiosità).

Finalmente la ragazza confessò: suo fratello aveva deciso di abbandonare il paese di nascosto, clandestinamente; il giorno dopo sarebbe già stato all'estero.

Come? Suo fratello voleva lasciare la nostra giovane repubblica socialista? Voleva tradire la rivoluzione? Voleva emigrare? Non sapeva che cosa significa emigrare? Non sapeva che gli emigranti diventano automaticamente agenti dei servizi di spionaggio stranieri che vogliono distruggere il nostro paese?

La piccola annuiva, in segno di approvazione. Il suo istinto le diceva che Jaromil le avrebbe perdonato molto più facilmente il tradimento del fratello che un quarto d'ora di attesa. Per questo annuiva e diceva che Jaromil aveva perfettamente ragione.

«Che cosa significa che mi dai ragione? Avresti dovuto dissuaderlo! Avresti dovuto trattenerlo!».

Sì, lei aveva tentato di dissuadere il fratello, aveva fatto tutto il possibile per dissuaderlo; appunto per questo aveva fatto tardi; adesso Jaromil poteva capire perché era arrivata in ritardo; adesso Jaromil poteva certo perdonarla.

Strano a dirsi, Jaromil la perdonò per il ritardo, ma non poteva perdonarle il fatto che il fratello se ne andasse all'estero: «Tuo fratello è dall'altra parte della barricata. È un mio nemico personale. Se scoppia la guerra tuo fratello mi sparerà addosso e io sparerò su di lui. Te ne rendi conto?».

«Sì, me ne rendo conto» disse la ragazza dai capelli rossi, e assicurò Jaromil che sarebbe stata sempre dalla sua parte; dalla sua parte e mai con nessun altro.

«Cosa significa stare dalla mia parte? Se fossi stata veramente dalla mia parte non avresti mai lasciato partire tuo fratello!».

«Che cosa potevo fare? Non potevo certo trattenerlo con la forza!».

«Avresti dovuto venire subito da me e io avrei saputo che cosa fare. E invece mi hai mentito. Ti sei inventata la storia dell'amica! Volevi prendermi in giro! E hai il coraggio di dire che stai dalla mia parte!».

Lei gli giurò che era veramente dalla sua parte e che ci sarebbe rimasta, qualsiasi cosa succedesse.

«Se fosse vero quello che dici avresti chiamato la polizia!».

Come, la polizia? Non poteva mica denunciare suo fratello alla polizia! Era assurdo!

Jaromil non sopportava le contraddizioni: «Come, assurdo? Se non la chiami tu, la polizia, lo farò io!».

La ragazza gli ripeté che un fratello è un fratello ed era inconcepibile denunciarlo.

«Allora tuo fratello per te significa più di me?».

Certo che no, ma questa non è una ragione per andare a denunciare il proprio fratello.

«L'amore significa tutto o nulla. L'amore è totale o non è. Io sono qui e lui dall'altra parte. Tu devi stare dalla mia parte, e non in mezzo. E se stai dalla mia parte devi fare quello che faccio io, volere quello che voglio io. Per me il destino della rivoluzione è il mio stesso destino. Se qualcuno agisce contro la rivoluzione agisce contro me stesso. E se i miei nemici non sono i tuoi nemici, anche tu sei mia nemica».

Ma no, no, non è sua nemica, vuole essere con lui in tutto; anche lei sa bene che l'amore significa tutto o niente.

«Sì, l'amore significa tutto o niente. Di fronte al vero amore tutto impallidisce, tutto il resto è zero».

Sì, è d'accordo in tutto, è proprio quello che sente anche lei.

«Il vero amore è completamente sordo a quello che può dire il resto del mondo, è appunto da questo che lo si riconosce. Tu invece stai sempre a sentire quello che ti dice la gente, sei sempre piena di riguardi per il prossimo, tanto piena che di quello che dico io non t'importa proprio nulla».

Dio mio, non è vero che non le importa nulla, tutt'altro, ha solo paura di fare del male al fratello, ha paura che il fratello, poi, la paghi molto cara.

«E anche se fosse? Se la pagherà sarà giusto. Oppure hai paura di lui? Hai paura di rompere con lui? Hai paura di rompere con la tua famiglia? Vuoi restare per tutta la vita incollata a loro? Se sapessi come odio la tua terribile indecisione, la tua terribile incapacità di amare!».

No, non è vero che è incapace di amare. Lo ama con tutte le sue forze.

«Sì, mi ami con tutte le tue forze,» rise lui «solo che non sei capace di amare! Non sei affatto capace di amare!».

Di nuovo lei gli giurò che lo amava.

«Potresti vivere senza di me?».

Gli giurò di no.

«Potresti vivere se io morissi?».

No, no, no.

«Potresti vivere se io ti lasciassi?».

No, no, no, ripeteva lei scuotendo la testa.

Che cosa poteva pretendere di più? La sua collera era sbollita e aveva lasciato dietro di sé solo un grande turbamento: improvvisamente con loro c'era la loro morte; la dolce, dolcissima morte, che si promettevano reciprocamente nel caso che uno fosse stato abbandonato dall'altro. Con la voce rotta dall'emozione Jaromil disse: «Neanch'io potrei vivere senza di te». E lei ripeteva che non poteva vivere e che non sarebbe vissuta senza di lui, e si ripetevano tutti e due questa frase e la ripeterono così a lungo che finirono col soccombere a un grande, nebuloso stordimento; si strapparono di dosso i vestiti e fecero l'amore; improvvisamente lui sentì sotto la mano l'umidità delle lacrime che scorrevano sul viso di lei; era meraviglioso, non era mai successo che una donna piangesse d'amore per lui; le lacrime erano per lui la sostanza in cui l'uomo si dissolve quando non vuole essere soltanto un uomo e desidera superare i propri limiti; gli pareva che attraverso le lacrime l'uomo sfuggisse alla sua natura materiale, ai suoi limiti, per confondersi con le lontananze e divenire immensità. Era terribilmente commosso dall'umidità di quelle lacrime e improvvisamente si accorse che stava piangendo anche lui; si amavano ed erano bagnati su tutto il corpo e su tutto il volto, si amavano e più che amarsi si dissolvevano, i loro umori si mescolavano e confluivano come due fiumi; piangevano e si amavano, e in quel momento erano fuori dal mondo, erano come un lago che si è staccato dalla terra e si invola verso il cielo.

Poi restarono serenamente distesi l'uno accanto all'altra e si accarezzarono ancora a lungo e con tenerezza il viso; la ragazza aveva i capelli rossi incollati in buffe ciocche e il viso in fiamme; era brutta, e Jaromil ricordò la poesia in cui aveva scritto che avrebbe voluto bere tutto di lei: i suoi vecchi amori e la sua bruttezza, i suoi rossi capelli appiccicati e la sporcizia delle sue lentiggini; l'accarezzava e contemplava con amore la sua commovente scipitezza; le ripeteva che la amava e lei gli ripeteva la stessa cosa.

E siccome non voleva rinunciare alla sensazione di appagamento assoluto che gli aveva dato la reciproca promessa di morte, disse di nuovo: «È vero, non potrei vivere senza di te, non potrei vivere senza di te».

«Neanch'io. Sarei terribilmente triste se non ti avessi. Terribilmente triste».

Lui si fece più attento: «Allora riesci a immaginare di poter vivere senza di me!».

La ragazza non indovinò la trappola che si nascondeva dietro queste parole: «Sarei spaventosamente triste».

«Ma potresti vivere?».

«Che cosa potrei fare se tu mi lasciassi? Ma sarei spaventosamente triste».

Jaromil capì di essere stato vittima di un equivoco; la rossa non gli aveva promesso la propria morte, e quando diceva che non poteva vivere senza di lui si trattava solo di una lusinga amorosa, di un'espressione ornamentale, di una metafora; povera stupida, non capisce proprio che cosa c'è in ballo; gli promette la sua tristezza, a lui, che conosce soltanto i criteri assoluti, tutto o niente, la vita o la morte. Pieno di amara ironia, le chiese: «E per quanto tempo saresti triste? Per un giorno? O addirittura una settimana?».

«Una settimana?» disse lei con amarezza. «Ah, Xaveruccio mio, altro che una settimana...» e si strinse a lui per indicare col contatto del corpo che la sua tristezza non si contava in settimane.

E Jaromil rifletteva: Che cosa valeva in realtà il suo amore? Qualche settimana di tristezza? Bene. Ma che cos'è in realtà la tristezza? Un po' di cattivo umore, un po' di nostalgia. E che cos'è una settimana di tristezza? Non si può essere continuamente tristi. Sarebbe stata triste qualche minuto durante la giornata, qualche minuto la sera; quanti minuti faceva in tutto? Quanti minuti di tristezza pesava il suo amore? In quanti minuti di tristezza andava valutato?

Si immaginava la propria morte e si immaginava la vita di lei, indifferente, tranquilla, che si ergeva gaia ed estranea sul suo non essere.

Non aveva più voglia di riprendere l'esacerbato dialogo della gelosia; sentiva che lei gli chiedeva i motivi della sua tristezza e non rispondeva; la tenerezza di quella voce era un balsamo inutile.

Poi si alzò e si rivestì; non era più arrabbiato con lei; la ragazza continuava a chiedergli perché era triste e lui, invece di risponderle, le accarezzava malinconicamente il viso. E poi disse, guardandola attentamente negli occhi: «Allora, ci vuoi andare tu alla polizia?».

Lei credeva che il loro splendido amore avesse definitivamente cancellato la sua ira nei confronti del fratello; restò sorpresa dalla domanda e non riuscì a dire nulla.

Di nuovo (tranquillamente e in tono triste) le chiese: «Ci vai tu alla polizia?».

Lei farfugliò qualcosa; avrebbe voluto dissuaderlo dal suo progetto, ma aveva paura di dirlo chiaramente; l'evasività dei suoi farfugliamenti era comunque chiara e Jaromil disse: «Capisco che tu non abbia voglia di andarci. Ci penso io, in questo caso» e di nuovo le accarezzò (con un gesto compassionevole, triste e deluso) il volto.

Lei era sconcertata e non sapeva che cosa dire. Si baciarono e lui se ne andò.

La mattina si svegliò che sua madre era già uscita. Di buon'ora, mentre lui stava ancora dormendo, gli aveva posato sulla sedia una camicia, la cravatta, i pantaloni, la giacca e anche, beninteso, un paio di mutandoni. Era impossibile rompere questa abitudine ormai ventennale e Jaromil ora l'accettava passivamente. Ma quel giorno, vedendo le mutande beige piegate sulla sedia, con quelle larghe gambe penzoloni, con quella enorme apertura sul davanti che era come un sonoro invito a orinare, fu preso da una rabbia solenne.

Sì, quel mattino si alzò come ci si alza per una grande giornata decisiva. Prese in mano le mutande e le esaminò; le esaminò con un odio quasi amoroso; poi mise l'estremità di una gamba in bocca e strinse i denti; afferrò la stessa gamba con la mano destra e la tirò violentemente; sentì il rumore della stoffa che si lacerava; poi gettò a terra le mutande strappate; sperava che restassero lì e che la mamma le vedesse.

Poi infilò un paio di calzoncini da ginnastica gialli, mise la camicia, la cravatta, i pantaloni e la giacca preparati per lui e uscì di casa.

11

Consegnò la sua carta d'identità in portineria (come deve obbligatoriamente fare chiunque voglia entrare nel grande edificio dove ha sede la polizia) e salì le scale. Guardate come cammina, come misura ogni passo! Va come se portasse sulle spalle tutto il suo destino; sale per accedere non al piano superiore dell'edificio ma al piano superiore della propria vita, da dove vedrà quello che non ha mai visto fino ad ora.

Tutto gli era favorevole; quando entrò nell'ufficio scorse subito il viso del suo vecchio compagno di scuola ed era il viso di un amico; era piacevolmente sorpreso; era allegro.

Il figlio del bidello disse che era molto felice che Jaromil fosse venuto a trovarlo e l'anima di Jaromil si riempì di benessere. Si sedette sulla sedia che gli era stata offerta e per la prima volta sentì di essere di fronte al suo amico come un uomo di fronte a un uomo; come un pari di fronte a un pari; come un duro di fronte a un duro.

Per qualche minuto chiacchierarono del più e del meno, come chiacchierano degli amici, ma per Jaromil si trattava soltanto di una gustosa ouverture durante la quale attendeva con impazienza il momento in cui il sipario si sarebbe alzato. «Voglio metterti al corrente di una cosa molto importante» disse infine con voce grave. «So di una persona che sta per passare clandestinamente la frontiera nelle prossime ore. Dobbiamo fare qualcosa».

Il figlio del bidello tese immediatamente le orecchie e fece a Jaromil alcune domande. Jaromil rispose rapidamente e con precisione.

«È una cosa molto seria,» disse poi il figlio del bidello «non posso prendere decisioni da solo».

Dopo aver percorso un lungo corridoio, fece entrare Jaromil in un altro ufficio dove lo presentò a un uomo anziano in borghese; lo presentò come suo amico, così che l'uomo in borghese rivolse a Jaromil un sorriso amichevole; chiamarono la dattilografa e stesero il verbale; Jaromil dovette esporre tutto con precisione; il nome della sua ragazza; il posto dove lavorava; l'età; come l'aveva conosciuta; da che famiglia veniva; dove lavoravano suo padre, i suoi fratelli, le sue sorelle; quando gli aveva comunicato la notizia della fuga preparata dal fratello; chi era il fratello; che cosa sapeva di lui Jaromil.

Jaromil sapeva parecchie cose sul suo conto, la ragazza gli parlava spesso di lui; proprio per questo aveva ritenuto che tutta quella faccenda fosse molto importante e si era affrettato a informare i suoi amici, i suoi compagni di lotta, prima che fosse troppo tardi. Perché il fratello odiava il nostro regime; che cosa triste! viene da una famiglia povera, modesta, ma poiché ha lavorato per qualche tempo come autista presso un uomo politico della borghesia, è legato anima e corpo alle persone che tramano contro il nostro regime; sì, può affermarlo con certezza perché la sua ragazza gli ha descritto con estrema precisione le opinioni del fratello; quello lì sarebbe pronto a sparare sui comunisti; Jaromil può facilmente immaginare che cosa farà appena lascerà il paese; Jaromil sa che il suo unico desiderio è di annientare il socialismo.

Con maschia concisione i tre uomini finirono di dettare il verbale alla dattilografa, poi il più anziano disse al figlio del bidello di prendere subito le misure del caso. Quando restarono soli nell'ufficio, ringraziò Jaromil per la sua collaborazione. Disse che se tutto il popolo fosse stato vigile come lui la nostra patria socialista sarebbe stata invincibile. E gli disse anche che sarebbe stato molto felice se quello non fosse stato il loro ultimo incontro. Jaromil sicuramente sapeva che il nostro Stato ha nemici dappertutto; Jaromil frequentava l'ambiente degli studenti universitari e forse conosceva anche dei letterati. Sì, sappiamo bene che per la maggior parte si tratta di persone per bene, ma anche tra di loro si possono trovare elementi sovversivi.

Jaromil guardava con entusiasmo il viso del poliziotto; gli sembrava bello; era solcato da profonde rughe e testimoniava una vita rude, maschia. Sì, anche lui, Jaromil, sarebbe stato molto felice se quello non fosse stato il loro ultimo incontro. Non desiderava null'altro; sapeva bene qual era il suo posto.

Si strinsero la mano e si scambiarono un sorriso.

Con quel sorriso nell'anima (splendido sorriso rugoso d'uomo) Jaromil uscì dall'edificio della polizia. Fermo sulla scalinata che portava al marciapiede, vedeva il sole gelido del mattino levarsi sui tetti della città. Inspirò l'aria fredda e si sentì colmo di una virilità che gli usciva da tutti i pori e che voleva cantare.

Dapprima pensò di tornare subito a casa, di sedersi a tavolino e scrivere una poesia. Ma dopo qualche passo cambiò direzione; non aveva voglia di stare da solo. Gli sembrava che durante l'ora appena trascorsa i suoi tratti si fossero induriti, il suo passo si fosse fatto più sicuro, la sua voce fosse diventata più ruvida, e voleva essere visto in quella metamorfosi. Andò in istituto e attaccò discorso con tutti. Naturalmente, nessuno gli disse che era cambiato, ma il sole continuava a splendere e sui comignoli della città fluttuava una poesia ancora non scritta. Tornò a casa e si chiuse nella sua stanza. Riempì alcuni fogli, ma non era molto soddisfatto.

Posò dunque la penna e preferì stare un po' a riflettere; pensava alla misteriosa soglia che l'adolescente deve attraversare per diventare uomo; credeva di conoscere il nome di quella soglia; quel nome non era «amore», era «dovere». Ed era difficile scrivere una poesia sul dovere; quale fantasia può essere infiammata da una parola così severa? Ma Jaromil sapeva che proprio le fantasie risvegliate da quella parola sarebbero state nuove, inaudite, sorprendenti; perché lui non pensava al dovere nel vecchio senso della parola, il dovere assegnato e imposto dall'esterno, ma al dovere che l'uomo si crea da solo e che sceglie liberamente, il dovere volontario, audacia e gloria dell'uomo.

Queste meditazioni riempirono Jaromil di orgoglio, perché gli abbozzavano il suo ritratto, totalmente nuovo. Sentì ancora il desiderio di essere visto in quella sorprendente metamorfosi, e corse a casa della rossa. Erano quasi le sei, ormai, e la ragazza avrebbe dovuto essere rientrata già da un pezzo. Ma il padrone di casa gli disse che non era ancora tornata dal negozio. Che due signori erano venuti a cercarla mezz'ora prima e lui li aveva informati che la sua subinquilina non era ancora rientrata.

Jaromil aveva molto tempo a disposizione e così si mise a camminare su e giù per la strada dove abitava la rossa. Dopo un po' notò due uomini che camminavano su e giù proprio come lui; Jaromil si disse che erano sicuramente i due di cui gli aveva parlato il padrone di casa; poi vide la rossa che arrivava dalla direzione opposta. Non voleva che lo vedesse; si infilò in un portone e vide la ragazza avanzare con passo rapido verso la casa e sparire nel portone. Poi vide i due uomini entrare dietro di lei. Ebbe un momento di esitazione e non trovò il coraggio di muoversi. Dopo circa un minuto uscirono tutti e tre; solo allora si accorse che dietro l'angolo c'era un'automobile; i due uomini e la ragazza montarono e la macchina partì.

Jaromil capì che i due uomini erano con ogni probabilità poliziotti; insieme con un raggelante terrore provò una sensazione di stupore esaltante all'idea che ciò che aveva fatto quella mattina era un atto reale, al cui comando le cose si erano messe in moto.

Il giorno dopo corse a casa della ragazza per sorprenderla mentre tornava dal lavoro. Ma il padrone gli disse che la rossa non era più rientrata da quando quei due signori l'avevano portata via.

La cosa lo mise in grande agitazione. La mattina dopo andò subito alla polizia. Come l'altra volta, il figlio del bidello lo trattò molto amichevolmente. Gli strinse la mano, gli rivolse un sorriso gioviale e quando Jaromil gli chiese che ne era della ragazza, come mai non era ancora rientrata a casa, gli disse di non stare in pensiero. «Ci hai messo su una pista molto importante. Dobbiamo spremerli per bene», e il suo sorriso era eloquente.

Di nuovo Jaromil uscì dall'edificio della polizia nella mattinata fredda e assolata, di nuovo inspirò l'aria gelida, e si sentiva forte e ricolmo di destino. Eppure non era come due giorni prima. Perché questa volta pensò, per la prima volta, che con quella sua azione *era entrato nella tragedia*.

Sì, era esattamente quello che pensava mentre scendeva la larga scalinata: *sto entrando nella tragedia*. Risentiva sempre nelle orecchie quel gioviale e minaccioso *dobbiamo spremerli bene*, e quelle parole eccitavano la sua immaginazione; si rendeva conto che la sua ragazza era nelle mani di uomini sconosciuti, che era alla loro mercé, che era in pericolo, e che un interrogatorio di quarantott'ore non era certo una cosa allegra; ricordò quanto gli aveva raccontato il suo vecchio compagno di scuola a proposito dell'ebreo bruno e del duro lavoro dei poliziotti. Tutte queste idee e tutte queste immagini lo riempivano di una sorta di sostanza dolce, profumata, sublime, e lui aveva l'impressione di diventare più grande, di andare per le strade come un mobile monumento della tristezza.

E poi si disse che adesso capiva perché i versi scritti due giorni prima non valevano nulla. Il fatto era che allora non sapeva ancora quello che aveva compiuto. Solo adesso poteva veramente capire la propria azione, capire se stesso e il proprio destino. Due giorni prima voleva scrivere una poesia sul dovere, ma adesso sapeva di più: la gloria del dovere fiorisce sulla testa mozzata dell'amore.

Jaromil andava per le strade stordito dal proprio destino. Rientrato a casa, trovò una lettera. Sarei molto contenta se la settimana prossima, al tal giorno e alla tale ora, lei potesse venire a una festicciola: ci troverà persone che la interesseranno. La lettera era firmata dalla cineasta.

Anche se non prometteva nulla di certo, quell'invito procurò a Jaromil un immenso piacere, perché era la prova che la cineasta non era un'occasione perduta, che la loro avventura non era terminata, che il gioco continuava. E nella sua mente si insinuò la strana e vaga idea che c'era sicuramente un significato recondito nel fatto che quella lettera gli fosse arrivata proprio il giorno in cui aveva capito tutta la tragicità della propria situazione; provava la sensazione confusa ma esaltante che tutto quello che aveva vissuto negli ultimi due giorni lo avesse finalmente qualificato per affrontare faccia a faccia la radiosa bellezza della cineasta bruna e per andare alla sua piccola serata mondana con sicurezza, senza timori, da uomo.

Era felice come mai prima. Si sentiva pieno di poesia e sedette allo scrittoio. No, non è giusto contrapporre l'amore al dovere, si diceva, questa era la vecchia impostazione del problema. L'amore o il dovere, la donna amata o la rivoluzione, no, no, non è così. Se ha messo in pericolo la rossa non è certo stato perché l'amore non significhi nulla per lui; anzi, ciò che Jaromil vuole è proprio che il mondo del domani sia un mondo in cui gli uomini possano amarsi più che mai. Sì, le cose stanno così: Jaromil ha messo in pericolo la sua ragazza proprio perché l'ama più di quanto gli altri uomini amino le loro donne; proprio perché sa che cosa è l'amore, e il mondo futuro dell'amore. Certo, è terribile sacrificare una donna concreta (rossa, gentile, minuta, chiacchierona) per il mondo futuro, ma questa è sicuramente l'unica tragedia del nostro tempo che sia degna di grandi versi, di grandi poesie!

E così, seduto allo scrittoio, scriveva, poi si alzava e andava su e giù per la stanza, e si diceva che quello che stava scrivendo era la cosa più grande che avesse mai scritto.

Era una serata inebriante, più inebriante di tutte le serate amorose che potesse immaginare, una serata inebriante anche se la passava da solo nella sua cameretta da bambino; la madre era nella stanza accanto, e Jaromil aveva completamente dimenticato di averla odiata qualche giorno prima; addirittura, quando lei bussò alla porta e gli chiese che cosa stava facendo, lui la chiamò con tenerezza *mammina* e la pregò di lasciarlo nella massima tranquillità e concentrazione, perché, disse, «oggi sto scrivendo la più grande poesia della mia vita». La mamma sorrise (un sorriso materno, attento, comprensivo) e lo lasciò tranquillo.

Poi lui si sdraiò sul letto e pensò che in quello stesso momento la rossa era circondata da uomini: poliziotti, inquirenti, guardie; che essi potevano fare di lei tutto quello che volevano; che la vedevano mentre si svestiva per mettersi la divisa delle carcerate; che la guardia la osservava dallo spioncino mentre si sedeva sul bugliolo e orinava.

Non che credesse molto a queste possibilità estreme (probabilmente l'avrebbero rilasciata dopo l'interrogatorio), ma la fantasia non si lascia mettere le briglie: instancabilmente la immaginava dentro la cella, stava seduta sul bugliolo, un estraneo la spiava, oppure gli inquirenti le strappavano di dosso i vestiti; ma una cosa lo stupì: nonostante tutte queste fantasie, non provava la minima gelosia!

Devi esser mia per morire sulla ruota della tortura, se lo vorrò!: il grido di Keats vola attraverso i secoli. Perché Jaromil dovrebbe essere geloso? Ora la rossa gli appartiene come mai prima: il suo destino è una sua creazione; è suo l'occhio che l'osserva mentre orina; sono sue le mani che la toccano in quelle delle guardie; lei è la sua vittima, è la sua opera, è sua, sua, sua.

Jaromil non è geloso; oggi si è addormentato del sonno degli uomini veri.

PARTE SESTA

OVVERO

IL QUARANTENNE

1

La prima parte del nostro racconto abbraccia circa quindici anni della vita di Jaromil; la quinta parte, benché più lunga, un anno appena. In questo libro, dunque, il tempo scorre con un ritmo inverso rispetto a quello della vita reale: rallenta.

La ragione sta nel fatto che noi guardiamo Jaromil da un osservatorio che abbiamo eretto là dove, nella corrente del tempo, si situa la sua morte. La sua infanzia si trova per noi nelle lontananze dove si confondono i mesi e gli anni; da quelle brumose lontananze è avanzato insieme con sua madre fino all'osservatorio in prossimità del quale tutto è visibile, come nel primo piano di un quadro d'altri tempi, dove l'occhio può distinguere ogni foglia di un albero e su ogni foglia il delicato disegno delle nervature.

Così come la vostra vita è determinata dal lavoro e dal matrimonio che vi siete scelti, il nostro romanzo è delimitato dalla prospettiva offerta dall'osservatorio dal quale si vedono solo Jaromil e sua madre, mentre gli altri personaggi li possiamo scorgere solo quando compaiono in presenza dei due protagonisti. Abbiamo scelto questo osservatorio così come voi avete scelto il vostro destino, e si tratta di una scelta non meno irrimediabile.

Ma ognuno rimpiange di non poter vivere altre vite oltre alla propria sola e unica esistenza; anche voi vorreste vivere tutte le vostre possibilità irrealizzate, tutte le vostre vite possibili. (Ah, l'inaccessibile Xaver!). Il nostro romanzo è come voi. Anch'esso desidera essere altri romanzi, quelli che avrebbe potuto essere e non è stato.

Ecco perché continuiamo a fantasticare di altri osservatori possibili e non costruiti. E se ne piazzassimo uno, per esempio, nella vita del pittore, nella vita del figlio del bidello o nella vita della rossa? In effetti, che cosa sappiamo di loro? Poco più di quanto ne sa quello sciocco di Jaromil, che in realtà non ha mai saputo niente di nessuno! Quale romanzo sarebbe venuto fuori se avessimo seguito la carriera di quell'oppresso, il figlio del bidello, nella quale fosse intervenuto una o due volte, come personaggio episodico, il suo ex compagno di scuola, il poeta! Oppure se avessimo seguito la storia del pittore e avessimo potuto finalmente scoprire che cosa pensava veramente della sua amante, quella di cui decorava il ventre con disegni a inchiostro di china!

Se l'uomo non può in alcun modo saltar fuori dalla propria vita, il romanzo è molto più libero. E se smontassimo in fretta e di nascosto il nostro osservatorio e lo trasportassimo in qualche altro punto, sia pure per poco? Per esempio, un bel po' dopo la morte di Jaromil! Per esempio, fino ai nostri giorni, quando ormai nessuno, ma proprio nessuno (anche sua madre è morta da qualche anno) ricorda più il nome di Jaromil...

2

Ah, mio Dio, poter trasportare fin qui il nostro osservatorio! E magari far visita a quei dieci poeti che sedevano sul podio con Jaromil durante la serata con i poliziotti! Dove sono finite le poesie che recitarono quella sera? Nessuno, ma proprio nessuno le ricorda, e gli stessi poeti rifiutano di ricordarle; perché se ne vergognano, tutti quanti ormai se ne vergognano...

In fin dei conti, che cosa è rimasto di quel tempo lontano? Per tutti, oggi, quelli sono gli anni dei processi politici, delle persecuzioni, dei libri all'indice e degli assassinii giudiziari. Ma noi che ricordiamo dobbiamo portare la nostra testimonianza: non fu solo il tempo del terrore, fu anche il tempo del lirismo! Il poeta regnava a fianco del carnefice.

Il muro dietro il quale erano imprigionati uomini e donne era interamente tappezzato di versi, e davanti a quel muro si danzava. Ah no, non una danza macabra. Lì danzava l'innocenza! L'innocenza col suo sorriso insanguinato.

Fu forse il tempo della cattiva poesia lirica? Non del tutto! Il romanziere che di quell'epoca scriveva con gli occhi ciechi del conformismo, creava opere che nascevano già morte. Ma il poeta lirico, che esaltava la stessa epoca non meno ciecamente, spesso lasciava dietro di sé delle belle poesie. Perché, giova ripeterlo, nel campo magico della poesia ogni affermazione diventa verità se ha dietro di sé la forza del sentimento vissuto. E i poeti lirici li vivevano, i propri sentimenti, al punto che da essi si sprigionava una sorta di fumo e nel cielo si disegnava un arcobaleno, uno splendido arcobaleno al di sopra delle prigioni...

Ma no, non trasporteremo il nostro osservatorio nel presente perché ci importa poco di dipingere quell'epoca e di offrirle ancora nuovi specchi. Se abbiamo scelto quegli anni non è stato per tracciarne il ritratto, ma solo perché ci è parso che essi costituissero una trappola di impareggiabile efficacia per Lermontov e Rimbaud, una trappola di impareggiabile efficacia per il lirismo e la giovinezza. Che cos'è un romanzo se non una trappola per eroi? Al diavolo la pittura dell'epoca! Quello che ci interessa è il giovane che scrive poesie!

Ecco perché questo giovane, al quale abbiamo dato il nome di Jaromil, non dobbiamo mai perderlo di vista. Sì, lasciamo per un istante il nostro romanzo e trasportiamo il nostro osservatorio oltre la vita di Jaromil e piazziamolo nei pensieri di un personaggio del tutto diverso, fatto di tutt'altra pasta. Ma non spostiamolo più di due o tre anni oltre la morte di Jaromil, per restare nell'epoca in cui il nostro poeta non è ancora dimenticato da tutti. Costruiamo una parte che stia al resto del racconto come il padiglione del parco sta al castello:

Il padiglione è lontano qualche decina di metri, è una costruzione indipendente di cui il castello potrebbe fare a meno; ma la finestra del padiglione è aperta ed è sempre facile sentire le voci degli abitanti del castello.

3

Immaginiamo questo padiglione come una garçonnière: un ingresso con un armadio a muro rimasto sbadatamente aperto, un bagno con la vasca accuratamente lavata, un cucinino con le stoviglie in disordine, una camera; nella camera, un letto enorme di fronte al quale c'è un grande specchio; tutt'intorno gli scaffali di una libreria, forse due incisioni sotto vetro (riproduzioni di quadri e statue antichi), un lungo tavolo con due poltrone e una finestra che dà su tetti e comignoli.

È pomeriggio e il proprietario della garçonnière è appena rientrato; apre la cartella, ne tira fuori una tuta spiegazzata e la appende nell'armadio; entra in camera e spalanca la finestra; è una giornata di primavera piena di sole, un venticello fresco penetra nella stanza e l'uomo va nel bagno, fa scendere nella vasca l'acqua calda, si spoglia; esamina il proprio corpo e ne è soddisfatto; è un uomo sulla quarantina, ma da quando fa un lavoro manuale si sente in ottima forma; ha il cervello più sgombro e le braccia più forti.

Adesso è allungato nella vasca; sui bordi di questa ha posato un'assicella in modo che la vasca gli serva anche da tavolo; ha alcuni libri davanti a sé (questa strana predilezione per gli autori antichi!), si scalda nell'acqua bollente e legge.

A un tratto sente il campanello. Dapprima uno squillo breve, poi due lunghi e, dopo una pausa, ancora uno breve.

Non gli piaceva essere disturbato da visite inattese e così con le amanti e gli amici aveva convenuto dei segnali grazie ai quali poteva riconoscere i visitatori. Ma questo segnale di chi era?

Si disse che era diventato vecchio e stava perdendo la memoria.

«Un momento!» gridò; uscì dalla vasca, si asciugò, infilò senza fretta l'accappatoio e andò ad aprire.

4

Sulla porta c'era una ragazza con un cappotto invernale.

La riconobbe subito, e ne fu talmente sorpreso che non trovò nulla da dire.

«Mi hanno rilasciato» disse lei.

«Quando?».

«Questa mattina. Ho aspettato che tornassi dal lavoro».

La aiutò a togliersi il cappotto; era un cappotto marrone pesante e logoro; lo appese a una gruccia e appese la gruccia all'attaccapanni. La ragazza portava un vestito che il quarantenne conosceva bene; ricordò che lo portava l'ultima volta che era venuta a trovarlo; sì, aveva lo stesso vestito e lo stesso cappotto, e gli parve che in quel pomeriggio di primavera irrompesse una giornata d'inverno di tre anni prima.

Anche la ragazza si meravigliò che la stanza fosse sempre uguale, mentre nella sua vita nel frattempo erano cambiate tante cose. «È tutto come prima» disse.

«Sì, è tutto come prima» annuì il quarantenne e la fece sedere sulla poltrona dove era solita sedersi; poi cominciò a interrogarla: hai fame? veramente hai già mangiato? quando hai mangiato? e adesso dove andrai? dai tuoi genitori?

Lei disse che sarebbe dovuta andare a casa, che addirittura era già stata alla stazione, ma che poi aveva deciso di venire da lui.

«Aspetta, mi vesto» disse lui; si era reso conto di essere in accappatoio; andò nell'ingresso e chiuse la porta; prima di cominciare a vestirsi alzò la cornetta del telefono, fece un numero e quando una voce di donna gli rispose si scusò e disse che quel giorno non avrebbe avuto tempo.

Non aveva nessun impegno verso la ragazza che sedeva nella sua stanza; tuttavia non voleva che lo sentisse, e parlò a voce bassa. E mentre parlava osservava il pesante cappotto marrone appeso all'attaccapanni, che riempiva l'ingresso di una musica struggente.

5

Erano passati quasi tre anni dall'ultima volta che l'aveva vista, ed erano quasi cinque anni che la conosceva. Aveva donne molto più belle, ma quella ragazzina possedeva qualità preziose; aveva appena diciassette anni quando l'aveva conosciuta; era di una spontaneità incantevole, eroticamente dotata e duttile: faceva esattamente quello che gli leggeva negli occhi; dopo un quarto d'ora aveva capito che davanti a lui non bisognava parlare di sentimenti, e senza che ci fosse bisogno di spiegarle nulla, veniva docilmente e unicamente nei giorni (appena una volta al mese) in cui le diceva di venire.

Il quarantenne non nascondeva il suo debole per le lesbiche; un giorno, nell'ebbrezza dell'amore fisico, la ragazza gli sussurrò nell'orecchio di aver sorpreso una sconosciuta in una cabina, in piscina, e di aver fatto l'amore con lei; la storia piacque molto al quarantenne e quando più tardi ne capì l'inverosimiglianza, fu ancora più commosso dal fervore con cui la ragazza si studiava di piacergli. La ragazza del resto non si limitava alle invenzioni: presentava volentieri al quarantenne le sue amiche e divenne l'ispiratrice e l'organizzatrice di molti graziosi divertimenti erotici.

Aveva capito che il quarantenne non solo non esigeva fedeltà, ma si sentiva più sicuro se le sue amanti avevano dei legami seri. Per questo gli parlava con indiscrezione innocente dei suoi ragazzi passati e presenti, e questo interessava e divertiva il quarantenne.

E adesso è seduta in una poltrona di fronte a lui (il quarantenne ha indossato un paio di pantaloni leggeri e un pullover) e dice: «Quando sono uscita dalla prigione ho visto dei cavalli».

6

«Cavalli? Che cavalli?».

Uscendo dalla porta della prigione, all'alba, aveva incrociato alcuni cavalieri di un club di equitazione. Si tenevano in sella dritti e saldi, come se aderissero al cavallo e formassero con lui un solo grande corpo non umano. La ragazza, ai loro piedi, si sentiva sovrastata, piccola e insignificante. Da lontano, sopra di lei, le giungevano il soffio dei cavalli e un suono di risate; si era appiattita contro il muro.

«E dopo, dove sei andata?».

Era andata al capolinea del tram. Era ancora presto, ma il sole era già forte; il suo cappotto era pesante e gli sguardi dei passanti la mettevano a disagio. Temeva che alla fermata del tram ci fosse molta gente e tutti la guardassero, comprendendo da dove veniva. Ma sul marciapiede per fortuna c'era solo una vecchietta. Era stato un bene; era stato proprio un sollievo che ci fosse solo quella vecchietta.

«E avevi già deciso di venire subito da me?».

Il dovere la chiamava a casa, dai suoi genitori. Era andata alla stazione, si era messa in coda davanti allo sportello, ma quando era arrivato il suo turno aveva cambiato idea. Il pensiero della sua famiglia la angosciava. Poi aveva sentito fame ed era andata a comprarsi un panino col salame. Si era seduta in un giardino pubblico e aveva aspettato che arrivassero le quattro e il quarantenne tornasse dal lavoro.

«Sono contento che tu sia venuta prima da me; sei gentile a essere venuta» disse.

«E ti ricordi,» aggiunse dopo un istante «avevi detto che non saresti mai più venuta a trovarmi».

«Non è vero» disse la ragazza.

Lui sorrise.

«Sì che è vero».

«No».

7

Naturalmente era vero. Quella volta, quando era venuta, il quarantenne aveva subito aperto l'armadietto del bar; stava per versare due bicchieri di cognac, ma la ragazza aveva scosso la testa: «No, non voglio bere, non berrò mai più con te».

Il quarantenne si era meravigliato e la ragazza aveva proseguito: «Non verrò mai più qui da te, e se sono venuta oggi è stato solo per dirtelo».

Poiché il quarantenne continuava a stupirsi, lei gli aveva detto che amava sinceramente il giovane di cui il quarantenne conosceva bene l'esistenza, e che non voleva più ingannarlo; era venuta per chiedere al quarantenne di capirla e di non serbarle rancore.

Anche se la sua vita erotica era estremamente varia, il quarantenne in fondo era un sentimentale, e vegliava sulla tranquillità e l'ordine delle proprie avventure; è vero che la ragazza ruotava nel cielo stellato dei suoi amori come un'umile stellina intermittente, ma anche una sola stellina, quando è bruscamente strappata dal suo posto, può spezzare in modo sgradevole l'armonia di un universo.

Inoltre si sentiva offeso dall'incomprensione della ragazza: Era sempre stato felice che lei avesse un ragazzo che l'amava; la lasciava parlare di lui e le dava consigli su come doveva comportarsi. Il ragazzo lo divertiva a tal punto che conservava nel cassetto le poesie che la ragazza riceveva da lui: le poesie non gli piacevano, ma al tempo stesso lo interessavano, così come lo interessava e non gli piaceva il mondo che si andava formando intorno a lui e che lui osservava dall'acqua bollente della sua vasca da bagno.

Era pronto a vegliare sui due innamorati con cinica benevolenza, sicché l'improvvisa decisione della ragazza gli parve un segno di ingratitudine. Non riuscì a padroneggiarsi in modo da non farglielo capire e lei, vedendolo aggrondato, aveva continuato a parlare e parlare per giustificare la propria decisione; giurava che amava il ragazzo e che voleva essere onesta nei suoi confronti.

E adesso è lì seduta di fronte a lui (nella stessa poltrona, con lo stesso vestito) e sostiene di non aver mai detto nulla di simile.

8

Non mentiva. Era una di quelle anime eccezionali che non distinguono fra ciò che è e ciò che deve essere e identificano i propri desideri morali con la verità. Naturalmente, ricordava benissimo ciò che aveva detto al quarantenne; ma sapeva anche che non avrebbe dovuto dirlo e per questo, ora, rifiutava a quel ricordo il diritto a un'esistenza reale.

Ma se ne ricordava bene, e come! Quel giorno si era trattenuta dal quarantenne più a lungo di quanto avesse voluto, ed era arrivata tardi all'appuntamento. Il suo ragazzo era offeso a morte, e lei aveva capito che sarebbe riuscita a calmarlo solo immaginando una scusa di gravità proporzionata all'offesa. E così aveva inventato che suo fratello si preparava a fuggire in Occidente e che lei si era trattenuta a lungo con lui. Non immaginava che il suo ragazzo l'avrebbe costretta a denunciarlo.

E l'indomani, all'uscita dal lavoro, era corsa di nuovo dal quarantenne e gli aveva chiesto consiglio; il quarantenne era stato gentile e comprensivo; le aveva consigliato di insistere nella sua bugia e di persuadere il ragazzo che il fratello, dopo una scena drammatica, aveva giurato di rinunciare alla fuga. Le aveva suggerito parola per parola come dipingere la scena durante la quale aveva dissuaso il fratello dall'emigrazione clandestina, e che cosa doveva dire al ragazzo per fargli capire che lui era diventato indirettamente il salvatore della sua famiglia, giacché senza il suo influsso e il suo intervento il fratello forse si sarebbe fatto arrestare alla frontiera, o addirittura prendere a fucilate dalle guardie.

«Ma com'era andata poi a finire la conversazione col tuo ragazzo?» le chiese adesso.

«Non gli ho parlato. Mi hanno arrestata proprio mentre tornavo da casa tua. Mi aspettavano davanti al portone».

«Allora da quel giorno non gli hai mai più parlato?».

«No».

«Ma avrai certo saputo cosa gli è successo...».

«No...».

«Davvero non sai niente?» si stupì il quarantenne.

«Non so niente», e la ragazza alzò le spalle senza curiosità, come per dire che nemmeno voleva sapere.

«È morto» disse il quarantenne. «È morto poco dopo il tuo arresto».

9

Questo la ragazza lo ignorava; da molto lontano le giunsero le parole patetiche del ragazzo che amava mettere amore e morte sulla stessa bilancia.

«Si è ucciso?» chiese con voce dolce e pronta a un subitaneo perdono.

Il quarantenne sorrise: «Ma no. È stato molto banale: si è ammalato ed è morto. Sua madre ha cambiato casa. Non troverai più traccia di loro nella villa. Solo al cimitero c'è un grande monumento nero. Sembra la tomba di un grande scrittore. Sua madre ci ha fatto scrivere: *Qui riposa il poeta*... E sotto il nome è inciso l'epitaffio che una volta mi hai fatto leggere: quello dove dice che vorrebbe morire tra le fiamme».

Poi restarono in silenzio; lei pensava che il ragazzo non aveva messo fine ai propri giorni, ma era morto nel più banale dei modi; che anche la sua morte le aveva voltato le spalle. Uscendo dalla prigione, era decisa a non vederlo mai più, ma non aveva pensato alla possibilità della sua scomparsa. Se lui non esisteva, non esisteva nemmeno la causa dei suoi tre anni di prigione e tutto diventava soltanto un brutto sogno, un nonsenso, qualcosa di irreale.

«Vieni,» le propose lui «prepariamo la cena. Vieni ad aiutarmi».

10

Andarono tutti e due in cucina e affettarono il pane; lo imburrarono e ci misero sopra del prosciutto cotto e del salame; aprirono una scatoletta di sardine; trovarono una bottiglia di vino; tirarono fuori due bicchieri dalla credenza.

Era quello che avevano sempre fatto quando lei andava a trovare il quarantenne, ed era una sensazione confortante che quello stereotipato frammento di vita fosse sempre lì ad aspettarla, immutabile, e che lei potesse entrarvi senza alcun disagio; in quel momento le parve che fosse la più bella parte di vita che avesse mai conosciuto.

La più bella? Perché?

Era una parte di vita piena di sicurezza. Quell'uomo era buono con lei e non esigeva mai nulla; davanti a lui non era responsabile né colpevole di nulla; con lui era sempre sicura, come è sicuro l'uomo quando si trova per pochi istanti fuori della portata del proprio destino; era sicura come è sicuro il personaggio di un dramma quando il sipario cala dopo il primo atto e comincia l'intervallo; anche gli altri personaggi si tolgono le maschere e conversano spensieratamente.

Già da molto tempo, ormai, il quarantenne si sentiva fuori del dramma della propria vita: all'inizio della guerra era fuggito in Inghilterra con la giovane moglie, aveva combattuto contro i tedeschi nell'aviazione britannica e aveva perso la moglie a Londra, sotto un bombardamento; tornato in Boemia, era rimasto nell'esercito, poi, nello stesso periodo in cui Jaromil aveva deciso di iscriversi all'istituto di studi politici, i suoi superiori avevano deciso che durante la guerra aveva avuto rapporti troppo stretti con l'Inghilterra capitalista e che non era abbastanza fidato per un esercito socialista. E così si era ritrovato in una fabbrica, con le spalle voltate alla Storia e alle sue rappresentazioni drammatiche, con le spalle voltate al proprio destino, completamente concentrato su se stesso, sui suoi passatempi privati e sui suoi libri.

Tre anni prima la ragazza era venuta a dirgli addio perché lui non poteva offrirle che un intervallo mentre il suo ragazzo le prometteva una vita. E adesso lei siede di fronte a lui, mastica il panino, sorseggia il vino, ed è infinitamente felice che il quarantenne le accordi un intervallo di cui sente lentamente effondersi dentro di sé la pace deliziosa.

Tutt'a un tratto si sentì completamente distesa e le si sciolse la lingua.

11

Sulla tavola restavano ormai soltanto dei piatti vuoti con un po' di briciole e una bottiglia bevuta per metà, e lei parlava (liberamente e senza enfasi) della prigione, dei compagni di prigionia, delle spie, attardandosi, come era sempre stata sua abitudine, sui dettagli che trovava interessanti e che associava l'uno all'altro nell'illogico ma gradevole profluvio del suo racconto.

Eppure c'era qualcosa di diverso adesso nella sua loquacità; di solito le sue frasi tendevano ingenuamente all'essenziale, mentre ora, così almeno parve al quarantenne, esse sembravano solo un pretesto per non arrivare al nocciolo del problema.

Ma qual era il nocciolo del problema? A un tratto il quarantenne credette di indovinarlo e le chiese: «E che ne è di tuo fratello?».

La ragazza rispose: «Non so...».

«Lo hanno rilasciato?».

«No...».

E finalmente il quarantenne capì come mai la ragazza fosse scappata via dallo sportello della stazione e come mai avesse tanta paura di tornare dai suoi; perché non era stata soltanto una vittima innocente: era anche colpevole, aveva causato l'infelicità di suo fratello e di tutta la sua famiglia; poteva facilmente immaginare in che modo l'avessero torchiata durante l'interrogatorio e in che modo lei, credendo di venirne fuori, si fosse impaniata in nuove e sempre più sospette menzogne; come e a chi spiegare oggi che non era stata lei ad accusare il fratello di un delitto immaginario, ma un ragazzo di cui nessuno sapeva nulla e che non era più di questo mondo?

La ragazza taceva e il quarantenne si sentì invadere da un'ondata di compassione: «Non andare a casa, oggi. Hai tutto il tempo. Bisogna che prima rifletti per bene. Se vuoi, puoi restare qui da me».

Poi si chinò su di lei e le posò una mano sul viso; non fu una carezza; tenne soltanto la mano premuta, teneramente e a lungo, contro la sua pelle.

Quel gesto esprimeva tanta compassione che sul viso della ragazza cominciarono a scorrere le lacrime.

12

Da quando gli era morta la moglie, che amava, detestava le lacrime delle donne; lo terrorizzavano come lo terrorizzava l'idea che le donne potessero fare di lui un attore nei drammi delle loro vite; nelle lacrime femminili vedeva dei tentacoli che volevano stringerlo per strapparlo al suo idilliaco non destino; le lacrime gli facevano ribrezzo.

Si sorprese, dunque, sentendo sulla mano il loro odiato umidore. Ma poi fu ancora più sorpreso nel constatare che questa volta non riusciva a sottrarsi al loro potere emotivo; sapeva che non si trattava di lacrime d'amore, che non erano destinate a lui, che non erano né una trappola, né un ricatto, né una scena; sapeva che erano, che esistevano soltanto per se stesse, che colavano dagli occhi della ragazza così come la tristezza o la gioia abbandonano invisibilmente l'uomo. Era indifeso contro la loro innocenza e ne era commosso fino in fondo all'anima.

Si disse che da quando si conoscevano, lui e la ragazza non si erano mai fatti del male; si erano sempre venuti incontro; si erano donati brevi attimi di benessere senza mai pretendere altro; non avevano nulla da rimproverarsi. E provava una particolare soddisfazione all'idea che, dopo l'arresto della ragazza, lui aveva fatto tutto ciò che poteva per salvarla.

Le si avvicinò e la sollevò dalla poltrona. Le asciugò le lacrime dal viso con una mano e la abbracciò teneramente.

13

Oltre le finestre di questo attimo, in un luogo lontano, tre anni addietro, la morte scalpita impaziente nel racconto che abbiamo abbandonato; la sua ossuta silhouette ha già fatto il suo ingresso sulla scena illuminata e proietta la sua ombra così lontano che anche la garçonnière dove la ragazza e il quarantenne sono in piedi l'una di fronte all'altro è ormai invasa dal buio.

Lui tiene teneramente la ragazza per la vita e lei si fa piccola piccola, immobile e immutata, tra le sue braccia.

Che cosa significa quel suo farsi piccola?

Significa che gli si abbandona; si è messa nelle sue mani e vuole restarci.

Ma questo abbandono non è un'apertura! Lei si è messa nelle sue mani ma è chiusa e inaccessibile; le spalle contratte le proteggono i seni e la testa non si alza verso il viso del quarantenne ma resta china sul petto; fissa l'oscurità del suo maglione. Si è messa nelle sue mani tutta chiusa in se stessa, perché lui la nasconda nel suo abbraccio come in una cassaforte d'acciaio.

14

Lui sollevò verso il suo quel viso chino e umido di lacrime e cominciò a baciarlo. Era spinto dalla simpatia compassionevole, e non dal desiderio fisico, ma le situazioni posseggono un loro automatismo al quale non si può sfuggire: baciandola, tentò di aprirle le labbra con la lingua; non ci riuscì; le labbra della ragazza erano chiuse e rifiutavano di rispondere a quelle di lui.

Ma, cosa strana, meno riusciva a baciarla, più cresceva in lui quell'ondata di compassione, giacché capiva che la ragazza che stringeva tra le braccia era vittima di un maleficio, che le avevano strappato l'anima e che, dopo quell'amputazione, le era rimasta dentro una ferita sanguinante.

Sentiva tra le sue braccia quel corpo magro, piccolo, ossuto, ma l'umida onda della simpatia, aiutata dal buio che cominciava a scendere, cancellava i contorni e i volumi privandoli della loro precisione e della loro materialità. E fu proprio in quel momento che sentì di desiderarla fisicamente!

Era una cosa del tutto inattesa: era sensuale senza sensualità, era eccitato senza eccitazione! Forse era la pura bontà che, per una misteriosa transustanziazione, si mutava in desiderio!

Ma forse appunto perché inatteso e incomprensibile, quel desiderio lo travolse. Cominciò ad accarezzarle avidamente il corpo e a sbottonarle il vestito.

«No, no, ti prego!» si opponeva lei.

15

E poiché le parole non riuscivano a fermarlo, si strappò dal suo abbraccio e corse a rifugiarsi in un angolo della stanza.

«Che hai, che ti succede?» chiese lui.

Lei si addossava al muro, senza rispondere.

Lui si avvicinò e le accarezzò il viso: «Non aver paura con me, non devi. E dimmi, per piacere: che cos'hai? Che cosa ti è successo? Che cosa succede?».

Lei era immobile, e non riusciva a trovare le parole. E le ripassarono davanti agli occhi i cavalli che aveva visto sfilare davanti alla porta della prigione, gli alti e robusti cavalli che coi loro cavalieri formavano doppie creature arroganti. Era così piccola davanti a loro, così incommensurabile alla loro perfezione bestiale, che aveva avuto voglia di confondersi con qualche oggetto che fosse lì, a portata di mano; magari con un tronco d'albero, o con il muro, per nascondersi nella loro materia inerte.

Lui insisteva: «Che cos'hai?».

«Peccato che tu non sia una vecchia, o un vecchio» disse infine lei.

E poi ancora: «Non sarei dovuta venire qui, perché non sei né una vecchia né un vecchio».

16

Le accarezzò a lungo il viso, senza dire nulla, e poi (la stanza era già buia) la pregò di aiutarlo a preparare il letto; si stesero uno accanto all'altra sul largo letto e lui le parlò con voce bassa e rassicurante, come ormai da anni non parlava a nessuno.

Il desiderio fisico era scomparso, ma la simpatia, profonda e instancabile, era sempre lì, e aveva bisogno di luce; il quarantenne accese la piccola lampada e di nuovo guardò la ragazza.

Era tesa, contratta, e fissava il soffitto. Che cosa le era successo? Che cosa le avevano fatto? L'avevano minacciata? Torturata?

Non lo sapeva. La ragazza taceva e lui le accarezzava i capelli, la fronte, le guance.

La accarezzò a lungo, finché gli parve che il terrore svanisse dai suoi occhi.

La accarezzò molto a lungo, finché gli occhi della piccola si chiusero.

17

La finestra della garçonnière era aperta e lasciava entrare nella stanza la brezza della notte primaverile; la lampada era spenta e il quarantenne era steso, immobile, accanto alla ragazza; ne ascoltava il respiro, l'inquieto assopirsi, e quando gli parve che si fosse addormentata le accarezzò di nuovo la mano, felice di essere riuscito a regalarle il primo sonno della sua nuova èra di mesta libertà.

Anche la finestra del padiglione che abbiamo costruito con questa parte è sempre aperta e lascia filtrare fin qui i profumi e i rumori del romanzo che abbiamo abbandonato poco prima del suo acme. Sentite la morte scalpitare impaziente in lontananza? Che aspetti, noi siamo ancora qui, nella garçonnière di uno sconosciuto, nascosti in un altro romanzo, in un'altra avventura.

In un'altra avventura? No. Nella vita del quarantenne e della ragazza il loro incontro è più un intermezzo nelle loro avventure che non un'avventura. Questo incontro non produrrà alcun seguito di avvenimenti. È solo un breve momento di respiro che il quarantenne ha regalato alla ragazza prima della lunga persecuzione che l'attende.

E anche nel nostro romanzo questa parte è stata solo una pausa tranquilla durante la quale un uomo sconosciuto ha improvvisamente acceso la lampada della bontà. Guardiamola ancora qualche istante, questa luce tranquilla, questa luce indulgente, prima che il padiglione che è questa parte sparisca ai nostri occhi...

PARTE SETTIMA

OVVERO

IL POETA MUORE

1

Solo il vero poeta sa quanta tristezza abiti nella casa di specchi della poesia. Al di là delle finestre risuona il crepitio delle sparatorie lontane e il cuore si stringe nel desiderio di partire; Lermontov abbottona la sua uniforme militare; Byron fa scivolare una pistola nel cassetto del comodino; Wolker marcia nei suoi versi con la folla; Halas ingiuria in rima; Majakovskij cammina sulla gola del suo canto; negli specchi infuria una magnifica battaglia.

Ma attenzione! Se i poeti superano per errore la soglia della casa degli specchi trovano subito la morte, perché non sanno sparare, e se sparano riescono a centrare solo la propria testa.

Ahimè, li sentite? Sono partiti! Un cavallo avanza lungo i sentieri tortuosi del Caucaso; lo cavalca Lermontov, armato di pistola. Ma ecco, si sente lo scalpitio di altri zoccoli, e strepitano le ruote di una carrozza! Questo è Puškin, anche lui armato di pistola, anche lui diretto a un duello!

Ma che cos'è, adesso, questo rumore? È un tram; un lento e sferragliante tram praghese; dentro è seduto Jaromil, che va da un capo all'altro della periferia; fa freddo: porta un vestito scuro, la cravatta, il cappotto, il cappello.

2

Quale poeta non ha sognato la propria morte? Quale poeta non se l'è raffigurata nelle sue fantasie? *Ah, se bisogna morire, che sia con te, amore mio, e solo tra le fiamme, mutato in calore e chiarore...* Pensate che fosse un puro gioco dell'immaginazione quello che spingeva Jaromil a raffigurarsi la propria morte tra le fiamme? Niente affatto; perché la morte è un messaggio; la morte parla; l'atto della morte possiede una sua propria semantica, e non è indifferente il modo in cui un uomo muore né l'elemento in cui trova la morte.

Jan Masaryk morì nel 1948, gettato da una finestra nel cortile di un palazzo di Praga. Il suo destino si infranse sul duro guscio della Storia. Tre anni dopo, il poeta Konstantin Biebl, atterrito dal volto del mondo che egli aveva aiutato a costruire, si gettò dall'alto del quinto piano sul selciato della stessa città (questa città di defenestrazioni) per perire come Icaro dell'elemento terra e offrire con la propria morte l'immagine del tragico dissidio tra l'aria e la pesantezza, tra il sonno e la veglia.

Jan Hus e Giordano Bruno non potevano morire di corda o di spada; non potevano morire che sul rogo. La loro vita si trasformò così in un segnale di fuoco, nella luce di un faro, in una torcia che brilla di lontano nello spazio dei tempi. Giacché il corpo è effimero ma il pensiero è eterno, e l'essere fremente della fiamma è l'immagine del pensiero. Jan Palach, che venti anni dopo la morte di Jaromil si cosparse di benzina e si diede fuoco su una piazza di Praga, avrebbe difficilmente potuto far giungere il suo grido alla coscienza della nazione se avesse scelto di morire annegato.

In compenso, Ofelia è inconcepibile tra le fiamme; poteva morire soltanto nell'acqua, giacché la profondità dell'acqua ha lo stesso significato della profondità dell'essere umano. L'acqua è l'elemento sterminatore di coloro che si sono perduti in se stessi, nei loro amori, nei loro sentimenti, nella loro follia, nei loro specchi e turbini; è nell'acqua che annegano le ragazze delle canzoni popolari quando il loro fidanzato non torna dalla guerra; è nell'acqua che si gettò Harriet Shelley; è nella Senna che si annegò Paul Celan.

3

È sceso dal tram e si dirige verso la villa coperta di neve da dove qualche tempo prima era fuggito a precipizio abbandonando la bella ragazza bruna.

Pensa a Xaver:

All'inizio c'era solo lui, Jaromil.

Poi Jaromil creò Xaver, il suo sosia, e con lui un'altra vita, sognante e avventurosa.

Ed ecco giunto il momento in cui si cancella ogni contraddizione tra sogno e veglia, tra poesia e vita, tra azione e pensiero. È scomparsa anche la contraddizione tra Jaromil e Xaver. Si sono fusi in un unico essere. L'uomo del sogno è diventato l'uomo dell'azione, l'avventura del sogno è diventata l'avventura della vita.

Si avvicinava alla villa e sentiva rinascere la sua antica insicurezza, aggravata da un fastidioso raschio in gola (la madre non avrebbe voluto che andasse alla festa, avrebbe voluto che andasse a letto).

Davanti alla porta ebbe un attimo di esitazione e per farsi coraggio dovette evocare tutte le grandi giornate che aveva recentemente vissuto. Pensò alla rossa, agli interrogatori che stava subendo, ai poliziotti e alla catena di avvenimenti che si era messa in moto per la sua forza, per la sua volontà...

«Sono Xaver, sono Xaver...» si disse, e suonò.

4

La compagnia riunita per la festa si componeva di giovani attori e attrici, pittori e studenti di belle arti; lo stesso proprietario della villa partecipava personalmente alla festa e aveva messo a disposizione tutte le stanze. La cineasta presentò Jaromil a qualcuno, gli mise in mano un bicchiere pregandolo di servirsi da solo dalle numerose bottiglie di vino, e lo lasciò.

Nel suo vestito elegante, con la camicia bianca e la cravatta, Jaromil si sentiva penosamente rigido e inamidato; intorno a lui tutti erano vestiti in modo disinvolto, non ricercato, molti erano in maglione. Si agitò a lungo sulla sua sedia finché non ce la fece più: si tolse la giacca e la posò sulla spalliera della sedia, slacciò il primo bottone della camicia, si allentò la cravatta; solo allora si sentì un po' più a suo agio.

Tutti facevano a gara per attirare su di sé l'attenzione. I giovani attori si muovevano come su un palcoscenico parlando a voce alta e innaturale, ognuno cercava di mettere in mostra il proprio spirito e l'originalità delle proprie opinioni. Anche Jaromil, che aveva già bevuto alcuni bicchieri di vino, si sforzava di sollevare la testa al di sopra della superficie della conversazione; più di una volta riuscì a pronunciare una frase che gli pareva insolentemente spiritosa e che attirò per qualche secondo l'attenzione degli altri.

5

Attraverso la parete giunge la chiassosa musica da ballo trasmessa dalla radio; il comitato del popolo ha assegnato da qualche giorno la terza stanza del piano superiore alla famiglia degli inquilini; le due stanze in cui abitano la vedova e il figlio sono un guscio di silenzio assediato da ogni parte dal rumore.

La mamma sente la musica, è sola e pensa alla cineasta. Fin da quando l'aveva vista la prima volta aveva fiutato tutto il pericolo di una relazione tra lei e Jaromil. Aveva tentato di farsela amica solo per conquistare in anticipo una posizione vantaggiosa da cui poter lottare per proteggere il figlio. E adesso si rende conto con umiliazione che i suoi sforzi non sono serviti a nulla. Alla cineasta non è nemmeno passato per la mente di invitare anche lei alla festa. È stata messa da parte.

Un giorno la cineasta le aveva confidato che lavorava nel club dei poliziotti solo perché veniva da una famiglia ricca e aveva bisogno di una protezione politica per poter continuare i suoi studi. E adesso la mamma sta pensando che quella ragazza senza scrupoli è capace di sfruttare ogni situazione per il proprio tornaconto; la mamma, per lei, non è stata che la rampa di lancio su cui è salita per avvicinarsi al figlio.

6

La competizione continuava: ognuno voleva attirare su di sé l'attenzione. Qualcuno si era messo al pianoforte, qualche coppia ballava, in alcuni gruppi si rideva e si parlava a voce alta; si lanciavano battute spiritose e ognuno cercava di essere più spiritoso degli altri.

Anche Martynov era lì; alto, bello, di un'eleganza quasi da operetta nella sua uniforme con la sciabola, circondato da donne. Oh, come irrita Lermontov! Dio è ingiusto ad aver dato un così bel viso a quell'imbecille e due gambe corte a Lermontov. Ma se non ha le gambe lunghe, il poeta ha però uno spirito sarcastico che lo tira verso l'alto.

Si avvicinò al gruppo di Martynov e aspettò il momento propizio. Poi proferì una battuta insolente e osservò le espressioni stupite dei presenti.

7

Alla fine (dopo una lunga assenza) lei ricomparve nella stanza. Gli si avvicinò e lo fissò con i suoi grandi occhi scuri: «Le piace, qui?».

A Jaromil parve d'essere sul punto di rivivere lo splendido istante che avevano conosciuto quando erano seduti nella stanza della cineasta e non riuscivano a staccare lo sguardo uno dall'altra.

«No» rispose, e la guardò negli occhi.

«Si annoia?».

«Sono venuto per stare con lei e lei non c'è mai. Perché mi ha invitato se non posso restare con lei?».

«Eppure ci sono tante persone interessanti».

«Ma per me sono solo un pretesto per poter stare in sua compagnia. Per me sono soltanto dei gradini che vorrei salire per arrivare fino a lei».

Si sentiva audace, ed era soddisfatto della sua eloquenza.

«Di gradini così ce ne sono molti qui, stasera!» rise lei.

«Forse, invece di questi gradini, potrebbe indicarmi qualche corridoio segreto per arrivare più presto fino a lei».

La cineasta sorrise: «Ci proveremo» disse; lo prese per mano e lo condusse fuori della stanza. Lo portò su per le scale fino alla porta della sua stanza e il cuore di Jaromil accelerò i battiti.

Inutilmente. Nella stanza che lui conosceva bene c'erano altri ospiti.

8

Nella stanza vicina hanno spento la radio da un pezzo; è notte fonda, la madre aspetta il figlio e pensa alla propria sconfitta. Ma poi si dice che anche se ha perso questa battaglia continuerà a lottare. Sì, è esattamente ciò che sente: lotterà, non se lo lascerà portar via, non lascerà che la separino da lui, starà sempre con lui, lo seguirà sempre. È seduta in una poltrona e ha l'impressione di muoversi: come se attraverso una lunga notte camminasse verso di lui, per riprenderselo.

9

La stanza della cineasta è piena di discorsi e di fumo attraverso i quali uno degli uomini (sarà sulla trentina) osserva con attenzione Jaromil già da un po' di tempo. «Mi sembra di aver già sentito parlare di te» gli dice finalmente.

«Di me?» fece Jaromil soddisfatto.

Il trentenne chiese se Jaromil non era lo stesso che, fin da bambino, frequentava il pittore.

Jaromil era felice di potere, grazie a una conoscenza comune, legarsi più solidamente a quella compagnia di persone sconosciute, e si affrettò ad assentire.

Il trentenne disse: «Ma adesso è molto che non lo vedi».

«Sì, molto».

«E perché?».

Jaromil non sapeva che cosa dire e si limitò ad alzare le spalle.

«Lo so io perché. Potrebbe rovinarti la carriera».

Jaromil tentò un sorriso: «La carriera?».

«Pubblichi i tuoi versi, reciti nei meeting, la nostra ospite fa un film su di te per migliorare la sua reputazione politica. Il pittore, invece, non ha il permesso di esporre. Lo sai che i giornali l'hanno definito un nemico del popolo?».

Jaromil taceva.

«Lo sai o non lo sai?».

«Sì, l'ho sentito».

«Dicono che i suoi quadri sono un esempio di degenerazione borghese».

Jaromil taceva.

«E sai cosa fa adesso il pittore?».

Jaromil alzò le spalle.

«L'hanno cacciato dalla scuola e fa il manovale in un cantiere. Perché non vuole rinunciare alle sue idee. Dipinge solo di sera, con la luce artificiale. Ma dipinge dei bei quadri, mentre tu scrivi delle merdate schifose!».

10

E poi un'altra insolenza e un'altra ancora, finché il bel Martynov non si offende. Minaccia Lermontov davanti a tutta la compagnia.

Come? Lermontov dovrebbe rinunciare alle sue battute? Dovrebbe scusarsi? Mai!

Gli amici lo mettono in guardia. È folle rischiare un duello per una stupidaggine. Meglio appianare tutto. La tua vita, Lermontov, è più preziosa del ridicolo fuoco fatuo dell'onore!

Cosa? C'è qualcosa di più prezioso dell'onore?

Sì, Lermontov. La tua vita, la tua opera.

No, niente è più prezioso dell'onore!

L'onore è solo la fame della tua vanità, Lermontov. L'onore è solo illusione degli specchi, l'onore è solo uno spettacolo per questo pubblico insignificante che già domani non sarà più qui!

Ma Lermontov è giovane e gli istanti che vive sono vasti come l'eternità; e quei due o tre signori e signore che lo guardano sono per lui l'anfiteatro del mondo; o attraverserà questo mondo con passo fermo e virile, o non sarà più degno di vivere!

11

Si sentiva colare sul viso il fango dell'umiliazione e sapeva di non poter restare un attimo di più in mezzo a quella gente con il volto così imbrattato. Invano tentano di consolarlo, invano tentano di calmarlo.

«È inutile che cerchiate di metter pace» disse. «Ci sono questioni in cui la rappacificazione è impossibile». Poi si alzò e disse al trentenne: «Personalmente, mi dispiace che il pittore faccia il manovale e che dipinga con la luce cattiva. Ma a considerare obiettivamente la cosa, è del tutto indifferente che dipinga alla luce di una candela o che non dipinga affatto. Tutto il mondo dei suoi quadri è morto ormai da un pezzo. La vera vita è altrove! Da tutt'altra parte! Ed è questa la ragione per cui non frequento più il pittore. Non mi interessa stare a discutere su problemi che non esistono. Mi auguro che se la passi nel miglior modo possibile. Non ho nulla contro i morti. Che la terra sia loro leggera. E lo dico anche a te,» disse indicando il trentenne «che la terra ti sia leggera. Sei morto e non lo sai neppure».

Il trentenne si alzò anche lui e disse: «Sarebbe curioso vedere come andrebbe a finire uno scontro tra un cadavere e un poeta».

A Jaromil salì il sangue alla testa: «Possiamo provare, se vuoi» disse, e diresse il suo pugno contro il trentenne che però gli fermò il braccio torcendolo all'indietro, poi lo afferrò con una mano per il colletto, con l'altra per i pantaloni, e lo sollevò.

«Dove debbo portare il signor poeta?» chiese.

I ragazzi e le ragazze presenti, che fino a un attimo prima si erano sforzati di riconciliare i due avversari, non riuscirono a trattenere le risate; il trentenne attraversò la stanza tenendo alto per aria Jaromil che si dibatteva come un pesce tenero e disperato. Lo portò in questo modo fino alla porta del balcone. L'aprì, depose il poeta sulla soglia e gli sferrò un calcio nel sedere.

12

Echeggiò uno sparo, Lermontov si portò la mano al cuore e Jaromil cadde sul cemento gelato del balcone.

Ah, Boemia, con che facilità tu trasformi la gloria degli spari nella pagliacciata di un calcio nel sedere!

Ma dobbiamo ridere di Jaromil perché è una parodia di Lermontov? Dobbiamo deridere il pittore perché imitava André Breton portando un soprabito di pelle e tenendo un cane lupo? Forse anche André Breton a sua volta non era l'imitazione di qualcosa di nobile a cui voleva assomigliare? La parodia non è forse l'eterno destino dell'uomo?

Del resto, non c'è niente di più facile che capovolgere la situazione.

13

Echeggiò uno sparo, Jaromil si portò la mano al cuore e Lermontov cadde sul cemento gelato del balcone.

Ha l'uniforme di gala degli ufficiali dello zar; si rialza da terra. È catastroficamente solo. Qui non c'è storiografia letteraria che possa con i suoi balsami dare un significato solenne alla sua caduta. Non c'è pistola il cui sparo possa cancellare l'umiliazione del giovane. Qui c'è solo l'eco delle risate che gli giunge attraverso la finestra e lo disonora per sempre.

Va alla ringhiera e guarda giù. Ma ahimè il balcone non è così alto da dargli la certezza che gettandosi di sotto morirà. È inverno, i piedi e le orecchie gli si gelano, saltella da un piede all'altro, non sa che cosa fare. Ha paura che da un momento all'altro possa aprirsi la porta del balcone, rivelando volti canzonatori. È in trappola. È nella trappola della farsa.

Lermontov non ha paura della morte, ma teme il ridicolo. Vorrebbe gettarsi di sotto ma non lo fa perché sa che se il suicidio è tragico, un suicidio non riuscito è ridicolo.

(Come, come? Che frase strana! Che un suicidio riesca o no, si tratta sempre dello stesso atto, a cui si è spinti dalle stesse ragioni e dallo stesso coraggio! Dov'è allora la differenza tra il tragico e il ridicolo? Solo nell'accidente della riuscita? Dillo, Lermontov! Solo negli elementi accessori? Una pistola o un calcio nel sedere? Solo nel fondale che la Storia impone alle avventure umane?).

Basta! Sul balcone c'è Jaromil, in camicia bianca, con la cravatta allentata, e trema dal freddo.

14

Tutti i rivoluzionari amano le fiamme. Anche Percy Bysshe Shelley sognava la morte per fuoco. Gli amanti del suo grande poemetto periscono insieme sul rogo.

In essi Shelley aveva proiettato la propria immagine e quella di sua moglie, e tuttavia morì annegato. Ma i suoi amici, come se avessero voluto riparare a questo errore semantico della morte, innalzarono sulla riva del mare un grande rogo per incenerire il suo corpo roso dai pesci.

Forse la morte vuol farsi beffe anche di Jaromil, lanciando su di lui il gelo invece delle fiamme?

Perché Jaromil vuole morire; l'idea del suicidio lo attira come la voce dell'usignolo. Sa di essere raffreddato, sa che si ammalerà, ma non tornerà nella stanza; non può sopportare questa umiliazione. Sa che solo l'abbraccio della morte può consolarlo, l'abbraccio che lui riempirà con tutto il suo corpo e con tutta la sua anima e nel quale sarà infinitamente grande;

sa che solo la morte può vendicarlo, accusando di omicidio quelli che ora ridono.

Gli venne in mente di stendersi davanti alla porta per lasciare che il gelo lo arrostisse dal basso, facilitando alla morte il suo lavoro. Sedette per terra; il pavimento era così ghiacciato che di lì a qualche istante non sentì più il sedere; avrebbe voluto stendersi ma non aveva il coraggio di appoggiare il dorso contro il suolo ghiacciato, e così si rialzò.

Il gelo lo stringeva tutto, era dentro le sue scarpe leggere, sotto i suoi pantaloni e sotto i suoi calzoncini da ginnastica, dall'alto gli infilava la mano dentro la camicia. Jaromil batteva i denti, aveva male alla gola, non riusciva a inghiottire, starnutiva e aveva voglia di far pipì. Si sbottonò i pantaloni con le mani intirizzite; orinò per terra davanti a sé e vide la mano che teneva il membro tremare dal freddo.

15

Il dolore lo faceva saltellare sul cemento, ma per nulla al mondo avrebbe aperto la porta per raggiungere quelli che avevano sghignazzato. Ma che stavano facendo? Come mai non venivano a cercarlo? Possibile che fossero così cattivi? O così ubriachi? E da quanto tempo ormai stava lì al gelo?

D'un tratto il lampadario della stanza si spense, e restò solo una luce bassa.

Jaromil si avvicinò alla finestra e vide un divano letto rischiarato da un piccolo abat-jour rosa; guardò meglio e vide due corpi nudi che si abbracciavano.

Batteva i denti, tremava e guardava; la tenda abbassata a metà gli impediva di distinguere con certezza se il corpo di donna coperto da un corpo maschile fosse quello della cineasta, ma tutto sembrava indicare che era proprio così: i capelli della donna erano neri e lunghi.

Ma chi è l'uomo? Dio mio, Jaromil lo sa bene chi è! Quella scena l'ha già vista da qualche parte! L'inverno, la neve, lo chalet di montagna e dietro la finestra illuminata Xaver con una donna! Ma come, Jaromil e Xaver non dovevano essere da oggi una persona sola? Come, Xaver lo tradisce? Dio mio, era mai possibile che facesse l'amore con la sua ragazza sotto i suoi occhi?!

16

Nella stanza era tornato il buio. Non si vedeva né si sentiva più nulla. E anche dentro di lui non c'era più nulla: né rabbia, né dispiacere, né umiliazione; dentro di lui c'era solo un freddo atroce.

Ormai non poteva più resistere; aprì la porta a vetri ed entrò nella stanza; non voleva vedere nulla, non guardò né a destra né a sinistra e attraversò la stanza rapidamente.

Nel corridoio c'era luce. Corse giù per le scale e aprì la porta della stanza dove aveva lasciato la giacca; c'era buio, solo una debole luce filtrava dall'anticamera rischiarando appena alcuni dormienti che nel sonno respiravano rumorosamente. Continuava a tremare dal freddo. Cercò a tastoni la sua giacca sulle sedie, ma non riuscì a trovarla. Starnutì; uno dei dormienti si svegliò e lo mandò al diavolo.

Uscì nell'anticamera. Lì era appeso il suo cappotto. Se lo infilò sulla camicia, mise il cappello e uscì di corsa dalla villa.

17

Il corteo si è messo in marcia. In testa, il cavallo tira il carro con la bara. Dietro il carro cammina la signora Wolker, e si accorge che dal coperchio nero spunta un angolo del cuscino bianco; quel pezzetto di stoffa che sbuca fuori è come un rimprovero: il letto dove il suo ragazzo (ah, ha ventiquattro anni!) dorme il suo ultimo sonno è mal fatto; sente un desiderio irrefrenabile di aggiustare il cuscino sotto la testa del figlio.

Poi la bara è in chiesa, circondata dai fiori. La nonna ha appena avuto un colpo apoplettico, e per vedere deve sollevarsi la palpebra con un dito. Esamina la bara, esamina le corone; su una c'è un nastro col nome di Martynov: «Gettatela via» ordina. Il suo vecchio occhio, al di sopra del quale il dito tiene alzata la palpebra paralizzata, veglia fedele sull'ultimo viaggio di Lermontov che ha solo ventisei anni.

18

Jaromil (ah, non ha ancora vent'anni!) è nella sua stanza e ha la febbre alta. Il medico ha diagnosticato una polmonite.

Attraverso la parete arriva l'eco di un chiassoso litigio tra gli inquilini, e le due stanze in cui abitano la vedova e il figlio sono una piccola isola di silenzio, un'isola assediata. Ma la mamma non sente quel rumore. Pensa solo alle medicine, al tè caldo, agli impacchi umidi. Già quando lui era piccolo, aveva passato molti giorni di seguito al suo capezzale per strapparlo, rosso e bruciante di febbre, al regno dei morti. Anche questa volta veglierà su di lui, con la stessa passione, a lungo, fedelmente.

Jaromil dorme, delira, si sveglia e ricomincia a delirare; le fiamme della febbre lambiscono il suo corpo.

Ma allora sono proprio fiamme? Vuol dire che, malgrado tutto, si muterà in calore e chiarore?

19

Davanti alla madre c'è uno sconosciuto che vuol parlare con Jaromil. La madre rifiuta. L'uomo le ricorda il nome della ragazza dai capelli rossi. «Suo figlio ha denunciato il fratello. Sono stati arrestati tutti e due. Bisogna che gli parli».

Sono in piedi, uno di fronte all'altra, nella stanza della madre, ma per lei adesso quella stanza è solo l'anticamera della stanza del figlio; vi monta la guardia come un angelo in armi davanti alla porta del paradiso. La voce del visitatore è insolente e suscita la sua collera. Apre la porta della stanza del figlio: «E allora gli parli!».

L'uomo vide la faccia arrossata del ragazzo delirante e la madre disse con voce bassa e ferma: «Non so di che cosa stia parlando, ma sono certa che mio figlio sapeva quel che faceva. Tutto ciò che fa è nell'interesse della classe operaia».

Pronunciando queste parole, che aveva spesso sentite dal figlio ma che fino a quel momento le erano estranee, provò una sensazione di infinita potenza; adesso era unita a suo figlio più profondamente che mai; formava con lui una sola anima, una sola mente; formava con lui un solo universo fatto di una materia unica e omogenea.

20

Xaver teneva in mano la cartella con il quaderno di ceco e il libro di scienze.

«Dove vuoi andare?».

Xaver sorrise e indicò la finestra. La finestra era aperta, il sole entrava nella stanza e da lontano giungevano le voci della città piena di avventure.

«Mi avevi promesso che mi avresti portato con te...».

«È successo tanto tempo fa» disse Xaver.

«Mi vuoi tradire?».

«Sì. Ti tradirò».

Jaromil non riusciva a tirare il fiato. Sentiva soltanto di odiare infinitamente Xaver. Ancora poco tempo fa pensava che lui e Xaver fossero un unico essere sotto una duplice apparenza, ma adesso capiva che Xaver gli era completamente estraneo, che era il suo peggior nemico!

Xaver si chinò su di lui e gli accarezzava il viso: «Sei bella, sei molto bella...».

«Perché mi parli come a una donna? Sei impazzito?» gridò Jaromil.

Ma Xaver non si lasciò interrompere: «Sei molto bella, ma ti devo tradire».

Poi si voltò, e si diresse verso la finestra aperta.

«Non sono una donna! Lo sai benissimo che non sono una donna!» gridava dietro di lui Jaromil.

21

La febbre è momentaneamente calata e Jaromil si guarda intorno; le pareti sono vuote; la foto incorniciata dell'uomo in uniforme da ufficiale è sparita.

«Dov'è papà?».

«Papà non c'è più» dice la madre con voce tenera.

«Come mai? Chi l'ha tolto?».

«Io, tesoro. Non voglio che ci guardi. Non voglio che qualcuno si intrometta tra noi due. A questo punto, è inutile che ci diciamo delle bugie. Devi saperlo anche tu. Papà non voleva che tu nascessi. Non voleva che tu vivessi. Voleva obbligarmi a non farti nascere».

Jaromil era spossato dalla febbre, non aveva la forza di fare domande o di discutere.

«Il mio bel ragazzo» dice la madre con voce tremante.

Jaromil si rende conto che la donna che gli sta parlando lo ha sempre amato, che non gli è mai sfuggita, che non ha mai dovuto temere per lei e non ha mai dovuto esserne geloso.

«Io non sono bello, mamma. Tu sei bella. Sembri una ragazzina».

Lei sente le parole del figlio e vorrebbe piangere di felicità: «Ti sembra che io sia bella? Ma tu mi somigli. Non hai mai voluto sentirtelo dire che mi somigli. Ma mi somigli, e io sono felice che sia così». E gli accarezzava i capelli, che erano gialli e sottili come lanugine e lo baciava sui capelli: «Hai i capelli di un angelo, tesoro».

Jaromil sente quanto è stanco. Non avrebbe più la forza di cercare un'altra donna; sono tutte così lontane, e la strada che porta a loro è così infinitamente lunga. «In realtà, nessuna donna mi è mai piaciuta,» dice «solo tu, mamma. Tu sei la più bella di tutte».

La mamma piange e lo bacia: «Ti ricordi della vacanza sul lago?».

«Sì, mamma, a te ho voluto più bene che a tutte le altre».

La mamma vede il mondo attraverso una grossa lacrima di felicità; tutto, intorno a lei, si confonde nell'umidore di quella lacrima; liberate dalle catene della forma, le cose danzano e gioiscono: «Davvero, tesoro?».

«Sì» dice Jaromil; tiene la mano della mamma tra le sue mani che scottano, ed è stanco, infinitamente stanco.

22

Già la terra si ammonticchia sulla bara di Wolker. Già la signora Wolker torna dal cimitero. Già la lapide è al suo posto sulla bara di Rimbaud, ma sua madre, a quanto si racconta, fece riaprire la cappella di famiglia nel cimitero di Charleville. La vedete, quell'austera signora vestita di nero? Esamina lo spazio umido e nero e si assicura che la bara sia al suo posto e che sia ben chiusa. Sì, tutto è in ordine. Arthur riposa e non può fuggire. Arthur non fuggirà mai più. Tutto è in ordine.

23

E allora, in fin dei conti, nient'altro che acqua? Niente fiamme?

Aprì gli occhi e vide, chino su di lui, un viso dal mento teneramente sfuggente e dai fini capelli gialli. Quel viso era così vicino che gli parve di essere steso sopra una sorgente che gli restituiva la sua immagine.

No, niente fiamme. Sta per affogare nell'acqua.

Guardava il proprio viso sulla superficie dell'acqua. Poi, improvvisamente, su quel viso scorse un grande terrore. E fu l'ultima cosa che vide.

GLI ADELPHI

ULTIMI VOLUMI PUBBLICATI:

270. Roberto Calasso, *K.*
271. Georges Simenon, *Maigret e la giovane morta*
272. *Le Apocalissi gnostiche*, a cura di Luigi Moraldi
273. Georges Simenon, *Maigret prende un granchio*
274. Gustav Meyrink, *L'angelo della finestra d'Occidente*
275. Georges Simenon, *La casa sul canale*
276. Charles Rosen, *La generazione romantica*
277. Georges Simenon, *Maigret e il corpo senza testa*
278. Frank Wedekind, *Mine-Haha*
279. Eric Ambler, *Motivo d'allarme*
280. Pietro Citati, *La primavera di Cosroe*
281. W.G. Sebald, *Austerlitz*
282. Georges Simenon, *Maigret si diverte*
283. James D. Watson, *DNA*
284. Porfirio, *L'antro delle Ninfe*
285. Glenway Wescott, *Il falco pellegrino*
286. Leonardo Sciascia, *Il contesto*
287. Benedetta Craveri, *La civiltà della conversazione*
288. Patrick Leigh Fermor, *Mani*
289. Wolfgang Goethe, *Wilhelm Meister. Gli anni dell'apprendistato*
290. Georges Simenon, *Gli scrupoli di Maigret*
291. William S. Burroughs, *Pasto nudo*
292. Andrew Sean Greer, *Le confessioni di Max Tivoli*
293. Georges Simenon, *Maigret e i testimoni recalcitranti*
294. R.B. Onians, *Le origini del pensiero europeo*
295. Oliver Sacks, *Zio Tungsteno*
296. Jack London, *Le mille e una morte*
297. Vaslav Nijinsky, *Diari*
298. Ingeborg Bachmann, *Il trentesimo anno*
299. Georges Simenon, *Maigret in Corte d'Assise*
300. Eric Ambler, *La frontiera proibita*
301. James Hillman, *La forza del carattere*
302. Georges Simenon, *Maigret e il ladro indolente*
303. Azar Nafisi, *Leggere Lolita a Teheran*
304. Colette, *Il mio noviziato*
305. Sándor Márai, *Divorzio a Buda*
306. Mordecai Richler, *Solomon Gursky è stato qui*
307. Leonardo Sciascia, *Il cavaliere e la morte*
308. Alberto Arbasino, *Le piccole vacanze*

309. Madeleine Bourdouxhe, *La donna di Gilles*
310. Daniel Paul Schreber, *Memorie di un malato di nervi*
311. Georges Simenon, *Maigret si confida*
312. William Faulkner, *Mentre morivo*
313. W.H. Hudson, *La Terra Rossa*
314. Georges Simenon, *Maigret si mette in viaggio*
315. *Elisabetta d'Austria nei fogli di diario di Constantin Christomanos*
316. Pietro Citati, *Kafka*
317. Charles Dickens, *Martin Chuzzlewit*
318. Rosa Matteucci, *Lourdes*
319. Georges Simenon, *Maigret e il cliente del sabato*
320. Eric Ambler, *Il levantino*
321. W. Somerset Maugham, *Acque morte*
322. Georges Simenon, *La camera azzurra*
323. Gershom Scholem, *Walter Benjamin. Storia di un'amicizia*
324. Georges Simenon, *Maigret e le persone perbene*
325. Sándor Márai, *Le braci*
326. Hippolyte Taine, *Le origini della Francia contemporanea. L'antico regime*
327. Rubén Gallego, *Bianco su nero*
328. Alicia Erian, *Beduina*
329. Anna Maria Ortese, *Il mare non bagna Napoli*
330. Pietro Citati, *La colomba pugnalata*
331. Georges Simenon, *Maigret e i vecchi signori*
332. Benedetta Craveri, *Amanti e regine*
333. Daniil Charms, *Casi*
334. Georges Simenon, *Maigret perde le staffe*
335. Frank McCourt, *Ehi, prof!*
336. Jirí Langer, *Le nove porte*
337. Russell Hoban, *Il topo e suo figlio*
338. Enea Silvio Piccolomini, *I commentarii* (2 voll.)
339. Georges Simenon, *Maigret e il barbone*
340. Alan Bennett, *Signore e signori*
341. Irène Némirovsky, *David Golder*
342. Robert Graves, *La Dea Bianca*
343. James Hillman, *Il codice dell'anima*
344. Georges Simenon, *Maigret si difende*
345. Peter Cameron, *Quella sera dorata*
346. René Guénon, *Il Regno della Quantità e i Segni dei Tempi*
347. Pietro Citati, *La luce della notte*
348. Goffredo Parise, *Sillabari*
349. Wisława Szymborska, *La gioia di scrivere*
350. Georges Simenon, *La pazienza di Maigret*

351. Antonin Artaud, *Al paese dei Tarahumara*
352. Colette, *Chéri · La fine di Chéri*
353. Jack London, *La peste scarlatta*
354. Georges Simenon, *Maigret e il fantasma*
355. W. Somerset Maugham, *Il filo del rasoio*
356. Roberto Bolaño, *2666*
357. Tullio Pericoli, *I ritratti*
358. Leonardo Sciascia, *Il Consiglio d'Egitto*
359. Georges Simenon, *Memorie intime*
360. Georges Simenon, *Il ladro di Maigret*
361. Sándor Márai, *La donna giusta*
362. Karl Kerényi, *Dioniso*
363. Vasilij Grossman, *Tutto scorre...*
364. Georges Simenon, *Maigret e il caso Nahour*
365. Peter Hopkirk, *Il Grande Gioco*
366. Moshe Idel, *Qabbalah*
367. Irène Némirovsky, *Jezabel*
368. Georges Simenon, *L'orologiaio di Everton*
369. *Kāmasūtra*, a cura di Wendy Doniger e Sudhir Kakar
370. Giambattista Basile, *Il racconto dei racconti*
371. Peter Cameron, *Un giorno questo dolore ti sarà utile*
372. Georges Simenon, *Maigret è prudente*
373. Mordecai Richler, *L'apprendistato di Duddy Kravitz*
374. Simone Pétrement, *La vita di Simone Weil*
375. Richard P. Feynman, *QED*
376. Georges Simenon, *Maigret a Vichy*
377. Oliver Sacks, *Musicofilia*
378. Martin Buber, *Confessioni estatiche*
379. Roberto Calasso, *La Folie Baudelaire*
380. Carlo Dossi, *Note azzurre*
381. Georges Simenon, *Maigret e il produttore di vino*
382. Andrew Sean Greer, *La storia di un matrimonio*
383. Leonardo Sciascia, *Il mare colore del vino*
384. Georges Simenon, *L'amico d'infanzia di Maigret*
385. Alberto Arbasino, *America amore*
386. W. Somerset Maugham, *Il velo dipinto*
387. Georges Simenon, *Luci nella notte*
388. Rudy Rucker, *La quarta dimensione*
389. C.S. Lewis, *Lontano dal pianeta silenzioso*
390. Stefan Zweig, *Momenti fatali*
391. *Le radici dell'Āyurveda*, a cura di Dominik Wujastyk
392. Friedrich Nietzsche-Lou von Salomé-Paul Rée, *Triangolo di lettere*
393. Patrick Dennis, *Zia Mame*

394. Georges Simenon, *Maigret e l'uomo solitario*
395. Gypsy Rose Lee, *Gypsy*
396. William Faulkner, *Le palme selvagge*
397. Georges Simenon, *Maigret e l'omicida di rue Popincourt*
398. Alan Bennett, *La sovrana lettrice*
399. Miloš Crnjanski, *Migrazioni*
400. Georges Simenon, *Il gatto*
401. René Guénon, *L'uomo e il suo divenire secondo il Vêdânta*
402. Georges Simenon, *La pazza di Maigret*
403. James M. Cain, *Mildred Pierce*
404. Sándor Márai, *La sorella*
405. Temple Grandin, *La macchina degli abbracci*
406. Jean Echenoz, *Ravel*
407. Georges Simenon, *Maigret e l'informatore*
408. Patrick McGrath, *Follia*
409. Georges Simenon, *I fantasmi del cappellaio*
410. Edgar Wind, *Misteri pagani nel Rinascimento*
411. Georges Simenon, *Maigret e il signor Charles*
412. Pietro Citati, *Il tè del Cappellaio matto*
413. Jorge Luis Borges-Adolfo Bioy Casares, *Sei problemi per don Isidro Parodi*
414. Richard P. Feynman, *Il senso delle cose*
415. James Hillman, *Il mito dell'analisi*
416. W. Somerset Maugham, *Schiavo d'amore*
417. Guido Morselli, *Dissipatio H.G.*
418. Alberto Arbasino, *Pensieri selvaggi a Buenos Aires*
419. Glenway Wescott, *Appartamento ad Atene*
420. Irène Némirovsky, *Due*
421. Marcel Schwob, *Vite immaginarie*
422. Irène Némirovsky, *I doni della vita*
423. Martin Davis, *Il calcolatore universale*
424. Georges Simenon, *Rue Pigalle e altri racconti*
425. Irène Némirovsky, *Suite francese*
426. Georges Simenon, *Il borgomastro di Furnes*
427. Irène Némirovsky, *I cani e i lupi*
428. Leonardo Sciascia, *Gli zii di Sicilia*
429. Nikolaj Gogol', *Racconti di Pietroburgo*
430. Vasilij Grossman, *Vita e destino*
431. Michael Pollan, *Il dilemma dell'onnivoro*
432. Georges Simenon, *La Locanda degli Annegati e altri racconti*
433. Jean Rhys, *Il grande mare dei sargassi*
434. W. Somerset Maugham, *La luna e sei soldi*
435. Tommaso Landolfi, *Racconto d'autunno*
436. William S. Burroughs, *Queer*

437. William Faulkner, *Luce d'agosto*
438. Mark S.G. Dyczkowski, *La dottrina della vibrazione*
439. Georges Simenon, *L'angioletto*
440. O. Henry, *Memorie di un cane giallo*
441. Georges Simenon, *Assassinio all'Étoile du Nord e altri racconti*
442. Pietro Citati, *Il Male Assoluto*
443. William S. Burroughs - Jack Kerouac, *E gli ippopotami si sono lessati nelle loro vasche*
444. Gottfried Keller, *Tutte le novelle*
445. Irène Némirovsky, *Il vino della solitudine*
446. Joseph Mitchell, *Il segreto di Joe Gould*
447. Vladimir Nabokov, *Una bellezza russa*
448. Mervyn Peake, *Tito di Gormenghast*
449. Michael Confino, *Il catechismo del rivoluzionario*
450. Olivier Philipponnat - Patrick Lienhardt, *La vita di Irène Némirovsky*
451. Curzio Malaparte, *Kaputt*
452. Vasilij Grossman, *Il bene sia con voi!*
453. Álvaro Mutis, *La casa di Araucaíma*
454. Georges Simenon, *Minacce di morte e altri racconti*
455. Rudolf Borchardt, *L'amante indegno*
456. Emmanuel Carrère, *Limonov*
457. Frederic Prokosch, *Gli asiatici*
458. J. Rodolfo Wilcock, *La sinagoga degli iconoclasti*
459. Alexander Lernet-Holenia, *Lo stendardo*
460. Sam Kean, *Il cucchiaino scomparso*
461. Jean Echenoz, *Correre*
462. Nancy Mitford, *L'amore in un clima freddo*
463. Milan Kundera, *La festa dell'insignificanza*
464. Pietro Citati, *Vita breve di Katherine Mansfield*
465. Carlo Emilio Gadda, *L'Adalgisa*
466. Georges Simenon, *La pipa di Maigret e altri racconti*
467. Fleur Jaeggy, *Proleterka*
468. Prosper Mérimée, *I falsi Demetrii*
469. Georges Simenon, *Hôtel del Ritorno alla Natura*
470. I.J. Singer, *La famiglia Karnowski*
471. Georges Simenon, *Gli intrusi*
472. Andrea Alciato, *Il libro degli Emblemi*
473. Jorge Luis Borges, *Finzioni*
474. Elias Canetti, *Massa e potere*
475. William Carlos Williams, *Nelle vene dell'America*
476. Georges Simenon, *Un Natale di Maigret e altri racconti*
477. Georges Simenon, *Tre camere a Manhattan*
478. Carlo Emilio Gadda, *Accoppiamenti giudiziosi*

479. Joseph Conrad, *Il caso*
480. W. Somerset Maugham, *Storie ciniche*
481. Alan Bennett, *Due storie sporche*
482. Alberto Arbasino, *Ritratti italiani*
483. Azar Nafisi, *Le cose che non ho detto*
484. Jules Renard, *Lo scroccone*
485. Georges Simenon, *Tre inchieste dell'ispettore G. 7*
486. Pietro Citati, *L'armonia del mondo*
487. Neil MacGregor, *La storia del mondo in 100 oggetti*
488. Curzio Malaparte, *La pelle*
489. John Aubrey, *Vite brevi di uomini eminenti*
490. John Ruskin, *Gli elementi del disegno*
491. Aleksandr Zinov'ev, *Cime abissali*
492. Sant'Ignazio, *Il racconto del Pellegrino*
493. I.J. Singer, *Yoshe Kalb*
494. Irène Némirovsky, *I falò dell'autunno*
495. Oliver Sacks, *L'occhio della mente*
496. Walter Otto, *Gli dèi della Grecia*
497. Iosif Brodskij, *Fuga da Bisanzio*
498. Georges Simenon, *L'uomo nudo e altri racconti*
499. Anna Maria Ortese, *L'Iguana*
500. Roberto Calasso, *L'ardore*
501. Giorgio Manganelli, *Centuria*
502. Emmanuel Carrère, *Il Regno*
503. Shirley Jackson, *L'incubo di Hill House*
504. Georges Simenon, *Il piccolo libraio di Archangelsk*
505. Amos Tutuola, *La mia vita nel bosco degli spiriti*
506. Jorge Luis Borges, *L'artefice*
507. W. Somerset Maugham, *Lo scheletro nell'armadio*
508. Roberto Bolaño, *I detective selvaggi*
509. Georges Simenon, *Lo strangolatore di Moret e altri racconti*
510. Pietro Citati, *La morte della farfalla*
511. Sybille Bedford, *Il retaggio*
512. *I detti di Confucio*, a cura di Simon Leys
513. Sergio Solmi, *Meditazioni sullo Scorpione*
514. Giampaolo Rugarli, *La troga*
515. Alberto Savinio, *Nuova enciclopedia*
516. Russell Hoban, *La ricerca del leone*
517. J. Rodolfo Wilcock, *Lo stereoscopio dei solitari*
518. Georges Simenon, *La fioraia di Deauville e altri racconti*
519. Abhinavagupta, *Luce dei Tantra*
520. Yasmina Reza, *Felici i felici*
521. Roberto Calasso, *L'impuro folle*
522. James Stephens, *La pentola dell'oro*

523. W. Somerset Maugham, *Una donna di mondo e altri racconti*
524. Anna Maria Ortese, *Alonso e i visionari*
525. Theodore F. Powys, *Gli dèi di Mr. Tasker*
526. Groucho Marx, *Groucho e io*
527. David Quammen, *Spillover*
528. Georges Simenon, *Il Club delle Vecchie Signore e altri racconti*
529. Mervyn Peake, *Gormenghast*
530. Ferenc Karinthy, *Epepe*
531. Georges Simenon, *Cargo*
532. Patrick Leigh Fermor, *Tempo di regali*
533. Vladimir Nabokov, *Ada o ardore*
534. Knut Hamsun, *Pan*
535. Irène Némirovsky, *La preda*
536. Neil MacGregor, *Il mondo inquieto di Shakespeare*
537. Christopher Isherwood, *Addio a Berlino*
538. George G. Byron, *Un vaso d'alabastro illuminato dall'interno*
539. Martin Heidegger, *Nietzsche*
540. Heinrich Zimmer, *Miti e simboli dell'India*
541. Georges Simenon, *Il fiuto del dottor Jean e altri racconti*
542. Pietro Citati, *La mente colorata*
543. Georges Simenon, *In caso di disgrazia*
544. Anna Maria Ortese, *Il porto di Toledo*
545. Joseph Roth, *Il mercante di coralli*
546. Jorge Luis Borges, *Il libro di sabbia*
547. Nancy Mitford, *Non dirlo ad Alfred*
548. Giovanni Mariotti, *Storia di Matilde*
549. Irène Némirovsky, *Il signore delle anime*
550. Luciano, *Una storia vera*
551. Georges Simenon, *Il morto piovuto dal cielo e altri racconti*
552. Roberto Calasso, *Il rosa Tiepolo*
553. Shirley Jackson, *Lizzie*
554. Georges Simenon, *La vedova Couderc*
555. Christopher Isherwood, *Un uomo solo*
556. Daniel Defoe, *La vita e le avventure di Robinson Crusoe*
557. Marcel Granet, *Il pensiero cinese*
558. Oliver Sacks, *Emicrania*
559. Georges Simenon, *La Marie del porto*
560. Roberto Bazlen, *Scritti*
561. Lawrence Wright, *Le altissime torri*
562. Gaio Valerio Catullo, *Le poesie*
563. Sylvia Townsend Warner, *Lolly Willowes*
564. Gerald Durrell, *Il picnic e altri guai*
565. William Faulkner, *Santuario*
566. Georges Simenon, *Il castello dell'arsenico e altri racconti*

567. Michael Pollan, *In difesa del cibo*
568. Han Kang, *La vegetariana*
569. Thomas Bernhard, *Antichi Maestri*
570. Fernando Pessoa, *Una sola moltitudine, I*
571. James Hillman, *Re-visione della psicologia*
572. Edgar Allan Poe, *Marginalia*
573. Meyer Levin, *Compulsion*
574. Roberto Calasso, *Il Cacciatore Celeste*
575. Georges Simenon, *La cattiva stella*
576. I.B. Singer, *Keyla la Rossa*
577. E.M. Cioran, *La tentazione di esistere*
578. Carlo Emilio Gadda, *La cognizione del dolore*
579. Louis Ginzberg, *Le leggende degli ebrei*
580. Leonardo Sciascia, *La strega e il capitano*
581. Hugo von Hofmannsthal, *Andrea o I ricongiunti*
582. Roberto Bolaño, *Puttane assassine*
583. Jorge Luis Borges, *Storia universale dell'infamia*
584. Georges Simenon, *Il testamento Donadieu*
585. V.S. Naipaul, *Una casa per Mr Biswas*
586. Friedrich Dürrenmatt, *Il giudice e il suo boia*
587. Franz Kafka, *Il processo*
588. Rainer Maria Rilke, *I quaderni di Malte Laurids Brigge*
589. Michele Ciliberto, *Il sapiente furore*
590. David Quammen, *Alla ricerca del predatore alfa*
591. William Dalrymple, *Nove vite*
592. Georges Simenon, *La linea del deserto e altri racconti*
593. Thomas Bernhard, *Estinzione*
594. Emanuele Severino, *Legge e caso*
595. Georges Simenon, *Il treno*
596. Georges Simenon, *Il viaggiatore del giorno dei Morti*
597. Georges Simenon, *La morte di Belle*